D0507783

AFGESCHREVEN

Annette Zeelenberg

Een stil vertrek

AILANTUS

AMSTERDAM 2009

Copyright © Annette Zeelenberg, 2009 / Uitgeverij Ailantus
Omslag Femke Tomberg
Fotografie omslag Rienk Post
Binnenwerk Steven Boland
Foto auteur Mark Sassen Fotografie
ISBN 978 90 895 3028 8 / NUR 301
www.ailantus.nl
www.clubvaneerlijkevinders.nl

Inhoud

Deel I

Op weg naar een vals begin

Het is een kale zondagmiddag. De wolken hangen zo laag boven de stad dat ze al het geluid dempen. In de verte bromt een helikopter. Geen joggers, geen skaters, geen wandelaars. De straten zijn leeg.

Het Riverside Café is een toevluchtsoord. Er wordt swingende muziek gedraaid, precies zo luid dat privégesprekken privé blijven. De temperatuur is aangenaam, de kille stad lijkt ver weg. Het ruikt er verleidelijk, naar versgezette koffie en gebak dat net uit de oven komt.

Kay zit aan de leestafel met haar rug naar het raam. Over haar schouder kijkt ze hoe de kastanjeboom aan de overkant af en toe een blad laat vallen. Voor haar ligt het economiekatern van de dikke zondagskrant. Ze heeft vluchtig een paar alinea's bekeken, iets over dure olie en terughoudendheid in wereldwijde investeringen.

Haar gedachten zijn bij de woorden waarmee ze midden in de nacht wakker is geworden. 'Als je het nu niet weet, weet je het nooit.'

Wát moet ze dan weten? De vastberaden toon heeft haar bang gemaakt. Het lijkt een laatste kans, een nu-of-nooitmoment. Het is moeilijk het antwoord te vinden als je niet weet wat de vraag is.

Een spoor van een droom waarvan de rest is verdampt.

Want er was nog iets geweest. Iets belangrijks. Woorden die waren weggeglipt voor ze haar vingers erop had kunnen leggen. Als ze ze kon herinneren zou ze rustiger zijn.

Tegenover haar zijn twee jongens aan het schaken op een zelf meegebracht bord. Ze spreken niet, maar hummen goedkeurend bij elke zet. Zes lege koffiebekers en een bordje met een half opgegeten *oatmeal cookie* geven de voortgang van de schaakpartij aan.

Het is heel lang geleden dat zij met iemand zo vanzelfsprekend heeft gezwegen.

Er komen nieuwe mensen binnen, een groepje. Kay is blij dat ze al een plek aan haar favoriete tafel heeft. Een vrouw met onwaarschijnlijk lang, glanzend blond haar loopt met een gilletje naar een oudere man aan een tweepersoonstafeltje. '*You are still here!*' roept ze en kust hem op zijn wang. 'Ik dacht dat je al vertrokken zou zijn. Maar je kunt zeker niet zonder me?' Ze zet haar trendy zonnebril af en gaat zitten.

Een andere vrouw is zo verdiept in haar telefoongesprek dat ze vergeet te gaan zitten of te bestellen. Ze heeft een diepe frons in haar voorhoofd en maakt af en toe driftige gebaren, alsof haar gesprekspartner tegenover haar staat. Kay spant zich in om te horen waar ze zo geagiteerd over is, maar in het café worden alle gesprekken samengeklutst tot een onverstaanbare brij. Toch drijven al die woorden door de ruimte, zo voor het grijpen. Als ze maar genoeg haar best doet, kan ze onderdeel zijn van al die verhalen.

Ze probeert zich weer in het krantenartikel te verdiepen. De olieprijzen bereiken een recordhoogte. *Who cares?*

Bij het buffet staat een opvallend mooie, lange man. Kay heeft hem niet zien binnenkomen. Brede schouders, donker halflang haar, scherpe jukbeenderen. Met zo'n uiterlijk zou hij model kunnen zijn, of acteur, maar de bijbehorende arrogantie ontbreekt. Een zwerfhond zou hij zonder aarzelen onder zijn hoede nemen – zo'n type.

Plotseling draait hij zich om en kijkt haar over zijn schouder recht aan. Groene ogen.

Ze slaat haar blik neer, als een schoolmeisje. Van onder haar wimpers blijft ze naar hem kijken. Hij heeft een espresso besteld, waar hij niet van drinkt. Op wie wacht hij?

Zijn aanwezigheid schuurt tegen de zenuwuiteinden in haar lichaam, de haartjes op haar armen gaan rechtop staan. Alle contouren zijn scherper geworden, de geluiden harder.

Verbeeld je maar niets, zegt ze tegen zichzelf.

Ze kijkt voorzichtig op en weer ontmoet ze zijn blik. Ze kent de regels niet meer.

Vanochtend heeft ze zomaar een vormloos, bleekgroen T-shirt uit de kast gepakt. Ze had dat vest van mohairwol aan moeten trekken. Haar haar zit vast raar. Quasiafwezig veegt ze een lok uit haar gezicht. Er reist een cameraatje door haar bloedbaan dat elke cel registreert en analyseert.

'Hé, Kay, wat leuk dat ik je hier zie.'

Die stem – ze draait zich om. Owen staat achter haar, met zijn hand op de rugleuning van haar stoel.

'Je collega's kun je zelfs op je vrije dag niet ontlopen in een kleine stad als deze,' zegt hij lachend. 'Mag ik je gezelschap houden?'

Hij zit al naast haar.

Kay zet zich schrap tegen de paniek die van haar voeten naar haar keel trekt als hoog water in een rivier. Ze wil opstaan, haar jas aantrekken, op besliste toon zeggen dat ze weg moet.

Owen negeert haar zwijgen. 'Er ligt thuis een hele stapel papers,' keuvelt hij, 'maar na een paar uur had ik genoeg van het corrigeren. Het is per slot van rekening zondag, en we worden niet voor overwerk betaald. Dus kwam ik hierheen voor een *latte*, en nu zie ik tot mijn grote verbazing jou hier zitten!'

Hij buigt hij zich dichter naar haar toe – werpt een blik op de opengeslagen krant. 'Een economische analyse? Ik wist niet dat je je daarvoor interesseerde.' Zijn hand ligt op de leuning van Kays stoel, ze zit gevangen in de buiging van zijn arm.

Zo dadelijk zal hij die hand op haar bovenarm leggen, vlak bij haar borst, en zal hij haar op vertrouwelijke toon zijn visie op de toestand van de Amerikaanse dollar geven. Ze ruikt zijn aftershave en voelt hoe het zweet haar uitbreekt.

Ademhalen is zoiets vertrouwds en simpels, nooit denkt Kay erover na. Nu lijkt het een onoverkomelijk complexe handeling. Rustig, rustig, de lucht naar binnen laten glijden en dan weer zachtjes naar buiten. In en uit, in en uit.

In gedachten ziet ze het pistooltje in haar tas. Het is zo klein, het glimt zo mooi – het zou speelgoed kunnen zijn. Glad en koel als ze haar hand eromheen vouwt. Stevig.

Ik stond op Detroit International Airport met mijn blauwe koffer op een bagagekarretje, mijn oren suisden nog na van een al te snelle landing.

Ik had een jonge geüniformeerde man met vierkante kaken en stekeltjeshaar ervan weten te overtuigen dat mijn paspoort bonafide was, dat ik was wie ik zei te zijn en dat ik *God's own country* geen kwaad zou berokkenen. Hij had een handgebaar gemaakt en ik had begrepen dat ik vrij was om het land binnen te gaan.

Om mij heen wisten mensen precies wat hun doel was in dit leven. Met opgeheven hoofd liepen ze langs me, al hun spullen in koffers op wieltjes. Sommigen vlogen geliefden in de armen – eindelijk weer thuis.

Ik keek omlaag, liever voeten dan gezichten. Sneakers, snowboots, *high heels* – allemaal zonder aarzelen op weg. Een netwerk van moddersporen liep over de grijze stenen vloer: schaduwen van voeten die alweer voorbij waren, verder gelopen. Buiten moest het nat zijn.

Kom, ik kon hier niet blijven staan. Ik bracht mijn bagagekarretje in beweging.

Ik was naar Amerika gekomen voor een baan. Mijn vroegere collega's in Nederland benijdden me. De ironie was dat ik me nooit echt met mijn carrière had beziggehouden, nooit plannen had gemaakt, nooit had geïnvesteerd in een invloedrijk netwerk.

Ik vond het zwak om om hulp te vragen. Ik kon alles zelf, altijd al. Waarschijnlijk een kwestie van zusterlijke rivaliteit. Carina was de koningin. Als zij iets vroeg, zelfs aan een wildvreemde, kreeg ze wat ze wilde hebben. Carina twijfelde niet: zij had recht op het allerbeste en iedereen onderschreef dat recht. Ik had het al jong opgegeven om haar houding te kopiëren.

En nu waren er mensen gekomen die mij ongevraagd hadden geholpen. Alsof ik nu opeens aan de beurt was. Toen het bijzonder moeizaam bleek om een werkvisum te regelen, hadden ze contacten aangesproken, gesprekken gevoerd, collega's afgevaardigd die dag na dag bij loketten navraag hadden gedaan.

Ik had het nogal verontrustende gevoel gehad dat er sprake was van een persoonsverwisseling. Dat het niet om mij ging en dat dat op het allerlaatste moment uit zou komen, als ik al bij de marechaussee op Schiphol stond.

Pas nadat ik 'ja' had gezegd, realiseerde ik me wat dat betekende. Ik kon alles achterlaten. Het flintertje opluchting dat bij die gedachte hoorde, had ik niet durven aanwakkeren. Niet te vroeg juichen.

De blijdschap kwam met het visumstempel in mijn paspoort en mijn ticket op de keukentafel. Toch had ik de champagne niet opengetrokken – ik hield niet van champagne. Bovendien twijfelde ik of ik wel recht had op uitbundigheid. Ik wilde mijn vertrek zo stil mogelijk houden.

Zo had ik dus een kantoortje bij de minivakgroep Nederlands van een enorme Amerikaanse universiteit gekregen – zo'n honderd studenten koesterden zich daar in hun keuze voor een bizarre studie. Ik had een baan aanvaard die zich onderscheidde door de laagst mogelijke maatschappelijke relevantie in dit land.

De vakgroep had twee jaar geleden een legaat gekregen van een Nederland-fan, en met dat geld mocht ik een bibliotheek met interessante Nederlandstalige boeken opbouwen. Ik vertelde mezelf dat ik me erop verheugde.

Ik had niet goed nagedacht voordat ik naar mijn nieuwe land vertrok. Er waren zoveel dingen geweest die ik moest regelen dat ik steeds meer in de war was geraakt en uiteindelijk haast niets had geregeld.

Daar zat ik dan op de rand van het bed in de door mijn nieuwe werkgever geboekte hotelkamer, mijn lichaam ingesteld op de Nederlandse nacht terwijl het buiten nog licht was. In mijn koffer te weinig kleren en te veel boeken, in mijn hoofd een hardnekkige vaagheid.

Een to do-lijstje zou helderheid scheppen. Een opsomming van mijn taken, nu ik hier eenmaal was. Ik pakte een notitieblok met het hotellogo van een van de nachtkastjes en vond een pen in de lade.

Ik had nog een week voor ik op de universiteit moest verschijnen. Een week om een begin te maken.

Ik sloot mijn ogen en dacht niet aan de toekomst, maar aan het verleden. Mijn huis, met de postzegelkleine tuin met het appelboompje, de zwart-witte tegels in de gang en het keukenzeil waar je alle vuile voetstappen op zag, de openslaande deuren in de woonkamer die maar half opengingen omdat de klimroos te groot was geworden, de slaapkamer op de eerste verdieping met het smalle balkon. Zo'n huis zou ik nooit meer vinden.

Waarom had ik er niet over nagedacht hoe onveilig het zou zijn om geen huis te hebben? Hoe kaal, zo zonder die muren en dat dak. Hoe instabiel, zonder de vertrouwde vloer onder mijn voeten. Hoe leeg.

Ik stond op en liep naar het raam. Er zat een soort schuifvergrendeling op die suggereerde dat het mogelijk was om het venster open te doen. Maar wat ik ook probeerde, het raam bleef dicht.

Buiten, vijf verdiepingen lager, ging de stad haar gang. Auto's gleden zoetjes over de straat als langgerekte zeiljachten, voetgangers haalden zwarte paraplu's tevoorschijn toen de eerste druppels vielen. Ik stelde me voor hoe koel de regen voelde, hoe je de frisheid kon ruiken, zelfs te midden van de geur van verkeer en mensen. Maar de hoteldirectie was vast bang voor depressieve gasten, voor ambulances en bloed op de stoep.

Een knalrode paraplu voegde zich bij het legertje zwarte paraplu's. De mensen eronder kon ik niet zien en niet horen. Het viel me nu pas op hoe stil het hier was. Mijn ademhaling was het enige geluid.

Er liepen zwijgende stroompjes water langs het raam. De volgende dag zou ik een huis gaan zoeken.

'Ik hou van Europeanen, die zijn betrouwbaar,' zei de *landlady* en overhandigde me het huurcontract voor het appartement waarin ik gelukkig moest gaan worden. Het was de benedenverdieping van een wit houten huis met een veranda en een grasveldje, zo'n typisch Amerikaans huis zoals je in films ziet.

Ik had het uit de krant, het eerste van een paar advertenties die ik had uitgeknipt. Toen ik het bijbehorende telefoonnummer had gebeld, had ik bijna direct weer opgehangen. De vrouw die ik aan de lijn kreeg, sprak met zo'n sterk Chinees accent dat ik haar eerst niet verstond. Gelukkig had ze me duidelijk weten te maken dat ik direct kon komen kijken.

Het appartement was licht, schoon, had een tuin, op de bovenverdieping woonde geen man en de huur was redelijk. Verder zoeken was niet nodig.

De veranda keek uit op een kleine seringenboom en er was een achtertuin waar twee grote zinken afvalemmers met deksel stonden. 'Dinsdagochtend vroeg moeten die aan de straat staan,' zei de landlady.

'Mag ik?' vroeg ik en opende het raam naast het aanrecht. De tuin was een wildernis van struiken en uitgebloeide planten rondom een klein veldje met geel gras en onkruid. Achterin stonden naast elkaar een vlier en een magere esdoorn die zachtjes zijn bladeren aan het verliezen was. Het geheel zag eruit alsof de vorige bewoners, en misschien ook wel de bewoners daarvoor, er nooit een voet hadden gezet.

'Daar valt nog heel wat van te maken,' zei ik, meer tegen mezelf dan tegen de landlady. Ik draaide me naar haar om en vroeg: 'Komt er zon in de tuin?'

Ze kneep haar ogen samen alsof ik een obscene vraag had gesteld. 'Geen idee. Ik zit nooit in de zon, daar krijg je huidkanker van.'

Ik trok diezelfde dag in mijn nieuwe huis. Mijn koffers zette ik neer in een hoek van de huiskamer, mijn net gekochte slaapzak rolde ik uit op de houten vloer van de toekomstige slaapkamer. Daarna draaide ik mijn nieuwe voordeur op slot en liep langs andere houten huizen met veranda's – sommige met schommelbanken, andere vol fietsen of kinderwagens en speelgoed – naar de buurtwinkel. The People's Food Co-op had in de etalage geen posters met weekaanbiedingen, maar oproepen tot lokaal of nationaal protest: een aankondiging van een actie tegen hoge huren, en een ander plakkaat schreeuwde met paarse letters 'Stop Bush in Afghanistan!' Eronder stond een kistje met prachtig ronde peren.

Ik moest aan mijn moeder denken. Ze had niets – positief of negatief – met Bush jr. gehad, en in Afghanistan was ze nooit geweest. Maar over gezond eten had ze een duidelijke mening. Tot vervelens toe had ze mijn zus en mij voorgehouden hoe belangrijk het was om groenten, fruit en vooral veel granen te eten. Ik herinnerde me de slijmerige havermout die we 's ochtends voorgezet kregen, en de sojabrokjes in zelfgemaakte spinaziesoep. In het ziekenhuis had ze zich opgewonden over het menu van kapotgekookte, vitamineloze gerechten. 'Ik raak hier ondervoed,' had ze ons meegedeeld. Ironisch genoeg was dat het minste van haar problemen gebleken.

In de Food Co-op was het halfdonker en het rook er naar

overrijp fruit. Het gangpad was zo smal dat twee mensen elkaar slechts met moeite konden passeren. *Paul Newman's own salsa*, las ik op een etiket, en daarnaast stond een pot pastasaus die nadrukkelijk werd aangeprezen met *no sugar*. Allemaal iets voor later. Nu kocht ik 'onbespoten pindakaas' die ik zelf in een pot mocht scheppen, een half zuurdesembrood met sesamzaadjes en vier rode appels. Mijn moeder kon trots op me zijn.

Op de terugweg zag ik aan de overkant een oude, graatmagere man die een enorme vrouw in een rolstoel voortduwde. Die rolstoel moest wel extra verstevigd zijn. De man draaide zijn hoofd in mijn richting, ik wilde hem groeten, maar hij keek langs me heen – opzettelijk of onopzettelijk, dat was niet te zeggen. Ik slikte mijn groet in en staarde het bejaarde paar na. Ze stopten bij een lichtblauw geschilderd huis verderop in de straat en tot mijn verbazing duwde de man zonder al te veel moeite de rolstoel over een schuine opgang naar de veranda.

Die avond kroop ik in mijn nieuwe slaapzak en luisterde naar de geluiden van het huis. De houten vloerdelen zetten uit of krompen in, of allebei tegelijk – ze lieten een soort gekreun horen dat op een vreemde manier geruststellend was, alsof het huis zich om mij heen vouwde. Af en toe klonken voetstappen boven mijn hoofd. Ik had de bovenbuurvrouw nog niet ontmoet, maar ik was niet alleen.

Het was warm en comfortabel, ik lag in een nest van eendendons en blauwe katoen.

Als ik naar een werkelijk nieuw land had willen verhuizen, had ik niet naar Amerika moeten gaan. Vanaf het allereerste begin waren het landschap, de stad, de huizen, de mensen op een verontrustende manier vertrouwd.

Ik had het gevoel dat ik alles ik al eens had gezien – de lange, lage auto's, de brede straten, de esdoorns die in de herfst rode bladeren lieten vallen, de supermarkten met hun overdadige aanbod, de mannen met hun regelmatige gelaatstrekken en brede kaken, de vrouwen met hun stralend witte glimlach en hun glanzende haar.

Amerika had een perfecte kopie van zichzelf gemaakt en had die via Hollywood geëxporteerd naar de rest van de wereld. Via films en tv-series hadden wij allemaal door Amerika gereisd, van New York via de Rocky's naar Los Angeles en weer terug. Het was vervreemdend, dat constante gevoel van déjà vu.

Tegelijkertijd was alles natuurlijk wél nieuw – ik was geen toeschouwer nu, ik maakte deel uit van het land. Het was een kwestie van 'daar' en 'hier', dacht ik. Toen ik vroeger Amerika in de bioscoop bekeek, bevond het land zich altijd 'daar', hoe indringend de beelden op het witte doek ook waren. Nu ik zelf in zo'n met hout betimmerd huis woonde en mijn voeten dagelijks door zo'n universiteitsstadje liepen, was Amerika overweldigend 'hier'.

Natuurlijk was het niet het vertrouwde dat me naar dit niet-nieuwe nieuwe land had gelokt. In mijn hoofd gonsde voortdurend de hoop op iets wat mij naar adem zou doen happen. Iets wat alles anders zou maken.

De eerste weken zijn het moeilijkst, zei iedereen. Dat klopt niet. In die beginperiode zwierde ik mee in een uitbundige zweefmolen van nieuwe dingen, nieuwe gebeurtenissen, nieuwe mensen.

Er waren party's – om de herfst te vieren, of het begin van de winter, of zomaar. Ik ging overal naartoe.

'Jij bent vast de Nederlandse researcher.' Een man met grijs stekeltjeshaar in een mooi pak van soepel vallende grijze stof kwam naast me staan en overhandigde me een glas Californische chardonnay.

'Kun je dat aan me zien?' vroeg ik. Eigenlijk had ik na drie glazen wel genoeg wijn gedronken.

De man grinnikte. 'Nee, dat niet. Je nationaliteit en je functie staan niet op je voorhoofd geschreven. Maar je bent de enige persoon hier die ik niet ken. Het enige nieuwe gezicht.' Hij gebaarde de ruimte rond, een voor de gelegenheid leeggehaalde vergaderzaal in het faculteitsgebouw. Overal stonden groepjes mensen druk met elkaar te praten. Er werd gelachen, men begroette elkaar met een kus op de wang, bewonderde elkaars feestkleding.

'Ik ken de meesten hier al jaren, we hebben geen geheimen voor elkaar,' zei hij.

Daar geloof ik niets van, dacht ik, iedereen heeft geheimen.

Ik was vers bloed en dat gaf me een voorsprong op de andere aanwezigen. Maar de status van nieuweling was kort houdbaar. De mensen hier zouden snel genoeg aan mij gewend zijn, dan was ik vast niet meer zo interessant.

De man – 'Anthony, net als de heilige' – vertelde over zijn vakgroep, Franse taal- en letterkunde, en maakte zich bekend als hoofddocent moderne literatuur. Ik hoefde niet veel te zeggen, alleen af en toe instemmend te mompelen en te knikken.

'Goed je ontmoet te hebben,' zei hij ten slotte en liet zijn hand vluchtig over mijn schouder glijden. Onwillekeurig deed ik een stap opzij.

'Bel me als je gesetteld bent, dan gaan we een keer samen lunchen.'

Ik glimlachte. 'Doen we.'

Een paar vrouwen wierpen me een kritische blik toe. Na een paar muurbloemachtige minuten vluchtte ik naar de wc.

Er waren meer van zulke korte ontmoetingen geweest. Mannen meestal, type oudere charmeur, die me uitnodigden voor een lunch of een borrel – ooit, op een vaag tijdstip, als het toevallig een keer zo uitkwam. '*You're welcome to give me a call*,' zeiden ze. En ja, ik was welkom, dat zag ik best en ik wist heel goed dat ik nooit op die uitnodigingen in zou gaan.

Het werk kon ik gemakkelijk aan, het was een rustoord in vergelijking met mijn vroegere baan. 'Dit heb ik verdiend,' zei ik soms tegen mezelf. Daar moest ik dan inwendig heel hard om lachen.

Ik zat in mijn kantoortje belangrijk te doen met een lijst met vroegmiddeleeuwse literatuur uit de Lage Landen. Iedereen met een beetje historische kennis, wat budgettair inzicht en een paar goede periodeoverzichten met de belangrijkste auteurs kon dit werk aan.

En wat maakte het uit of de boeken van een obscure schrijver straks wel of niet in de bibliotheek van de vakgroep zouden staan? De meeste studenten beheersten het Nederlands niet voldoende om zelfstandig een ingewikkelde tekst in die taal te lezen. Ik werd goed betaald voor iets wat er niet toe deed.

Ter compensatie had ik mijn takenpakket zelfstandig uitgebreid met een writer-in-residence-programma, om Nederlandse auteurs voor een korte periode naar Amerika te halen.

'Mooi project, doe maar,' had professor Manning, het hoofd van de vakgroep, gezegd.

Dat ik nu in zo'n kleine wereld werkte – wat een grap. Nog nooit eerder had ik zo weinig collega's gehad – Manning, een secretaresse, vier docenten en een enkele student-assistent – en nog nooit eerder had ik die collega's zo weinig gesproken.

Onze kamers lagen aan een lange, slecht verlichte gang – met daartussen het secretariaat, een koffiemachine, een kast met chaotische stapels kantoorvoorraad en de *common room* met daarnaast de printer. Die gang, dat was de hele vakgroep. De bakstenen muren en de linoleum vloer waren in de jaren tachtig misschien modern geweest, maar nu riepen ze alleen maar medelijden op – tenminste, bij mij. Het enige wat me beviel was de geur: het rook er intens naar papier.

Vanaf de eerste dag hield ik mijn deur open, als enige. De anderen waren blijkbaar erg op hun privacy gesteld, maar ik hield er niet van om opgesloten te zijn.

De deur tegenover mijn kamer ging open en Hadley kwam naar buiten. Ze doceerde moderne Nederlandse proza en poëzie en ik had begrepen dat Manning haar niet erg mocht, maar dat ze toch als een van de absolute experts van de vakgroep gold. Ondanks haar status had ze de uitstraling van *the girl next door*, met een jaloersmakende bos donkere krullen en een superslank lijf. We hadden nog maar een paar woorden met elkaar gewisseld.

'Hadley!' riep ik vanachter mijn bureau. Te informeel, of te direct – niet slim, dat zag ik zo.

Ze bleef staan alsof ze in een film figureerde die plotseling werd stilgezet. Heel langzaam draaide ze haar hoofd in mijn richting. Vanuit de verte gezien zou ze een student kunnen zijn met haar strakke spijkerbroek en hagelwitte t-shirt. In werkelijkheid was ze zeker tien jaar ouder dan ik.

Ik kwam overeind en zei: 'Heb je zin om een glas wijn te gaan drinken? Ik vind het leuk om te horen waar jij mee bezig bent.'

Ze keek me alleen maar aan.

Ik ratelde door: 'Jij kent vast wel een leuke bar. Ik ben hier nog zo kort, ik heb geen idee.'

Een handgebaar, het leek alsof ze me wilde laten zwijgen. 'Ik drink geen alcohol.' Ze glimlachte kort en liep weer verder.

Ik kende de codes niet, en bovendien was ik een buitenlandse indringer. Een bedreiging voor de sterrenstatus als Nederland-kenners van de docenten. Mijn collega's waren beleefd tegen me, waarmee alles was gezegd.

In mijn vorige baan was ik niet bevriend met mijn collega's, maar we wisten van elkaar wat er speelde – vakanties, verbou-wingen, ziektes, liefdesverdriet. En we hadden samengewerkt aan één groot project: een nieuwe versie van een Nederlands woordenboek. Een traject van jaren, ik was halverwege inge-stapt. Bij de 'O' had ik mijn ontslagbrief op de bus gedaan.

Ik had in kranten, tijdschriften, boeken naar O-woorden gezocht. Ik had geanalyseerd hoe ze werden gebruikt, en of een woord nieuwe betekenissen kreeg. Het dierbaarst waren de zelfbedachte woorden, of de woorden die uit andere talen wa-ren omgevormd. Er zaten prachtige tussen. Die hadden weinig kans om in het woordenboek te komen: te bizar en te exclusief. Die woorden bewaarde ik in een eigen archief.

Dat archief – een schrift met dikke kaft – was een van de dingen die ik miste. Het lag waarschijnlijk nog in een lade in mijn oude huis. Dat ik dat nou net was vergeten mee te nemen.

Het was geen droombaan geweest, daar bij de redactie van dat woordenboek. Eigenlijk een beetje stoffig en saai. Soms is saai een synoniem van tevreden.

Ik had er ontdekt dat ik in woorden geloofde. Dat de juiste, zorgvuldig gekozen woorden een wereld konden openen, dromen waar konden maken of juist vernietigen. Woorden hebben een ongelooflijke macht. De meeste mensen zien dat niet, of willen het niet zien. Die zeggen maar wat, en denken dat het niet uitmaakt.

Kathelijne leefde in boeken. Romans, reisverhalen, gedichten, toneelstukken. Pagina's met woorden waren alles wat ze nodig had.

Lezen bood een toegang tot een andere wereld. Het maakt niet uit waar, als het maar niet hier is, dacht ze soms. Het voelde veilig om te weten dat ze, wanneer ze maar wilde, weg kon. Door simpelweg een boek op te pakken.

De euforie toen ze haar allereerste woord las, haar eerste bladzijde. Kleine beer gaat uit varen. Haar moeder had gejuicht en ze hadden chocoladekoekjes gegeten. Letters vormden woorden, woorden beelden, beelden werden een wereld in haar hoofd. Magisch.

Naast haar bed lagen stapels boeken, op de onderste trede van de trap, op de keukentafel, naast de bank. Ze was gulzig, las er meerdere tegelijk.

'Altijd met je hoofd in die verhalen,' zei Bas.

New: Home walking service meldde een van de flyers op het prikbord in de gang. Met een beker automatenkoffie in mijn hand las ik over het initiatief om vrouwen 's avonds laat vanaf de universiteit veilig naar huis te brengen. Er was een pool van vrijwilligers – studenten en personeel van de universiteit. Iedere vrouw die de service belde, werd door een team van twee mensen door de donkere straten geleid.

'Mooi project, hè?' Owen stond achter me en las over mijn schouder mee.

Hij was aan komen sluipen. Onwillekeurig deed ik een stap opzij, maar hij stond nog steeds te dichtbij. Ik kon zijn adem ruiken. Zure koffie.

Als ik Carina was geweest, zou ik gewoon zeggen dat ik geen zin had in een gezellig praatje, dat ik werk te doen had. Maar ik was Carina niet.

'Hmm,' zei ik langzaam. 'Het lijkt me nogal overdreven. Zo gevaarlijk is het toch niet?'

'Nou, ik zou het hier niet echt veilig durven noemen,' snoof hij. 'Heb je niet gehoord over die verkrachtingen de laatste tijd?' Hij vertelde over een serieverkrachter die al een paar weken door de stad trok.

Ik las de lokale krant niet en niemand had het er nog over gehad. Een verkrachter – ik zag mezelf alleen onder het schijnsel van de straatlantaarns lopen, alleen op de veranda naar mijn huissleutel zoeken, alleen in mijn stille huis zitten.

'Ik heb me aangemeld als vrijwilliger,' zei Owen. 'Jij werkt toch weleens laat in de bibliotheek?'

Ik trok mijn wenkbrauwen op.

'Als je me van tevoren inseint, zorg ik dat ik je dan naar huis kan brengen. Cool.'

Ik mompelde een verontschuldiging en liep haastig naar mijn kantoortje. Me door Owen thuis laten brengen: ik moest er niet aan denken.

Owen Cloud, docent Nederlandse cultuur, economie en geschiedenis, was de enige van mijn collega's die soms interesse toonde in mij en mijn project. De eerste weken had hij niet veel tegen me gezegd, maar hij had me voortdurend in de gaten gehouden. Als ik bij een vergadering opkeek van mijn notitie-blok, zat hij me te bestuderen. Hij liep regelmatig langs mijn kantoor, hoewel zijn eigen kamer aan de andere kant van de gang was. Steeds vaker deed ik mijn deur dicht.

Hij had een korte, gedrongen gestalte met de brede schou-ders van een gewichtheffer. Het meest opvallend waren zijn ogen, die heel rond en heel donker waren, bijna zonder pupil-len. Je kon hem uittekenen in een bruin jasje van ribfluweel, met versleten leren stukken op de ellebogen. Het was moeilijk te schatten hoe oud hij was. Hij had een diepe frons tussen zijn wenkbrauwen, terwijl zijn huid verder rimpelloos was. En op wat dunne plukken haar na, was hij helemaal kaal. Er waren momenten, als hij niet merkte dat hij werd gadegeslagen, dat hij er onwaarschijnlijk jong uitzag. Maar omdat hij herhaaldelijk vertelde dat hij dertig jaar geleden als student voor het eerst in Nederland was geweest, moest hij toch wel rond de vijftig zijn.

Toen hij op een dag voor de zesde keer langs mijn kamer was gelopen, hield hij de zevende keer stil en klopte op mijn openstaande deur. 'Kay, ik wil je iets vragen.'

Ik keek op van mijn beeldscherm. 'Ja?'

'Ik zou graag willen dat je jouw kennis van de actuele poli-tieke situatie met mij deelt.' Een verwachtingsvolle blik.

Ik was met mijn gedachten bij de e-mail die ik aan het schrij-ven was. 'Wat bedoel je?'

'De situatie in Nederland. Jij komt er net vandaan, en als native heb je vanzelfsprekend meer inzicht dan ik.'

Ik kon niet weigeren. Dus dronken we een kop koffie in de common room en spraken over mijn geboorteland.

'O, in mijn ervaring wordt de Nederlandse politiek helemaal niet door compromissen gedreven. Jullie hebben immers een paar rücksichtslose regeringsleiders gehad.'

Ik vroeg me af of hij Nederland misschien verwarde met een ander land, maar hij wilde van geen tegenwerping weten. Als iemand niet weet wat een polder is, hoe leg je hem dan het poldermodel uit?

'Zullen we dit vaker doen?' Owen zette zijn lege koffiebeker op tafel. 'Dit bevalt me wel, misschien kan ik zelfs af en toe bij jou mijn Nederlands oefenen, nieuwe woorden leren. Elke dinsdagochtend bijvoorbeeld.'

Ik kreeg het benauwd. Na twintig minuten was ik uitgeput alsof ik een symposium met een tiental saaie sprekers had bijgewoond.

'We komen elkaar toch regelmatig tegen, het is toch niet nodig om er een vaste afspraak van te maken?' zei ik sluw. Ik wist nu al dat ik het te druk zou hebben: iemand die ik moest bellen, een dringende brief die geschreven moest worden.

Bij de deur liet Owen me voorgaan. Ik voelde zijn hand even langs mijn rug. 'Dat is prima,' zei hij. 'Ik zie je vandaag nog wel. Werk ze.'

Toen ik voor de eerste keer in Owens kantoor kwam, was ik verbijsterd geweest over de grote, ingelijste poster van de Keukenhof aan de muur tegenover zijn bureau.

Is dat een grap? wilde ik bijna zeggen. Blijkbaar had hij zelf geen enkele twijfel bij dit clichébeeld van Nederland, dus leek het me verstandig om te zwijgen. Wel had ik hem toen gevraagd wat hem bezielde, en hij had gezegd dat hij verliefd was op mijn geboorteland, dat alles er beter was dan in Amerika – de eeuwenoude cultuur, de wereldberoemde schilderkunst, het economische model, het socialeverzekeringsstelsel, de tolerantie, de taal. Ja, zelfs het weer was milder en prettiger dan in Amerika. Op de een of andere manier had hij mij tot de verpersoonlijking van zijn geliefde land gemaakt, een blond poldermeisje met de Hollandse wolkenluchten in haar blik. Alsof zulke meisjes bestonden.

Ik moet me settelen, zei ik af en toe tegen mezelf, en vond de klank van dat woord geruststellend. De eerste kolonisten in Amerika werden de *settlers* genoemd. Settelen: dat betekende met mijn voeten op de aarde komen staan. Landen als een vliegtuig na een trans-Atlantische vlucht. En als ik eenmaal gesetteld was, nooit meer weggaan.

Voorlopig voelde ik me meer een toerist, of een voorbijganger. Mijn appartement was nog zo kaal, ik kon er zo weer uit trekken als ik wilde. Geen verhuisdozen nodig. Dat moest veranderen.

Het was al donker. Ik was naar een *potluck party* geweest, georganiseerd door de *American Academic Women* voor de buitenlandse nieuwkomers van dat jaar. Ik had helemaal over die eigenaardige term in de uitnodiging – potluck – heen gelezen. Toen ik aanbelde bij het indrukwekkende huis waar de feestelijkheden zouden plaatsvinden, was de voorzitter van de Academische Vrouwen verbaasd geweest. 'Heb je helemaal niets gemaakt voor het feest? Een taart, brownies, een salade desnoods?'

Ik was een krenterige hork. Ik had de enthousiaste Finse, Italiaanse, Spaanse, Keniaanse en Britse vrouwen – 'het is hier *great*!' – weinig te melden. Een lange, met een rood kleed bedekte tafel stond vol met de gerechten die ze hadden gemaakt. Het verbaast me altijd dat de meeste vrouwen zo dol zijn op zoetigheid. Notentaart, chocoladetaart, slagroomtaart, worteltaart, muffins met bessen, marmeladetaart met citroenglazuur, appeltaart, perentaart, met daartussen een enkele rijst- en pastasalade, een enorme plaatpizza en een verdwaald schaaltje met olijven.

Er waren me zoveel bordjes met taart in de handen geduwd, dat ik meer had gegeten dan ik van plan was geweest. Nadat ik iedereen de hand had geschud en eindelijk weer op straat stond, voelde ik me misselijk.

De avondlucht was vochtig, maar de straten waren droog. In de verte klonk de sirene van een politieauto. Ik haalde diep adem. Goed om nu een stuk te lopen.

Een serieverkrachter in Amerika, *Home of the Brave*.

'Je kunt overal wel bang voor zijn in het leven,' zei mijn moeder toen ze aan haar laatste serie bestralingen begon.

Ik was achttien en had haar uitspraak met grote letters in mijn dagboek geschreven. Het hielp niet. Ik was altijd bang, ook toen ik al volwassen was. Carina was de dappere zus. Ik de angsthaas.

Mijn huis wachtte op me, ik stelde me voor hoe ik er straks in het donker binnen zou komen en dan het licht aan zou doen, een kopje thee zou zetten, mijn slaapzak open zou slaan.

Wie woonde er nou in een kale ruimte met nauwelijks meubels, kale peertjes aan het plafond en geen gordijnen?

Ik liep gedachteloos langs een eenzame houten stoel en een plant die op een vuilniswagen stonden te wachten. Die waren voor mij. De stoel was stevig genoeg toen ik hem uitprobeerde. Niet mooi, maar wel handig voor bij de keukentafel. De grote ficus was nogal zielig met zijn halfkale takken. Toen ik hem aanraakte, dwarrelden gele blaadjes op de grond. De pot was veel te klein, de wortels puilden boven de rand uit en de aarde was kurkdroog. Een geval van verwaarlozing, van mishandeling zou ik bijna zeggen. Alle levende wezens hebben zorg en liefde nodig.

Ik dacht aan de planten die ik in Nederland had achtergelaten. De bladbegonia's, de kamerlinde, de yucca. Ik had ze niet eens een laatste keer water gegeven voor ik naar het vliegveld vertrok. Nu woonde daar niemand meer, mijn planten verkommerden. Het huis zou uiteindelijk wel verkocht worden, en dan gingen ze allemaal op de composthoop of in de vuilnisbak.

Ik droeg eerst de stoel naar huis – hij was zwaarder dan ik had gedacht, ik voelde de spieren in mijn schouders – en daarna de plant. De ficus was makkelijker te sjouwen, ik sloeg mijn armen om de pot en hield die voor mijn buik. De takken wuifden vrolijk boven mijn hoofd terwijl ik voortstapte.

Nieuw huis, nieuwe baan, nieuwe taal, nieuwe geschiedenis – ik had heimwee.

Heimwee – mooi woord met een mooie herkomst: home, heem, en dat alles met veel smart. Een kalm, elegant woord voor een slepende, lispelende emotie. Een ouderwets woord dat met de boot de oceaan was overgestoken om in het nieuwe land droevig naar een verbleekte zwart-witfoto te staren.

Ik was een cliché – ik miste drop, terwijl ik nooit van drop had gehouden. Ik miste de Nederlandse tv, terwijl ik liever naar de bbc had gekeken. Ik miste de geur van in de wind gedroogd wasgoed.

Op een nacht droomde ik dat ik een geliefd iemand tegen mijn borst klemde, en later dat ik op een grasveld stond met mijn armen vol witte lakens. Ik werd wakker, er was een groot gat op de plek waar zich normaal gesproken mijn middenrif bevond.

Wen er maar aan, zei ik tegen mezelf. Niets aan te doen. Flink zijn. Dit is toch wat je wilde?

Als ik kon, bleef ik hier. Nooit meer terug.

Achter mijn gesloten oogleden deinde een onpeilbare watermassa. De Atlantische Oceaan, honderdduizenden tonnen water tussen vroeger en nu. Een rijmpje uit mijn kindertijd jengelde door mijn hoofd: 'Witte zwanen, zwarte zwanen, wie gaat er mee naar Engeland varen? Engeland is gesloten, de sleutel is gebroken – en er is geen timmerman die de sleutel maken kan.'

Ik ben best gelukkig. Dat dacht Kathelijne vaak.

Het woordje 'best' had haar moeten waarschuwen.

Een leuke baan, een mooi huis, een man van wie iedereen zei dat ze geluk met hem had. Mensen om haar heen om mee te praten en een zus die verhalen vertelde over haar spannende leven. Genoeg eten, genoeg boeken – meer was toch niet nodig.

Op een kille winterochtend stond ze bij het graf van haar moeder. Het was zo vroeg dat het nog niet eens volop licht was. Toen ze bij de begraafplaats aankwam, had iemand het hek al opengedaan.

Ze droeg een net pak onder haar grijze winterjas. Pumps met onhandige hakken eronder. De tuinman die dode bladeren in een kruiwagen aan het scheppen was, had haar meewarig nagekeken toen ze zwikkend over de kiezelsteentjes naar het graf liep.

Kathelijne zette een gele bolchrysant op de grafsteen en deed een stap achteruit. 'Sheila, geliefd en bewonderd'. Ze slikte. Natuurlijk was haar moeder niet hier, niet onder die kale steen met mosplekken langs de randen. En ze was ook niet in de hemel. Ze was nergens.

Toch was dit de enige plek waar ze haar moeder rechtstreeks aan kon spreken, alsof ze tegenover haar zat.

Ze zou hier vaker moeten komen om alles netjes te maken. Zoveel mensen deden dat voor hun geliefden. Ze zag ze weleens, terwijl ze met stoffer en blik, poetsdoeken en emmers met sop in de weer waren.

'Dag mam,' zei ze.

Ze had niet gepland te zeggen wat ze vervolgens zei. De woorden kwamen van een plek die ze niet kende en waar ze geen controle over had. 'Ik ben niet gelukkig.'

Ze zette haar nagels in de palm van haar hand, hard, en zocht het kleine spiegeltje in haar tas om haar mascara bij te werken.

'Dag mam,' zwaaide ze en vertrok naar kantoor.

Het begin was schoon. Schoon in de betekenis van leeg.

Dat lege appartement. Ik had nog nooit zo weinig bezeten. Natuurlijk waren het huis en de inboedel in Nederland nog voor de helft van mij, dat was ook bezit. Maar dat had geen zwaarte, dat telde niet.

Bezit was ballast. Het voelde dramatisch en groots om alles zo overboord gezet te hebben. Een schip zonder ballast is te licht in een storm, een luchtballon zonder ballast stijgt te hoog boven de aarde uit.

Ik had geen makkelijke stoel om in te lezen, geen bed om in te slapen, geen frisgewassen beddengoed, geen kast om mijn boeken in te zetten, geen *cafetière* voor mijn ochtendkoffie, geen vrienden om mee te praten, geen buren die me af en toe

vroegen hun planten water te geven, geen mooi blauw kommetje om mijn lippenstiften in te leggen, geen geliefde om mee te
vrijen, geen buurtwinkel waar ze me kenden, geen keukenma-
chine, geen sapcentrifuge, geen voorraadbussen, geen recept
voor appeltaart, geen kamerlinde, geen fiets, geen rode laarzen, geen joggingschoenen –

Het duizelde me als ik bedacht wat ik allemaal niet had.
Wat ik allemaal nog zou moeten verwerven als ik meer wilde
zijn dan een toevallige bezoeker, iemand aan wie je niet veel
aandacht besteedt, een vreemdeling die maar een beetje in de
schaduw staat te dralen.

Oké, ik had me iets voorgenomen, daar moest ik me dan
maar aan houden.

De ficus en de keukenstoel waren het begin.

Ik kocht een fiets, een matras, kussens, nog een keukenstoel, een tweedehandsfauteuil, pannen, servies, pakken rijst
en pasta, blikjes tomatensaus, nieuwe laarzen, een winterjas.
Met elke aankoop voelde ik dat ik vaster op de aarde kwam te
staan. Het was verslavend, dat stevige gevoel, ik kon bijna niet
ophouden met spullen verzamelen.

Op de potluck party had een Noorse vrouw mij verteld over
yard sales. 'Als je geluk hebt, kun je daar voor weinig geld de
mooiste dingen vinden,' had ze gezegd. In de lokale krant zag
ik een hele rij advertenties waar mensen hun spullen te koop
aanboden. Ik koos een zo'n verkoop uit, in een chique wijk niet
ver bij mij vandaan.

In de keurige voortuin van een groot vrijstaand huis stond een
complete inboedel uitgestald. Yard sale, zo letterlijk moest je
het dus nemen. Vlak voor het rozenperk met struiken zonder
blaadjes en een laatste roze bloem stond een bijzettafeltje met
een tv, het snoer opgerold tot een bolletje met een elastiekje
eromheen. Dozen met witte borden en kopjes waren op een
lange eettafel van licht eiken neergezet, onder een cirkelvormig

gesnoeide sierwilg. Verder op het kort gemaaide gazon pronkte een bankstel met steenrode bekleding, alsof het heel gewoon was om een huiskamer in te richten in de tuin. '*Swedish design*,' zei de eigenaresse trots. Haar hoge zwarte hakken maakten ronde gaten in het grasveld. Ze voelde voorzichtig aan haar opgestoken blonde haar, en gebaarde naar een stel roze en beige fauteuils en een groot aantal kratten met keukengerei en serviesgoed: 'Alles is nog relatief nieuw, we hebben ons huis zo'n twee jaar geleden helemaal gerenoveerd en daarna kón de oude inrichting echt niet meer. Ik heb toen besloten om alleen maar Europese spullen te kopen, zoveel stijlvoller dan Amerikaans ontwerp.'

'*I see*,' zei ik en voelde me helemaal niet stijlvol in mijn spijkerbroek en dikke trui. 'Gaat u nu alles weer opnieuw inrichten?'

'*Oh well*, we willen gewoon niet alles meenemen,' zei ze. De enigszins schrille toon in haar stem maakte me nieuwsgierig. Bij haar linkermondhoek was haar rode lippenstift een beetje uitgelopen.

'Sinds de Twin Towers voelen we ons hier niet meer veilig. Mijn man en ik willen niet dat onze kinderen opgroeien in angst, dus hebben we de enige logische keuze gemaakt. We verhuizen naar Canada.'

Dat was wel heel drastisch.

Toen ik haar vroeg of het gevaar echt zo groot was, zei ze: 'Tja, je weet nooit zeker hoe reëel die angst is, maar we nemen gewoon het risico niet, *you know*. Canada is een neutraal land, het wordt niet gehaat in de wereld zoals Amerika. Daar zijn we veilig.'

Ik kocht de bank, wat serviesgoed en pannen, sprak af dat ik die later met een huurauto op zou komen halen, en wenste haar veel succes.

Toen ik weer op de fiets wilde stappen kwam ze nog even naar me toe, een andere klant moest maar even wachten. 'Jij bent niet van hier,' zei ze, 'waarom wil je hier wonen?' Zonder op mijn antwoord te wachten vervolgde ze: 'Als ik jou was, zou ik gewoon naar mijn eigen land teruggaan.'

Ongemakkelijk, zo'n escorte. Alsof ik een bedreigde politicus was, of een miljonair.

Een stille, zwarte man die eruitzag als een rugbyspeler en een oudere vrouw met een lange grijze paardenstaart en een nogal schelle stem. Idealisten ongetwijfeld, die het beste met de wereld voor hadden. We hadden elkaar weinig te zeggen, het bleef bij een uitwisseling van beleefdheden.

'Koud vandaag, hè?'

'Morgen wordt het beter weer, dat zag ik op tv.'

'Lelijk gebouw, dat stadhuis.'

Er was een wederzijdse aarzeling om al te geanimeerd in gesprek te raken, dat leek een te grote investering. Twintig minuten, meer hadden we niet nodig om van de universiteit naar mijn huis te lopen.

Het was rustig op straat. Ik voelde me enigszins belachelijk. Ik kon toch best voor mezelf zorgen, en een aanval door de serieverkrachter leek iets dat alleen andere vrouwen kon overkomen. Ten slotte zei ik dat dan ook maar.

O nee, dat zag ik verkeerd. 'Het is echt gevaarlijk op straat,' zei de vrouw dringend. Zij en haar collega waren blij me te kunnen helpen. Een jonge vrouw alleen.

Bij mijn huis bedankte ik ze uitvoerig. Terwijl ik mijn sleutel zocht, bleven ze als twee schildwachten op de stoep staan. Verderop kwam iemand op hoge hakken aanlopen. Toen ik opkeek, zag ik mijn bovenbuurvrouw. We kwamen elkaar af en toe tegen bij de voordeur, maar waren nog nooit echt in gesprek geraakt. Dorothee heette ze. 'De meeste mensen hier noemen me Dorothy, alsof ik een personage ben uit Oz,' had ze gezegd. Ik hoorde haar vaak lopen, zingen, de wc doortrekken en soms klonk er harde muziek uit de sixties: de Doors, of de Stones. Ze kookte graag, dat leidde ik af uit de heerlijke geuren die uit haar keuken kwamen.

'Goedenavond,' zei ze en nam de twee wachtende mensen in zich op. Ze had een zwierige rode jas aan en droeg inderdaad pumps met heel hoge, scherpe hakken.

Ik kon wel bedenken wat het *home walking team* daarvan vond: op die schoenen komt ze niet ver als ze moet rennen.

'Hallo,' zeiden het team en ik in koor.

'Dit zijn –' begon ik.

'Steve' en 'Marjorie', vulden ze zelf aan. Ik legde uit dat ze me thuis hadden gebracht vanwege de verkrachter.

Dorothee knikte vriendelijk en hield haar commentaar voor zich tot we samen in de gang stonden.

'Laat je niet bang maken,' zei ze. 'Met een goed gerichte trap kun je jezelf meestal wel redden. Maar hoe banger je bent, hoe minder goed je kunt schoppen.' Met die woorden liep ze naar boven.

Ze had gelijk.

Spijkerbroeken, truien en t-shirts – meer had ik niet meegenomen uit Nederland. Daar had ik een kast vol jurkjes gehad met bijpassende pumps, maar omdat ik de meeste daarvan toch nooit meer droeg had ik alles achtergelaten.

Carina zou ze vast wel willen hebben, zij had ongeveer dezelfde maat als ik. Toen we pubers waren had zij voortdurend mijn spullen geleend, meestal zonder dat te vragen. Ik herinnerde me nog dat ik in een aanval van woede hele plukken van haar lange blonde haar uit haar hoofd had getrokken. Ze had gekrijst als een brandweersirene.

Die kast met mooie kleren zou een goede compensatie zijn, dacht ik. Een schuldvereffening. Ze wist niet eens waar ik nu woonde, had alleen het adres van de universiteit. Dat moest voorlopig maar zo blijven, de jurken waren voor de Heilsoldaten.

Na een ochtend winkelen in Main Street had ik nog niets nieuws aangeschaft. Alles was te zedig of juist te frivool. Hoog gesloten witte overhemden en keurige pantalons met vouw, of diep uitgesneden cowgirlblouses met ruches en snoeistrakke broeken of korte rokjes.

Tuttig, sensueel, onschuldig – geen idee hoe ik hier moest zijn.

Het was een mooie dag – koud maar helder – zo'n fonkelende winterdag die in Nederland maar zelden voorkomt. Ik kon niet binnenblijven, voelde me opgesloten in mijn muffe kantoor. Dus liet ik alles liggen waar ik mee bezig was en liep over de campus naar de Student Union, waar de studenten terechtkunnen voor counseling bij studieproblemen, voor films, muziek en koffie.

Bij de Coffee Place, een plastic cafetaria zonder daglicht maar met goede koffie, bestelde ik een grote latte macchiatto *to go*, om die op een bankje bij een grasveld op te drinken. Het winterlicht zou met warme vingers langs mijn gezicht strijken. Ik was goed in spijbelen.

Vroeger al; in mijn eentje langs de etalages in de stad, of samen met Carina bij McDonald's waar we dan slappe koffie of milkshakes dronken terwijl de lessen heerlijk zonder ons voortdenderden. Dat verlangen om elders te zijn – dat zou wel nooit meer overgaan.

Met de warme beker koffie in mijn hand maakte ik een extra rondje om het centrale deel van de campus, op weg naar het plein bij Washington Library.

In de verte liepen mensen druk heen en weer. Waarschijnlijk een demonstratie voor een goede of tegen een slechte zaak. Toen ik dichterbij kwam, zag ik geen studenten met spandoeken, maar politieagenten met blauwe kogelvrije vesten. Vlak voor me hurkte een man in gevechtstenue met getrokken pistool achter een boom. Ik bleef staan en een agent pakte me onmiddellijk bij mijn schouder. '*Move*,' siste hij.

Ik liep een stuk terug – hopelijk uit de vuurlinie.

De spanning schrijnde in mijn keel. Snel haalde ik het deksel van de beker en nam een slok van mijn koffie – lauw.

Ik keek toe alsof ik voor een tv- of bioscoopscherm zat, in die vreemde werkelijkheid waarin je tegelijkertijd deelneemt aan de gebeurtenissen en toeschouwer bent. Het was een neutrale deelname, waarin ik niet geraakt of gekwetst kon worden door wat er ook gebeurde, en waarin geen enkele bijdrage van mij werd gevraagd.

Iemand schreeuwde een bevel, en plotseling renden gewapende mannen van alle kanten het plein op. Daar stonden in het midden twee jongens – studenten, dacht ik – met hun handen omhoog. Ze waren allebei in spijkerbroek met een kort winterjack, zoals bijna iedereen op de campus, en een van hen droeg een donkere zonnebril.

De politiemensen vormden een cirkel om hen heen en drie of vier agenten hielden de jongens vast. Voor zover ik kon zien werden ze geboeid en even later werden ze meegevoerd naar een donkerblauwe Ford die vlakbij stond te wachten. De hele operatie had nog geen vijf minuten geduurd.

Ik slikte, mijn mond was droog. 'Wat is er aan de hand?' vroeg ik een andere toeschouwer, een slungelige jongen met dreadlocks en een versleten leren jas.

'Arabieren,' zei hij alleen maar.

Enigszins verdwaasd ging ik terug naar mijn werkplek.

De volgende dag meldde de krant niets over het incident.

Twee mannen met brede schouders hadden het bed uit de uitverkoop met moeite mijn appartement in gekregen. Ze hadden de smalle gang naar de slaapkamer bekeken, hadden wat aan niemand gerichte verwensingen rondgestrooid en vervolgens het bed buiten op het grasveld uit elkaar geschroefd. Met de mededeling dat ik wel moest betalen voor het extra werk, hadden ze het als een stel lange en korte planken naar binnen gebracht, om het daar weer in elkaar te zetten.

Dat past nooit in de slaapkamer, had ik gedacht toen het bed op het gras voor het huis stond. Zo groot had het in de winkel niet geleken. Maar toen de mannen eenmaal klaar waren en ik de slaapkamer in liep, bleek het tweepersoonsbed precies te passen. Er was zelfs nog ruimte voor een kast en de stoel.

De matras, die ik al veel eerder had aangeschaft, lag er al op. Nu alleen nog mijn witte beddengoed. Met kleren en al schoof ik tussen de lakens.

Het maakte me droevig dat er zoveel plaats was in het bed, ik schaarde mijn benen wijd uiteen en weer terug, bewoog mijn armen van boven naar beneden, alsof mijn bed een berg sneeuw was en ik een sneeuwengel maakte. Ik alleen kon al die ruimte niet vullen.

Midden in de nacht werd ik wakker. De kamer glansde donker in het grijze licht. Het duurde een moment voor ik wist waar ik was. Ik deed de gordijnen dicht, trok mijn kleren uit en sliep verder.

Twee volle dagen bleef ik in bed. Ik kwam er alleen maar uit om naar de wc te gaan, of om wat wit voedsel te eten – rijstwafels, lammetjespap. Mijn werk had ik gebeld met de mededeling dat ik migraine had en geen licht en geluid kon verdragen.

Op een bepaalde manier was dat nog waar ook: de gordijnen hield ik zo stijf dicht dat ik niet wist wat voor weer het was en elk geluid uit de buitenwereld dempte ik met Bachs cellosonates. Met dank aan de *repeat*-knop.

Ik had het koud, ondanks Bach. Het dekbed trok ik op tot aan mijn oren. De winter was nog ver weg, maar vanuit mijn bed leek het me dat er een tuin van ijsbloemen op de ruiten vroor.

Ik knipte het bedlampje aan, een groen, blikken ding dat mooi was van lelijkheid en dat bij de inboedel van het huis hoorde. Zonder te kijken greep ik een boek van de stapel onder mijn bed. De Dikke van Dale, deel iii.

Vroeger las ik stiekem in bed, bij het licht van een straatlantaarn, met het gordijn een klein stukje opengeschoven. Dan werd ik helemaal in het verhaal getrokken, nog meer dan overdag, en was ik doof voor de ruzies van mijn ouders.

In het donker lezen is slecht voor je ogen, zei mijn moeder altijd. Aan mijn ogen mankeerde niets, mijn moeder had ongelijk gehad.

Het woordenboek viel open bij de T. Tijdsafstand, tijdsbepaling, tijdsbesef. Toeverlaat, toevertrouwen. Traan. Troost.

Nogal bizar, die nostalgische gevoelens voor mijn moedertaal, dat realiseerde ik me ook wel. Ik was tenslotte de hele dag al met Nederlands bezig. Ik werkte aan een Nederlandse bibliotheek en had collega's die hun Nederlands op mij uitprobeerden en nieuwe woorden van me wilden leren.

Op elk moment was ik me ervan bewust dat mijn moedertaal hier de outsider was. Opgeborgen in een doosje met een stevig deksel, dat af en toe even openging.

Taal is de strengste scheidslijn tussen 'wij' en 'zij'. Elke dag was ik me bewust van mijn vreemdelingschap. Hoe goed ik ook Engels sprak, de meeste mensen hoorden toch wel dat ik anders was. En Engels had zoveel subtiele nuances, sommige dingen gingen echt aan mij voorbij.

Ik dacht aan de immigranten die naar dit land waren gekomen. Vroeger met een hoofd vol Oost-Europese woorden, nu met rap Mexicaans-Spaans. Zonder een soepele, aangeboren taalvaardigheid konden ze er nooit bij horen.

Tegelijk bracht die vreemde taal vrijheid met zich mee. De gevoeligheden en de onderhuidse betekenissen die mijn Nederlands verzwaarden, ontbraken hier. Ik kon zeggen wat ik wilde. Er waren geen woorden taboe omdat ze niet pasten bij wie ik hoorde te zijn – aardig, lief, meelevend, of dom, hoogdravend, arrogant. Alles stond tot mijn beschikking.

Vroeger had ik geleefd volgens strenge codes: de lieve echtgenote, de aardige zus, de consciëntieuze collega.

Nu was ik was zonder regels.

Het was veel te vroeg, het licht was nog niet eens helemaal terug na de nacht. Ik trok een wollen vest aan over mijn slaapshirt, veegde mijn ogen schoon en gooide de keukendeur naar de tuin open.

Voorzichtig liep ik over de tegels naar het gras. Mijn adem kwam als een ijle suikerspin uit mijn mond. Het licht schoof traag over de struiken heen.

Er waren heel veel kleine vogelgeluiden, met tussen al dat getjilp iets dat ik niet thuis kon brengen. Een soort hoog krijsen schampte atonaal langs mijn oren. Ik stapte wat verder het grasveldje op en zag in de vlierboom achter in de tuin iets fladderen.

Ik keek beter, zag eerst niet wat het was, en toen toch: een merel, ondersteboven in de boom.

Een merel met zijn ene poot op de een of andere manier vastgehaakt, verward, geketend aan een zijtak van de vlierboom, hulpeloos met zijn kop naar beneden, sloeg in paniek zijn vleugels uit.

Ik zocht naar een verklaring – alsof dat er iets toe deed. Een ring om zijn poot waarmee hij verstrikt was geraakt. Of een achtergebleven touwtje, God weet waarvoor ooit gebruikt, dat zich nu steels om een magere vogelpoot heen had gewonden.

Het kippenvel stond op mijn benen en mijn armen. Het fladderen vertraagde tot bibberen. Hij legde zich erbij neer.

Bestond hier eigenlijk een dierenambulance, mocht je de politie inschakelen voor zoiets kleins als een vogel die klem zat? Ik moest iets doen. Een ladder had ik niet en de vogel hing aan een hoge tak. Ik aarzelde. Nog nooit had ik een levende of dode vogel in mijn handen gehad. Die scherpe snavel, dat kleine lijfje onder veren – mijn huid trok zich samen bij de gedachte daaraan. Ik moest iets doen.

Ik liep tot vlak bij de vlierboom. De merel hing buiten mijn bereik ondersteboven aan zijn tak, ik verbeeldde me dat ik zijn hartje zag bonken. Ik deed niets. Alles wat leeft, kent doodsangst.

De merel hing heel stil, zijn snavel een stukje open.

Langzaam liep ik naar binnen, ging de badkamer in, kleedde me uit en stapte onder de douche. Lafbek.

Ik zou hiervoor moeten boeten. Als ik in mijn tuin was, zou ik het vogellijkje daar zien hangen. Ondersteboven in de vlierboom, een teken van de ongehoorde wreedheid van de wereld en van mijn eigen onvermogen. Een lange winter van spijt.

Mijn hart wilde niet meer onopvallend zijn werk doen.

Ik droogde me snel af, schoot een warme trui en spijkerbroek aan. In de tuin stond Dorothee met een trapje bij de boom. Alleen kale takken, geen merel.

'Hij was al weg,' zei ze. Haar stem klonk geschokt. 'Ik zag hem fladderen, en ik zag jou erbij staan. Een trap, dacht ik, we hebben een trap nodig. Maar toen ik met de trap beneden kwam, was er geen vogel meer. Heb jij hem soms toch bevrijd?'

Nee, schudde ik.

De verbazing stond in haar ogen. Haar donkere haar was nat en strak achterovergekamd.

'Ik wist niet wat ik moest doen,' zei ik.

'*Mon dieu*, dat snap ik,' zei Dorothee. 'Ik wist eigenlijk ook niet goed wat ik moest doen. Stel dat ik nog op tijd was geweest, en dat ik hem los had kunnen maken – wat dan? Had ik hem moeten reanimeren?'

We lachten, zoals je lacht op een begrafenis.

'Wat denk je?' vroeg ik. 'Wat is er met de merel gebeurd? Op het laatste nippertje ontsnapt, of is hij op de een of andere manier naar beneden gestort en onmiddellijk door een kat meegenomen?'

Dorothee keek ernstig. 'Genade,' zei ze toen. 'Volgens mij zijn wij getuige van een geval van genade.'

Kathelijne zat aan de keukentafel die ze enige jaren daarvoor had uitgezocht in een winkel met designmeubelen. Een prachtige tafel, ingewreven met lijnzaadolie, die plaats bood aan zes mensen.

Etentjes tot diep in de nacht, kaarsen op tafel, glazen wijn, discussies, gelach, Franse chansons op de achtergrond. Dat was er nooit van gekomen.

'Bullshit,' zei haar zus, die tegenover haar zat.

Ze was toch in de buurt, had ze gezegd toen ze aanbelde. Nu al de derde keer in veertien dagen, terwijl ze eerder wekenlang niets van zich had laten horen. Ze moesten elkaar niet te vaak zien, daar waren ze het over eens. In alles het tegenovergestelde van elkaar, mensen die hen niet kenden geloofden niet dat ze zussen waren.

'Je kunt toch best je verjaardag hier vieren? Het is toch ook jouw huis?'

'Nou, ik vier het dit jaar niet.'

Haar zus leunde over de tafel. 'Mens, je moet vieren wat er te vieren valt. Je laat toch geen feestje lopen?' Ze blies haar blonde haar – veel blonder dan dat van Kathelijne – uit haar gezicht.

Kathelijne verbaasde zich over haar zusters onbevreesde koers in het leven. Ze was zangeres bij een jazzfunkband en wist de ene maand niet of ze de volgende maand wel inkomsten zou hebben. Ze had het vaak over een cd en een tour langs Amerikaanse clubs, maar tot nu toe was dat er niet van gekomen.

'Nee, echt. Ik heb er geen zin in.' Ze begon over een boek dat ze als cadeau zou vragen, maar haar zus liet zich niet afleiden.

'Laat je toch niet zo door hem koeioneren. Hij hoeft toch niet altijd zijn zin te krijgen? Wat nou, als hij geen mensen om zich heen kan verdragen? Dan gaat hij toch gewoon ergens anders heen!'

Kathelijne zuchtte. Ze stond op voordat ze kwaad kon worden.

Dorothee was een mix van schijnbaar onverenigbare culturen, met een Libanese vader en een Zweedse moeder. Ook haar karakter was een mengelmoes van tegengestelde eigenschappen. Ze was praktisch en chaotisch. Nuchter en hysterisch. Een dromer en een realist. Ze werkte als kok in een hip restaurant in het centrum van de stad. 'Alles *superbe*, heel vers, heel veel groenten, liefst net van de markt, beetgaar, pure smaken, en vooral zo mager mogelijk – precies zoals ze het hier willen. Hoe minder calorieën hoe beter.'

Zelf had ze een prachtig lichaam met vrouwelijke rondingen. 'Ik ben opgegroeid in het Midden-Oosten en in Scandinavië en daar weten ze dat je om lekker te koken room moet gebruiken, en suiker, en goede boter en olie.'

Al tweeëntwintig jaar woonde ze in dit land, had er een dochter gekregen van een Amerikaanse man, en cultiveerde haar gevoel een vreemdeling te zijn. Ze sprak met een Frans accent en kleedde zich zoals geen Amerikaanse zich ooit zou kleden.

Ik had geen verweer tegen al die charme. Binnen de kortste keren was ik dol op haar, ze was de eerste mens in Amerika die mijn hart binnen kwam.

Een paar dagen na het incident met de merel ontmoetten we elkaar bij de voordeur. Ik haalde net de post uit de brievenbus toen Dorothee het trapje naar de veranda op kwam. Ze droeg twee zware boodschappentassen die ze met een plof op de houten vloer liet zakken. Voor ik het wist, voelde ik een warme hand tegen mijn onbeschermde nek, vingers die langs de bovenste wervel van mijn ruggengraat gleden.

'Het merkje van je trui,' zei Dorothee. 'Dat stak naar buiten.'

De tranen stonden in mijn ogen – was het nu al zo ver met me gekomen? Ik durfde haar niet aan te kijken, maar ze pakte mijn kin vast en draaide mijn gezicht naar haar toe.

'Aah,' zei ze alleen maar. En toen: 'Ik denk dat het tijd is voor een kop heel hete, heel zoete pepermuntthee. Kom mee.'

Ik fietste naar huis, met afwisselend mijn linker- en rechterhand aan het stuur en dan weer in mijn jaszak. In deze kou was het onmogelijk om je handen langer dan twee minuten bloot en onbeschermd te laten. Rode wollen wanten met een fleece voering had ik – onelegant, maar afdoende. Terwijl ik zo hard mogelijk doorfietste, zag ik ze voor me – hoe ze nutteloos op het kastje in de gang lagen.

De straat was stil, alle verstandige mensen zaten in hun warme huis of lagen al onder hun dekbed. Als ik nu een lekke band kreeg, of een bloedneus, of als iemand mij zou willen beroven, of verkrachten, zou ik niet weten bij wie ik aan kon bellen. Mijn ogen traanden, ik haalde mijn neus op – niemand die daar aanstoot aan kon nemen, ik kon doen wat ik wilde.

De maan hing vlak voor me – pal boven het kruispunt waar ik naartoe reed. Zo laag dat ik haar zou kunnen pakken, als ik mijn hand maar ver genoeg uitstrekte. En als ik de maan eenmaal gepakt had, wat moest ik er dan in vredesnaam mee? Ik glimlachte: mijn kleine appartement helemaal gevuld met uitpuilende, bleke maan.

Toen keek ik opzij en mijn adem stokte. Een etalage met één enkele jurk, een spotje erboven voor maximaal effect. Ik remde en stapte af, mijn koude handen voelde ik niet meer.

Het was een feestjurk, misschien bedoeld als trouwjapon, van glanzend wit satijn met een strak lijfje en een rechte, lange rok. Heel eenvoudig, met één in het oog springend, nee, om aandacht schreeuwend detail: vanaf de rug waren links en rechts twee ouderwetse lange feesthandschoenen genaaid, ook van wit satijn. De handschoenen reikten als vleugels vanaf de schouders naar de taille, en kwamen samen in twee gevouwen handen op de buik. De draagster van de jurk werd liefdevol omarmd door twee gracieuze armen. Ik stond ademloos voor de etalage, met mijn fiets aan de hand. Ik keek, en voelde twee armen langs mijn rug en mijn zij, de warmte tegen mijn ruggengraat, een zachte ademhaling tegen mijn nekwervels, een paar handen tegen mijn buik. De sensatie was zo acuut, dat ik mijn fiets vergat en het stuur losliet. Hij viel met een klap op de grond.

Ik bleef voor de etalage staan totdat een politieauto voor de tweede keer langzaam door de straat reed. De wagen stopte en een van de agenten draaide het raampje open. 'Alles in orde, *ma'am*?' riep hij.

Ik zag een jong gezicht met een scherpe neus en vroeg me af hoe zijn handen eruit zouden zien, en hoe ze aan zouden voelen tegen mijn schouders.

'Niets aan de hand, *officer*! Ik sta hier gewoon even na te denken.' Met een brede glimlach raapte ik mijn fiets op. Het stuur stond een beetje scheef, maar ik had geen zin om het hier, onder het oog van die agenten, weer recht te buigen. Ik knikte naar ze en reed wiebelend weg.

De jurk paste me precies. In het kleine pashokje liet ik mijn handen langs de gehandschoende armen om mijn middel glijden. Gladde stof tegen mijn blote huid. Wit met een ivoren glans, waar mijn armen met het laatste restje nazomerbruin mooi tegen afstaken. Ik voelde een zachte druk tegen mijn zij, alsof iemand mij werkelijk omhelsde.

Er was geen spiegel in het pashokje, maar dat gaf niet – ik wist heel goed hoe ik eruitzag. Achter mij was een beweging. Een zacht strijklicht stroomde langs mijn rug, vanaf mijn bovenste nekwervel helemaal tot aan mijn stuitje.

Ik opende de deur een stukje. De jonge verkoopster stond verderop in de winkel haar rode nagels te bestuderen. 'Ik neem hem.'

Ze kwam naar me toe. 'Maar wil je niet even goed kijken hoe hij staat? Hier is een grote spiegel –'

Ik onderbrak haar. 'Nee, dat is echt niet nodig. Deze jurk is wat ik zoek.'

Mijn hart sloeg sneller dan het hoorde te slaan. Ik duwde mijn hand tegen mijn borstbeen en knipte het bedlampje aan. Half-twee pas – ik had niet meer dan een uur geslapen. Mijn mond was droog, maar om nu mijn bed uit te gaan en in de keuken een glas water te halen – ik bleef liggen en voelde hoe mijn bloed wild werd rondgepompt.

Vroeger, na het vrijen – een herinnering drong zich brutaal mijn lichaam binnen. Hoe ik vroeger mijn hoofd op de borstkas van mijn minnaar legde en zijn hart hoorde bonken na het orgasme, zijn hartslag zo dichtbij alsof het geluid van mijn eigen hart afkomstig was, alsof er geen scheiding van vlees en botten en gedachten tussen ons was.

Ik dacht aan die man, terwijl ik mezelf beloofd had nooit meer aan hem te denken. Het was niet alleen liefde geweest en de rust van jarenlang vertrouwde huid en ledematen. Ik haalde mijn hand van mijn borst en rolde op mijn buik, mijn gezicht in het kussen. Het pistooltje onder mijn kussen – het lag er nog. Ik voelde glad staal.

In de straat ging een autoalarm af, met een irritant hoog gepiep. Een autodief. Of een tak die naar beneden was gevallen, boven op de motorkap. Of een eekhoorn die het dak als springplank van de ene naar de andere boom had gebruikt.

Wat er allemaal niet kon gebeuren in een mensenleven – neerstortende vliegtuigen, instortende wolkenkrabbers. Stel dat je in zo'n hoog kantoor aan het werk was. Dat je dan besefte dat je die ochtend voor de allerlaatste keer in je nette pak, met je dure leren tas in de hand, de metro had genomen. Dat je voor de allerlaatste keer in de lift was gestapt die je naar je werkplek zou brengen. Dat de muren van je kantoor, je computer met op het scherm de actuele beurskoersen, het allerlaatste waren wat je ooit zou zien.

Buiten hield het piepende alarm op.

Het einde kon ook op een andere manier komen. Een flesje gif in een drinkwaterbassin en de hele stad was uitgeroeid. Of de elektriciteit ging uit: geen computers, geen internet, geen mobiele telefoons, geen licht, geen verwarming, geen radio, geen benzine, geen transport, geen eten – chaos.

Of veel simpeler: een vuistslag in je eigen huis, op een moment dat je er niet op verdacht was.

Ik ging overeind zitten en veegde het zweet van mijn voorhoofd. Lege straten. En in die leegte een serieverkrachter die niemand ooit had gezien.

Het alarm hervatte zijn zinloze taak.

Meer licht. Ik stond op en deed de schemerlamp in de hoek van de slaapkamer aan. Een geruststellend geel schijnsel viel over het gekreukte beddengoed. Op blote voeten liep ik naar de keuken, bij elke stap voelde ik de kou door mijn voetzolen naar mijn enkels en onderbenen trekken. Hier was het rustig. Terwijl het water aan de kook raakte, werd ik langzaam kalmer.

Wat een onzin – er was niets te vrezen.

Ik keek naar mijn linkerhand – vroeger had ik een ring aan mijn ringvinger gedragen, maar nu was het een kale hand, met lange vingers en korte nagels. Als het nu dag was, koud maar zonnig, dan zou ik naar buiten gaan en takken snoeien, onkruid wieden, met mijn handen in de vochtige aarde wroeten, zodat er zwarte randen onder mijn nagels kwamen en de volle geur van de herfst, van verrotte bladeren en paddenstoelen, mijn neusgaten zou vullen.

Ik schonk het kokende water in een beker en deed er een zakje kruidenthee bij. Mijn droom van eerder die nacht fluisterde in mijn oor: *I must be saved. Als ik nu niet weet hóé, weet ik het nooit.* Ik huiverde en de woorden verdwenen weer.

Terug in de slaapkamer trok ik mijn slaapshirt uit en liet de gloednieuwe satijnen jurk over mijn blote huid glijden. Die jurk zou hopeloos kreuken als ik ermee in bed ging liggen, maar dat kon me niet schelen.

Terwijl de beker thee op het nachtkastje afkoelde, zat ik met een kussen in mijn rug en het warme dekbed hoog over me heen getrokken. Het prijskaartje van de jurk kriebelde in mijn nek.

Ik was klaarwakker, het zou nog lang duren voor het licht werd. Mijn gedachten vlogen alle kanten uit, ik kon ze niet bijhouden.

I must be saved.

Hoe je in de spiegel kijkt

In het Riverside Cafe legt Owen zijn ene hand op Kays arm en tikt met de wijsvinger van zijn andere hand op de tafel. 'Het is een kwestie van tijd voordat de koers van de dollar keldert en de wereldeconomie in een vrije val terechtkomt...'

Abrupt schuift Kay haar stoel een heel stuk achteruit, zodat Owen zijn arm wel terug moet trekken. Ze grijpt haar jas en trekt hem aan.

Snel vraagt hij: 'Kan ik iets voor je bestellen? Een macchiatto? Met een muffin erbij misschien?'

De man met de groene ogen houdt haar aandachtig in de gaten vanaf zijn plek bij de bar.

Een redder. Wat een absurde gedachte. Toch besluit ze om nog niet naar buiten te stormen.

'Nee, ik hoef niets,' zegt ze. 'Ik ga een glas water halen.'

'Ik loop even met je mee...'

'Néé!'

Hij blijft zitten terwijl Kay naar de bar stapt.

'Een groot glas water alsjeblieft, met ijsblokjes,' zegt ze tegen het meisje bij de koffiemachine.

'*Coming up*,' zegt het meisje, terwijl ze een krul terugduwt onder haar gebloemde haarband. 'Ik moet even een paar bestellingen wegwerken.' Ze is druk met een hele serie cappuccino's. 'De melk is op!' roept ze dwingend naar een collega. Kay observeert haar efficiënte, snelle gebaren. Ze kijkt naar het meisje omdat ze de blik van Owen niet wil zien. En ook niet de blik van de aantrekkelijke lange man, die naast haar aan de bar staat met een krant waarin hij niet leest en een espresso die hij niet drinkt.

Het is veiliger om Owen wel in de gaten te houden, ze keert zich naar de leestafel, haar rug tegen het buffet. Owen is in een tijdschrift aan het bladeren, maar kijkt onmiddellijk met een grote glimlach op. Hij zit vlak bij de deur, als ze naar buiten gaat, loopt hij zo met haar mee. Geen kans op ontsnapping.

De paniek die ze eerder voelde, fladdert weer op. Kay zoekt in haar tas naar het pistooltje. Een verzekering, meer niet, zegt ze tegen zichzelf. Het gladde staal voelt onwerkelijk aan tussen de vertrouwde rommel van papieren zakdoekjes, kam, portemonnee, pennen, agenda, lippenstift, sleutels en een oeroud rolletje King-pepermunt. In elk van die zaken is zij aanwezig. Als ze dood zou gaan, zouden haar nabestaanden haar bezittingen op een hoop kunnen vegen om vervolgens van al die spullen haar portret te vormen. Het wapen hoort daar nu bij. Die gedachte bevalt haar.

Als ze zich omdraait naar het glas water dat voor haar is klaargezet, kijkt ze recht in de ogen van de aantrekkelijke man. Felgroen. Ze slikt, haar mond is droog. Hij blijft haar aankijken, en de spieren in zijn kaak spannen zich alsof hij iets wil zeggen. Ze neemt snel een slok water.

'Kay, kom toch gezellig bij me zitten. Op het werk komt er zo weinig van om echt met elkaar te praten.' Owen staat vlak achter haar, zo dichtbij alsof hij haar geliefde is en het recht heeft in haar persoonlijke ruimte te verkeren.

Kay wordt geflankeerd door twee mannen: aan de ene kant de groenogige vreemdeling en aan de andere kant de walgelijke Owen, die nu haar arm stevig vastpakt. Hij is sterk, zijn vingers klemmen om haar pols. Ze ziet zichzelf meegesleurd worden, de straat op, uit het zicht van de koffiedrinkers.

'Ik bestel iets lekkers voor ons. Waar heb je zin in?'

Kay trekt haar arm los, maakt een afwerend gebaar en stoot daarbij haar glas om, dat nog bijna helemaal vol is. Een deel van het water valt op de grond en spat op haar schoenen, maar het grootste deel golft in de richting van de man met de groene ogen. Zijn krant en zijn ene mouw raken doorweekt.

'O, nee. Wat erg. Het spijt me,' stamelt Kay. Ze voelt hoe de gêne haar borsten, haar hals, haar gezicht kleurt. Als meisje bloosde ze bij het minste of geringste – die rode kleur haalt een beschermend laagje weg en maakt voor de hele wereld zichtbaar wat intiem is en verborgen had moeten blijven.

De man wuift haar verontschuldiging weg. 'Het is maar water.' Hij glimlacht en zijn hele gezicht verandert, het wordt jongensachtig en opent zich op zo'n aansprekende manier dat Kay alleen maar terug kan glimlachen. Ze staart naar zijn mond en zijn ogen, die nu bijna lichtgroen lijken.

Tegelijkertijd voelt ze Owens handpalm tegen haar onderrug, op de plek waar mannen hun hand leggen als ze in het openbaar een vrouw als hun bezit willen claimen. Afblijven, van mij. Owen heeft een zakdoek tevoorschijn gehaald en leunt tegen Kay aan, terwijl hij probeert het water op te deppen.

Ze rilt, stapt opzij. 'Laat me alsjeblieft met rust.'

Owen hoort haar niet, of wil haar niet horen, maar de aantrekkelijke man luistert wel. Hij knikt, met zo'n kleine beweging dat ze niet zeker weet of ze het wel goed gezien heeft.

'Het is al goed,' zegt hij tegen Owen. 'We redden het wel.' Zijn toon is zelfverzekerd en resoluut.

Owen aarzelt, de natte zakdoek nog in zijn hand.

'We zouden net samen een kop koffie drinken,' vervolgt de man.

Kay heeft het gevoel dat ze deel uitmaakt van een droom waarvan ze wéét dat het maar een droom is. Dat de solide werkelijkheid net buiten handbereik ligt.

Owen propt zwijgend de zakdoek in zijn jaszak en loopt weg. Hij trekt zonder nog achterom te kijken de deur van het café achter zich dicht. De man met de groene ogen bestelt twee espresso's.

Het meisje met de gebloemde hoofdband zet glimlachend twee minuscule witte kopjes met een laagje pikzwarte koffie op de bar. De man met de groene ogen zegt niets, maar heft zijn kopje alsof het een glas wijn is. Kay kan niet bepalen wat zijn blik betekent. Met een toost wordt iets gevierd, of een wens uitgesproken. Woordeloos beantwoordt ze zijn gebaar.

Ik wil hem houden. Iets anders kan ze niet denken. Ik wil hem houden.

Redeloos, reddeloos – die woorden jengelen door haar hoofd.

Zo meteen zal de man zijn koffie opdrinken. Hij zal twee espresso's betalen, Kay een vriendelijke blik toewerpen en vervolgens het café uit lopen. Ze zal aan de grond genageld staan. Als ze eindelijk uit haar verstarring losbreekt en naar buiten rent, zal de man al verdwenen zijn. Ze zal hem nooit meer zien.

Ze drukt haar tas tegen haar zij.

Geen tijd om te aarzelen. Mijn enige kans, denkt ze – alle andere kansen die zeker zo reëel en in ieder geval minder gevaarlijk zijn, negeert ze.

Steels ritst ze haar schoudertas open – een stoer geval van donkerbruin juchtleer, met de jaren zacht geworden – en gaat dichter bij de man staan. Hij zet zijn kopje neer, het is nog bijna vol.

'Hoeveel?' vraagt hij aan het meisje, dat met een flirterige blik het bedrag noemt. Hij haalt wat losse munten uit zijn broekzak en overhandigt met een glimlach het geld.

Kay trekt haar jas uit en legt die over haar rechterarm. Ze stopt haar hand zonder te kijken in haar tas en vindt haar illegale wapen. De man gooit de doorweekte krant in een prullenbak naast de bar en begint zijn jas dicht te knopen.

Nee, wacht!

Ze spreekt die woorden niet uit, toch lijkt het alsof de man ze heeft gehoord. Hij treuzelt, kijkt om zich heen, gaat met zijn handen door zijn jaszakken alsof hij iets zoekt.

Haastig grijpt Kay het pistooltje, dat zo klein is dat het in zijn geheel in haar hand past. Ze trekt haar hand voorzichtig uit de tas en schuift haar jas iets verder naar voren, zodat het wapen verborgen is in de plooien van de stof.

Net als in de film – verbazingwekkend hoe gemakkelijk. Het meisje bij de koffiemachine is druk bezig met een paar lattes met siroop. Kay stapt nog iets dichter naar de man toe, haalt diep adem en duwt de loop tegen zijn bovenarm.

'Ik ben gewapend,' zegt ze zo zachtjes dat hij het misschien niet eens verstaat. 'Ik wil dat je meegaat.'

Hij begrijpt haar heel goed, dat ziet ze aan zijn ogen. Geen schrik, eerder iets van blijdschap – wat natuurlijk niet kan. Iedereen zou bang zijn.

Daarom fluistert ze: 'Je hoeft niet bang te zijn. Je moet alleen met me meegaan.'

De loop opnieuw tegen zijn arm, nu iets harder. God verhoede dat ze de trekker per ongeluk overhaalt.

Misschien denkt hij hetzelfde, gehoorzaam komt hij in beweging. Kay volgt heel dicht achter hem, alsof ze bij hem hoort. Bij de deur kijkt hij naar haar om – ze knikt. Samen gaan ze naar buiten.

Op een mooie herfstdag zat ik in mijn kantoor, staarde naar de rood en geel kleurende bomen aan de overkant van de straat en maakte een kleine inventaris. Ik had een huis en ik had werk, ik had Dorothee. Daar stokte ik – nogal karig in vergelijking met mijn vroegere leven. Toch wilde ik niet ondankbaar zijn. De basis was er: onderdak, geld, bezigheden, iemand om mee te praten. Van hieruit moest ik verder.

Ik keek hoe de zon met een beuk wedijverde om wie het felste straalde. De beuk won met gemak: de gele bladeren trilden en wuifden in de wind – een zuil van vibrerend licht.

Ongevraagd ontrolde zich een lijst van klachten, zo concreet als dikke zwarte letters op een vel wit papier. Angst stond bovenaan – ik was nog even bang als vroeger. Het was een illusie geweest om te denken dat ik die angst kon ontlopen door simpelweg te vertrekken.

Eenzaam, dat stond er ook. En ontheemd, en nutteloos. Schuldig.

Stel dat deze kale lijst mijn eindscore was, dat ik nooit verder zou komen in dit land van de onbegrensde mogelijkheden.

Er werd geklopt en voor ik de lijst met teleurstellingen terug kon stoppen, stond Owen in mijn kamer. 'Hallo,' zei hij, 'hoe gaat het? Ik wilde je iets vragen.'

Ik veegde een lok uit mijn gezicht en ging rechtop zitten. 'Oké,' zei ik, 'zeg het maar.' Hij had al een aantal keer geprobeerd om mij voor een 'actueel gesprek over Nederland' te strikken. Zonder resultaat: 'Laten we het even uitstellen, het is nu zo druk.'

Owen zag er morsig uit – zijn kale schedel glom vettig, er zat een vlek op een van de revers van zijn jasje. Hij schraapte zijn keel en kwam naast mijn bureau staan. 'Morgen is er een poëzieavond in de Beer Cellar. Er treden een paar veelbelovende jonge dichters op en er is muziek. Een zangeres, misschien heb je wel van haar gehoord.' Hij noemde een naam die ik niet kende. 'Ik zou het leuk vinden als je meeging.'

Wat ik ook had verwacht, deze uitnodiging hoorde daar niet bij. Ik aarzelde. Wat voor kwaad kon het om met Owen uit te gaan? Gedichten en muziek, daar kon ik me vast prima mee vermaken en wie weet zou ik nieuwe mensen ontmoeten.

Ik keek naar zijn weke mond en naar dat onappetijtelijke bruine jasje van hem. Een date met Owen. Als ik ja zei, was dat een aanmoediging. Een bedompt café met jonge dichters die nerveus hun gedichten voorlazen, een zangeres met een gitaar, een paar glazen bier – 'weet je nog, onze eerste date?' zou hij later zeggen, met zijn arm om mijn schouders.

'Nee,' zei ik en probeerde er vriendelijk bij te kijken. 'Ik kan niet, morgenavond heb ik al een afspraak.'

Zijn gezicht vertrok even, maar toen deed hij opnieuw iets waar ik niet op had gerekend. Hij boog zich over me heen en legde een klamme hand in mijn hals. Krachteloos en achteloos, alsof botten en gewrichten in die hand afwezig waren. Ik voelde zijn lippen tegen mijn huid en haalde uit.

De klap klonk nog na in het stille kantoor toen Owen zijn hand en zijn lippen al had teruggetrokken. Mijn hart klopte paniekerig in de ader op de plek die hij had gekust, linksonder in mijn hals, vlak boven mijn sleutelbeen.

Owen deed alsof er niets was gebeurd. Hij schraapte zijn keel. *'Pity,'* zei hij. 'Misschien een andere keer.'

Ik werd wakker met mijn handen uitgestrekt, alsof ik iets wilde redden. Mijn mond was zo droog dat ik moeite had met slikken, ik moest een glas water halen.

In de keuken stond ik een beetje op mijn voeten te zwaaien en kon eerst niet bedenken waar ik de glazen ook alweer bewaarde. Ik zocht een open kast met blauwe planken, zoals in mijn vorige huis.

In het kastje boven de gootsteen – daar stonden ze. Ik vulde een glas en dronk gulzig. Langzaam keerde ik terug naar de wereld.

In de woonkamer leken de meubels anders dan overdag, scherper en steviger. Ik ging met mijn hand over de rugleuning van de bank. Hoe stil zo'n huis 's nachts was en hoe koud – in het duister nam een andere dimensie de overhand waarin mensen geen rol speelden.

Ik trok het rolgordijn een stukje omhoog om te zien of de stad sliep, zoals het hoorde. De straat was leeg, de huizen stonden zwijgend aan hun voortuintjes van gras, de auto's wachtten gelaten op de dag.

Aan de overkant bewoog iets in het donker. Er kwam iemand uit de tuin van de buren schuin tegenover mijn huis. Een stevige gestalte, een kaal hoofd – hij liep snel naar het einde van de straat, buiten mijn gezichtsveld.

Het kon niet. Owen lag thuis in zijn eigen bed, hij had hier niets te zoeken en zeker niet op dit tijdstip.

Ik liet het gordijn weer zakken en liep terug naar mijn slaapkamer, nadat ik eerst had gecontroleerd of de voordeur wel op slot was. Rustig gaan slapen – dat kon ik wel vergeten. Ik trok mijn dekbed op tot aan mijn kin, maar kwam bijna direct weer overeind.

Het was onmogelijk. Onmogelijk, herhaalde ik, maar overtuigde mezelf niet. Al die keren dat ik me op de vakgroep ongemakkelijk had gevoeld bij Owens indringende blikken. Die kus.

Ik had zin om iets kapot te smijten, iets dat klein en fragiel was. Of om mijn voet ergens op te zetten en dan te stampen totdat het vermorzeld was. De woede was vertrouwd. Toen had ik heel lang gewacht voordat ik in actie kwam. Dat zou me nu niet gebeuren.

Dorothee schonk pikzwarte koffie in twee kleine blauwe kopjes. 'Waarom ben je eigenlijk uit je eigen land weggegaan?' vroeg ze terloops.

'Ik kon hier een baan krijgen,' zei ik.

'Ja, maar was dat de belangrijkste reden? Zo bijzonder is die functie nou ook weer niet, als ik jou zo hoor. En om je in het buitenland te vestigen, dat is nogal een stap.'

Nee, die baan was niet de belangrijkste reden. Ik dacht even na. Behalve dat er geen goed antwoord was op haar vraag, wist ik niet eens of ik wel een antwoord wilde geven. 'Ik wilde gewoon weg,' zei ik ten slotte.

Ze vroeg niet verder.

Die ochtend droeg ze een ijsblauwe, soepel vallende jurk en met een paarse paisley sjaal om haar schouders. Haar haar was zo diepzwart dat er een donkerblauwe gloed over lag, net zoals je weleens zag bij fantasievolle tekeningen van Egyptische prinsessen of van stoere stripheldinnen met puntige borsten.

'Wat ben je mooi vandaag,' zei ik.

'Dank je. Jij bent het eerste levende wezen dat ik vanochtend zie, maar ik wil mezelf motiveren – dus trek ik mijn mooie kleren aan.'

'Wat bedoel je?' Ik nam een slokje espresso en voelde hoe de cafeïne door mijn bloed raasde.

'Nou, simpel. Om gelukkig te zijn. Om niet steeds te denken aan wat er allemaal mis is.'

Aan Dorothee kon ik het wel vragen, zij zou me niet raar of luguber vinden. 'Denk je dat ik een pistool kan kopen?' vroeg ik.

Ze trok haar wenkbrauwen op, gelukkig lachte ze niet. '*Chère* Kay, waarom wil jij in hemelsnaam een pistool?'

Het idee van een wapen had zich pas sinds kort in mijn hoofd vastgezet. Ik dacht aan Owen, aan de verkrachter, aan de helikopters die in het donker boven de stad rondcirkelden met speurende zoeklichten als insectenogen die alles zagen. 'Ik voel me niet veilig, die serieverkrachter loopt nog steeds rond,' zei ik.

'Ja,' zei Dorothee, 'dat weet ik. Maar ze hebben toch die home walking service ingesteld waar jij laatst mee thuiskwam? En trouwens, het is maar de vraag wat je met een pistool tegen een verkrachter kunt uitrichten. Hij sluipt achter je aan, grijpt je van achteren vast, en dan heb jij heus niet de kans om je wapen nog te pakken.'

Natuurlijk had ze gelijk, maar in feite ging het me niet om de verkrachter. In elke stad waren per slot van rekening verachtelijke kerels die erop kickten om vrouwen te grazen te nemen. Als je je daar druk over maakte, kwam je de deur nooit meer uit.

'Ik denk dat ik word gestalkt,' zei ik. Dat was waar, maar dat was niet het enige. De echte reden zag ik alleen uit mijn ooghoeken, net buiten mijn bereik.

'Door wie word je gestalkt?' Ze zat met grote ogen tegenover me.

Ik vertelde over Owen, hoe hij me in mijn nek had gezoend, dat ik hem 's nachts in onze straat had gezien.

'Mmm.' Ze keek nadenkend. 'Misschien is hij gek op je en laat hij dat nogal onhandig merken. Maar het kan geen kwaad om jezelf te beschermen.'

Het was hier niet zoals thuis, waar je geacht werd je andere wang toe te keren in geval van een vuistslag. 'Dit is Amerika, het land waar iedereen het recht heeft zich te vuur en te zwaard te verdedigen,' zei ik. 'Een pistool, niet om te gebruiken, maar als afschrikking. Als ik een pistool had, zou ik me zekerder voelen.'

Dorothee knikte. 'Nou, dan koop je toch een pistool? Zo ingewikkeld kan dat niet zijn.'

Het leek een beeld uit een boze droom: een oude eik van al zijn brede takken ontdaan en neergehaald met elektrische zagen. De enorme stronk lag half op de stoep en half op de straat, zodat de auto's er nog maar met moeite langs konden. Mannen met helmen en fluorescerende plastic werkjacks liepen rond met wreed gereedschap. Een truck waar een lading takken uitstak reed net weg. Het meest vervreemdende was nog wel de groene, schone geur van pas gezaagd hout, zoals je soms tijdens een boswandeling ruikt als de houtvester aan het werk is.

De omtrek van de stronk was indrukwekkend, je zou er een flink tafelblad van kunnen maken. De jaarringen cirkelden met onregelmatige bruine lijnen rondom de kern, vanwaaruit het allemaal was begonnen – een zaadje in vruchtbare grond en daarna ongestoord omhoog, recht op de hemel af, elk jaar een stuk hoger en nog hoger.

Deze eik zou de hemel nooit bereiken.

'Waarom?' vroeg ik aan een van de mannen.

Hij haalde zijn schouders op en zei met een mond vol kauwgom: 'Die boom werd gevaarlijk.'

Ik vroeg me af hoe een boom gevaarlijk kon zijn. Alsof de eik een risico voor de staatsveiligheid vormde. Een rebel, die met zijn eeuwige onverstoorbaarheid het geloof in de vooruitgang ondermijnde. Of een collaborateur, die onder zijn takken onderdak bood aan terroristen.

Onzin, de enige manier waarop een boom gevaarlijk kon zijn, was als hij ging wankelen. Als hij niet langer stevig met zijn wortels in de aarde verankerd stond en omvergeblazen kon worden bij de eerste de beste herfststorm. Dan zou hij vallen, boven op een passerende auto – het dak en de motorkap geplet, de bestuurder met spartelende armen en benen gevangen in al dat blik.

Die dreiging kon ik niet serieus nemen. Er was genoeg gevaar in de wereld, maar dat kwam uit heel andere hoek.

'Kay!'

Sanny stond voor haar kamer met twee studentes te praten en wenkte mij erbij te komen. 'Kay, we hebben het net over die serieverkrachter. Dat het niet meer verantwoord is om in het donker nog alleen over straat te gaan. Owen vertelde dat jij een keer de home walking service hebt ingeschakeld. *Was it any good?*'

Sanny was pas dit najaar begonnen als docent taalkunde. Lichtblond, zachtroze lipstick en roze truitjes – en zo verlegen dat ze al begon te blozen als ze tijdens een vergadering het woord kreeg. Het was een raadsel hoe ze erin slaagde om, zonder te smelten van gêne, een lokaal vol studenten toe te spreken.

Ik vroeg me af hoe Owen wist dat ik me onlangs naar huis had laten brengen. 'Het is me prima bevallen,' zei ik opgewekt. 'Ik voelde me helemaal veilig. Aardige mensen, het was best gezellig. Maar als vrouwen moeten we oppassen dat we onze onafhankelijkheid niet zomaar weggeven. Straks kunnen we ons alleen nog maar onder begeleiding verplaatsen. Ik denk dat je niet zo bang hoeft te zijn, die vent kan toch niet overal tegelijk rondsluipen en bovendien, je kunt hem altijd nog een trap tegen zijn ballen geven.' In gedachten bedankte ik Dorothee voor haar raad.

De studentes zetten grote ogen op en giechelden: '*Oh, my God*,' – de standaardreactie van mensen van hun leeftijd. Sanny gaf me een afkeurende blik.

Met een knikje liep ik naar mijn kamer. Ik was blij dat lesgeven niet tot mijn taken behoorde. Het zei natuurlijk veel over mij, maar ik zou de dommige oppervlakkigheid die veel studenten tentoonspreidden, echt niet kunnen verdragen.

Kay! Als iemand me zo riep, zoals Sanny daar in de gang, dan reageerde ik daarop. Professor Manning was ermee begonnen:

Kay, noemde hij me een keer, toen ik net bij de vakgroep was. Uit verstrooidheid, of omdat hij me verwarde met een vroegere researcher, of wie weet met de werkster. Maar het kon evengoed een oprechte poging zijn om me die stoethaspelende uitspraak van mijn veel te moeilijke naam te besparen.

Een nieuw begin, een nieuwe naam. Zelf gebruikte ik ook mijn Nederlandse naam niet meer. 'Kay' gleed gemakkelijk over de persoon heen die ik in Amerika wilde zijn.

Kathelijne dacht vaak aan weggaan. De deur dichttrekken en verdwijnen. Ergens anders opnieuw beginnen. Helemaal schoon.

Als elf-, twaalfjarig grietje had ze er al van gedroomd. Simpele fantasieën over spijbelen. Over gewoon doorfietsen als ze bijna bij school was. Haar voeten op de trappers, langs huizen, door het bos, door de duinen. Zonder te weten waar ze uit zou komen. In de klas zou dan alles zijn zoals het altijd was. De juffrouw, de kinderen, de bankjes, het schoolbord. Maar zonder haar. Zij zou ergens zijn waar de anderen geen idee van hadden.

Dat verlangen was niet verdwenen. Nu lokte de internationale trein naar Parijs. Als ze 's ochtends op het station stond te wachten, klonk het omroepbericht over *le train rapide à destination de Paris*. Ze hoefde alleen maar een kaartje te kopen en in te stappen.

Op het andere perron drentelden reizigers in afwachting van de internationale trein. Sommigen hadden grote koffers bij zich, omwonden met leren riemen, alsof ze van ver kwamen en nog veel verder zouden trekken. Naar de Sahara, naar Timboektoe. Anderen reisden licht, met alleen een handtas.

Zo zou Kathelijne zich naar Parijs laten vervoeren, met haar kantoortas naast haar, de krant van die dag op haar schoot. Niemand zou weten waar ze naartoe was gegaan. Als ze wilde, kon ze een kaartje sturen met een afbeelding van de Eiffeltoren, uit vriendelijkheid, maar ze kon zich ook stilhouden.

Wat ze moest, als ze eenmaal op Gare du Nord was aangekomen, dat was niet duidelijk. Het ging haar niet om de bestemming, het vertrek was het enige wat haar bezighield.

Ze wist dat haar afwezigheid een verschuiving in het leven van alledag zou veroorzaken. Mensen zouden zich zorgen maken – dachten aan een ongeluk of erger. Ze zouden met het ziekenhuis bellen. Er zou een zoekactie op gang komen, iedereen zou over haar spreken, herinneringen ophalen, speculeren. 'Echtgenote van wethouder vermist', zou er in de krant staan.

Elke ochtend weerstond ze de verleiding en stapte in haar gebruikelijke trein, drie kwartier later zat ze achter haar computer.

Lara tuurde naar haar beeldscherm. Omdat ik achter haar stond, kon ik zien dat ze een ingewikkeld computerspelletje aan het spelen was, waarbij ze kriskras over het scherm bewegende doelen moest zien te raken. Ze schoot twee keer achter elkaar mis en vloekte van frustratie. '*Damn it!*'

Toen ik kuchte, klikte ze razendsnel het spelletje van het scherm. Ze draaide zich om en keek me brutaal aan. Heb het lef eens om me erop aan te spreken dat ik in werktijd zit te gamen.

Er was een tijd dat ik had gedaan alsof ik niets in de gaten had, maar nu zei ik gewoon wat ik dacht. '*Seriously*, je hebt groot gelijk dat je er nog wat van probeert te maken in die saaie bende hier.'

En na haar verbaasde blik: 'Ik meen het. Jij kunt toch veel meer dan telefoontjes aannemen en roosters in elkaar zetten?'

Ze wist dat ik haar aan het paaien was, maar ze voelde zich toch gevleid – ik kon het zien in haar met zilver omrande ogen.

Ik ging op een houten krukje tegenover haar zitten. Haar kantoor was zo klein dat er naast haar bureau en stoel geen tweede stoel meer bij paste. Achter haar was de muur behangen met illustraties van een sexy vrouw in een nauwsluitend pak en een grote poster van een videogame: *Lara Croft, tomb raider.*

Voor ik hier kwam, had ik nog nooit van die virtuele heldin

gehoord, maar dankzij Lara wist iedereen bij de vakgroep precies wie haar naamgenote was, alsof ze daarmee deel had aan Crofts beroemde status. Ze slaagde er zelfs in te suggereren dat zij eigenlijk de échte Lara was, incognito in een nederig baantje tussen gewone stervelingen.

Vandaag droeg ze een hemelsblauwe catsuit met een witte streep langs de zijkant, die indecent strak om haar lichaam sloot. Het leek me onmogelijk dat ze ondergoed aanhad onder de stretchstof, en ik verwonderde me voor de zoveelste keer over de perfectie van een lichaam dat niet toebehoorde aan een model of een filmster.

Helaas waren haar gelaatstrekken niet zo perfect als die van de echte Lara. Haar neus was te groot en haar mond te klein voor haar poppengezicht. Dat compenseerde ze met uitzinnige oogmake-up en felrode lippenstift.

Ik was geïntimideerd door haar verschijning, en dat zei ik haar voor de verandering maar gewoon.

'Dank je,' zei ze minzaam als een prinses. 'Wat wil je?'

Dat vond ik prettig aan Lara: ze kwam meteen ter zake.

Mijn belangrijkste vraag hield ik nog even voor me. 'Op weg hiernaartoe zag ik dat een van die grote eiken in Church Street werd omgezaagd. Weet jij wat de reden is?'

Lara wist altijd alles. 'Hadden ze er pas eentje omgelegd? Het is de bedoeling dat alle bomen in de straat worden omgehakt – het hele rijtje.'

'Wát?'

'Ja, heb je er niets over in de krant gelezen? Een buurtgroep is maanden bezig geweest met protesten, maar die hebben niets uitgehaald, *you see*. De rechter heeft bepaald dat de staatsveiligheid vóór de natuur gaat.'

Mijn mond zakte open. Mijn kleine fantasie over met terroristen collaborerende bomen was misschien niet zo vergezocht.

'Dat je daar niets van hebt gehoord, ongelooflijk. *Anyway*, de president komt volgende maand in de stad. Dan krijgt hij een eredoctoraat – dát weet je toch zeker wel?'

Ze zat als een alwetend, gestroomlijnd wezen *from outer space* achter haar bureau.

'Als Bush komt, rijdt hij met zijn gevolg naar Kennedy Hall, waar de ceremonie plaatsvindt. Al die bomen in Church Street zijn dan veel te gevaarlijk, er kunnen sluipschutters achter zitten, of er kunnen bommen in verborgen zijn – *you see?*'

'Nee, eigenlijk snap ik het niet, maar dat doet er niet toe.' Ik hoopte dat ze maar iets zei om mij dwars te zitten.

'Nou, je kunt het allemaal nalezen op de website van de krant.' Ze draaide zich naar haar beeldscherm. Ik kon gaan, dat was wel duidelijk.

Toen ik niet vertrok, keek Lara me weer aan, ze trok haar wenkbrauwen op. Ik wist niet meer waarom ik het idee had gehad dat ik aan haar kon vragen hoe ik aan een wapen moest komen. Ik had nooit meer dan vijf zinnen met haar gesproken, altijd over werkzaken. Lara was zeker tien jaar jonger dan ik, misschien wel meer. Met haar keiharde, glanzende uiterlijk wekte ze de indruk dat ze op elke vraag een antwoord had, dat ze nooit met lege handen zou staan. Toch vroeg ik het.

Haar reactie was zo cool alsof ik niet naar een vuurwapen, maar naar het beste recept voor appeltaart had gevraagd.

'Je hebt zeker geen vergunning, hè?'

Nee, natuurlijk niet.

'Dan moet je naar de winkel van Seven Feathers. Die verkoopt je wel een wapen onder de toonbank.'

'Wie is Seven Feathers?'

Ze lachte. 'Wat denk je, met zo'n naam? Een indiaan natuurlijk. Een echte. De eigenaar van een wapenhandel, kan niet missen.' Ze legde me uit waar ik hem kon vinden, niet op een ver industrieterrein, maar in een klein straatje in het centrum.

Ik wilde de deur al uit lopen, toen ze me terugriep. 'Hé, waar heb jij eigenlijk een wapen voor nodig?' Ze keek me aan met een blik die zowel pesterig als manipulerend kon zijn. 'Je weet toch dat de staf hier geen strafblad mag hebben?'

Maakte ze een grapje? Lara had alle administratieve touwtjes in handen. Ik wilde niet dat Manning het te weten kwam. Hij mocht me toch al niet. 'Ik wil me gewoon kunnen verdedigen,' zei ik. 'Met die serieverkrachter die hier rondloopt kun je niet voorzichtig genoeg zijn.'

Ze knikte. 'Verstandig van je. Heb je gehoord dat er gisteravond weer een studente de bosjes in is gesleurd? Het arme kind, ze hebben haar vanochtend pas gevonden. Ze leeft nog, maar ze is helemaal van de wereld.'

Naast haar kantoor waren de postvakjes. Ik pakte mijn stapeltje, bekeek de enveloppen.

Het was niet veel bijzonders. Ik ontving via het postbusadres van de vakgroep voornamelijk tijdschriften en brochures van uitgeverijen. Ze hielden geen van beiden van e-mail voor persoonlijke correspondentie, dat hadden ze gemeen. Af en toe was er een envelop uit Nederland – tot nu toe zes brieven van Carina en dertien brieven van mijn ex-geliefde. De eerste keer had het even geduurd voordat ik mezelf ertoe kon brengen om te lezen wat mijn zus te melden had. Ze had met geen woord gerept over mijn vertrek, ook niet in de brieven die daarna kwamen. Het waren lange niets-aan-de-hand-verhalen vol observaties, nieuwtjes en meningen. Onderhoudend, en tegelijk teleurstellend.

Een enkele keer dacht ik iets van woede te ontdekken, achteloos tussen twee anekdotes gestrooid. 'Papa vroeg laatst waarom hij je nooit meer zag. Ik geloof dat hij er geen idee van heeft dat je met de noorderzon bent vertrokken.'

Ik stelde het uit om haar terug te schrijven omdat ik amper wist of het goed of slecht met me ging.

De brieven van mijn ex lagen ongeopend, met een touwtje bij elkaar gebonden thuis in een la. Ik had nog niet besloten of ik ze weg moest gooien of dat ik ze toch wilde lezen. Het was raar, ik was nieuwsgierig naar de inhoud terwijl ik kon voorspellen wat erin stond.

Op mijn huisadres had ik nog nooit persoonlijke post gekregen – tot aan het einde van die dag. In de brievenbus naast de voordeur vond ik een aan mij geadresseerde envelop met een Nederlands poststempel. Een officieel uitziende envelop, met het logo van een advocatenkantoor in Amsterdam. Een van de beste vrienden van mijn ex-geliefde werkte daar – dat bedrijf hoorde mijn privéadres niet te hebben.

Ik legde Dorothees post op de trap – een paar kaarten uit Californië en Boston – en liep naar de keuken. Buiten werd het steeds donkerder en binnen steeds kouder terwijl ik met de advocatenbrief aan tafel zat. Ten slotte ritste ik met een mes de envelop open.

Ik had verwacht dat het om een verzoek tot scheiding zou gaan, eindelijk. Het was belangrijk dat mijn ex zelf besloot ons verleden uit elkaar te schroeven en de brokstukken bij het grofvuil te zetten.

De brief ging ergens anders over. Mijn wettige echtgenoot wilde ons huis verkopen en de inboedel verdelen, schreef de advocaat. Of ik mijn handtekening maar wilde zetten.

Dat is de consequentie, zei ik tegen mezelf. Mijn hart was een raceautootje dat zo hard over een elektrisch circuit scheurde dat het elk moment uit de bocht kon vliegen.

Dit wilde je toch?

De brief van de advocaat daagde me vanaf de keukentafel uit. Ik moest toch iets van me laten horen. Natuurlijk moest het Nederlandse huis verkocht worden. Ik zou er toch nooit meer wonen.

Over en uit. Punt. Streep eronder.

Wat me tegenhield om een brief met mijn instemming te sturen – ik wilde er niet over nadenken.

Ik richtte me eerst op het andere probleem: het feit dat de advocaat mijn privéadres kende. Dan wist mijn ex dus waar ik woonde. Als ik 's ochtends vroeg, nog half slaperig, naar mijn werk ging zou hij opeens op de veranda kunnen staan. Of als ik 's avonds in het donker naar mijn sleutels zocht.

Mijn huid voelde zo dun als vloeipapier dat met een nagel, of een snijtand, zomaar doormidden gescheurd kon worden.

Een huis is niet meer dan een berg stenen, hout, deur- en raamposten, een dak. Onpersoonlijke materialen, zonder emotie, zonder ziel. De ziel, die zit ergens anders. In de hoge stapels herinneringen die opeengepakt in zo'n huis staan.

Hoe lang was het geleden dat ik in mijn eigen huis was geweest? De wekker was heel vroeg in de ochtend afgegaan en ik was wakker geworden in een tweepersoonsbed waar niemand naast mij lag. Ik ging rechtop zitten, streek met mijn handen over de lakens en keek naar buiten, naar de tuin. Het was nog donker. Ik weet nog dat ik aan afscheid dacht.

Ik had geplast, gedoucht, me aangekleed en een kop thee gemaakt, terwijl ik ondertussen alle dingen nog een laatste keer in me opnam. De tandenborstel die eenzaam in een waterglas op het plankje boven de wastafel stond, de zachte blauwe badhanddoek, de theeketel met de deuk erin, mijn aardewerk mok die zo vertrouwd voelde tegen mijn lippen.

Hoewel dat geen zin meer had, verzamelde ik de witte was en vulde de wasmachine. Op het laatste moment stopte ik er een paar rode sokken bij. De machine had vertrouwenwekkend staan zoemen terwijl ik mijn thee opdronk.

De taxichauffeur belde aan. Ik had het licht uitgedaan, mijn koffers stonden al te wachten. De wasmachine was net aan het centrifugeren. Het laatste wat ik zag waren de zwartwitte tegeltjes in de gang, die nodig gedweild moesten worden. Ik had de voordeur achter me dichtgetrokken, had hem op slot gedraaid en had de sleutel door de brievenbus naar binnen gegooid. Schoon schip, schone lei, tabula rasa, roze was.

Klaar.

Ik droomde, over iemand van vroeger die een geheim bezat dat ik te weten kon komen door moedig te zijn. Ik liep door een donker huis en onverwacht kreeg ik iets kostbaars in mijn handen. Mijn handpalmen hield ik open naast elkaar zodat ze een kommetje vormden. Er werd iets in gegoten, iets dat vloeibaar was als olie of glad als een zijdeachtige stof. Ik zag niets, voelde alleen maar.

Toen ik wakker werd, besloot ik om achter een pistool aan te gaan.

Maar het duurde nog een paar dagen voordat ik op zoek ging naar de wapenwinkel van Seven Feathers. Ik wist niet goed waarom ik treuzelde, misschien wilde ik testen hoe vastberaden ik eigenlijk was.

Ik – met een wapen. Een ongerijmde combinatie. Vroeger zou ik mijn oordeel klaar hebben gehad: immoreel, onethisch, verwerpelijk. Geweld was iets voor zwakkelingen en asocialen – vanuit een verheven hoogte, als een exquise prinses in een glanzende toren, had ik veroordeeld. Een excuus om niet te hoeven handelen, dat kon ik nu wel zien.

Geweld heb je in verschillende vormen. Uiteindelijk had ik mijn eigen vorm gekozen. Ik had mezelf verbaasd – nee, geschokt over hoe smerig ik mijn handen had laten worden, op het laatst, toen ik echt niet anders meer kon. Nu was alles schoon en voorbij. Waarom juist nu een wapen aanschaffen? Wie weet wat ik daarmee zou ontketenen.

Het doel van een wapen was simpel: je kon jezelf ermee beschermen – en je kon anderen er kwaad mee doen. Het was aan de drager van het wapen om te beslissen welke van beide functies de overhand kreeg. In ieder geval ging het niet om afwachten maar om actie – om vooruitdenken en – verontrustend – om een bepaalde mate van agressie.

Ik had Church Street met de gekapte boom al dagen gemeden, maar op weg naar de winkel van Seven Feathers moest ik er toch doorheen. De straatlantaarns gingen net aan en toen ik de hoek om sloeg, zag ik het meteen. De schaduwen langs de gebouwen waren minder diep, de stoep was zo breed – alle bomen waren verdwenen, geen een hadden ze laten staan. De hele straat was opengescheurd, onbeschut en sjofel geworden.

Ik liep er snel doorheen, de kraag van mijn jas opgetrokken, mijn hoofd afgewend. Boven het centrum zoemde een helikopter als een somber insect.

Ik vond de wapenwinkel makkelijk, in de straat die Lara had aangegeven. Een ouderwets pand van drie verdiepingen, een beetje uit het lood. Op de bovenste twee verdiepingen was het donker, er hingen scheefgezakte lamellen voor de ramen. Op de parterre was een groot etalageraam zonder enige aanduiding, ook de exotische naam van de eigenaar werd niet vermeld. De waren achter het glas moesten voor zichzelf spreken: stapels dozen voor allerlei soorten kogels en patronen, waarvan ik maar aannam dat ze leeg waren. Achter het hekwerk dat de etalage beschermde tegen ramkraken, zag ik een kale ruimte met een hoge ouderwetse toonbank en een aantal kasten tegen de muur.

Ik wilde de deur openduwen, maar die gaf niet mee. Ook hier was de ruit versterkt met ijzeren tralies. Er zat een bel aan de deurpost. Ergens uit een andere ruimte kwam een kleine, magere man aan lopen.

'De deur is altijd op slot,' zei hij, toen hij opendeed, alsof hij midden in een conversatie was. 'Dat moet wel tegenwoordig.' Hij gebaarde dat ik binnen moest komen. 'Al dat tuig in de wereld, niemand is veilig.' Hij ging achter de toonbank staan. '*What do you want?*'

De man was eerder pezig dan mager, zag ik nu. Onder de opgerolde mouwen van zijn overhemd waren zijn armen opvallend gespierd, en de bijna rimpelloze huid van zijn gezicht was gebruind alsof hij elke dag uren buiten was. Het meest opvallende was een lange zwarte vlecht die over zijn rechterschouder hing, wat een enigszins kokette indruk maakte. Ik had nog nooit een echte indiaan gezien.

'Bent u Seven Feathers?' vroeg ik.

'*Sure*,' zei hij nors. 'Wie moet ik anders zijn?'

Ik dacht aan de prairie, aan wigwams en aan bizons en voelde me dwaas. 'Ik zou graag een pistool kopen.'

Hij keek me vorsend aan. 'Heb je een *licence*?'

'Nee. Maar ik dacht –' Ik wist niet goed hoe dit aan te pakken. Mijn aandacht werd afgeleid door de kasten achter de toonbank. Ze waren verzekerd met zware hangsloten en achter de ruiten van draadglas hingen geweren met extreem lange lopen.

De indiaan volgde mijn blik. 'Dat zijn jachtgeweren. Niks voor jou.' Hij herhaalde de vraag waar alles om draaide. 'Heb je een vergunning?'

'Nee,' antwoordde ik opnieuw. 'Misschien wilt u mij toch een pistool laten zien – een kleintje...'

'Wegwezen,' zei hij. 'Ik verkoop niks aan vreemdelingen zonder vergunning.'

Ik had een kaal gevoel in mijn maag. De witte streep op de weg liep niet zo kaarsrecht als eigenlijk zou moeten, hij werd dunner en dan weer dikker, en trilde alsof hij van drilpudding was gemaakt. Ik fietste als een bezetene en negeerde het gewapper voor mijn ogen en de leegte in mijn lijf. De straatlantaarns gaven nauwelijks licht, er stroomden banen van duisternis over de straat.

Mijn banden maakten een zoevend geluid, in de verte blafte een hond. Iemand had de open haard aangestoken, ik rook vuur en jong hout. Mijn fiets vloog door het donker als een vis door de zee: voor mij spleet de duisternis zich, achter mij sloot hij zich weer.

In de bibliotheek had een van de veiligheidsmensen mij gezegd dat huissleutels een wapen konden zijn als je 's avonds nog over straat moest. Een slag met een vuist die een sleutelbos omknelde was als een stoot met een boksbeugel.

Ik zocht in de zak van mijn jack, maar voelde alleen een papieren zakdoekje en een verschrompelde kastanje. Toen ik nog een kind was van acht, negen jaar, was de herfst mijn favoriete seizoen geweest. In het bos eikels, beukennootjes, kastanjes en rode blaadjes zoeken. Die lagen dan de hele winter lang op het kastje naast mijn bed te pronken totdat mijn moeder in de lente het hele spul met een zwaai in de prullenmand veegde. Het mooiste waren de bergen gevallen bladeren, die ik met mijn gummilaarzen omhoogschopte, zodat ik werd omgeven door een knisperende, ritselende sluier van verval.

Toch was het niet alleen maar idyllisch. Waarschijnlijk hadden mijn ouders elkaar toen al het licht in de ogen niet gegund, en was de kanker als een onontkiemd zaadje in mijn moeder aanwezig geweest.

De wind legde een klamme hand in mijn nek, ik trok de ritssluiting van mijn jas hoger dicht, tot vlak onder mijn kin. Waarom was er niemand op straat? Geen hondenuitlater, geen late jogger. Er reed zelfs geen auto.

Misschien was er wel een nieuwe aanslag gepleegd en keek iedereen gespannen naar nerveuze tv-reporters die het *breaking news* meldden.

Het bloed klopte in mijn hals.

Ik nam me voor om voortaan het nieuws te volgen, om mijn huissleutels in mijn jaszak in plaats van in mijn tas te bewaren, om het licht op mijn fiets te laten maken.

De huizen in deze buurt stonden elk in een klein privépark met een enorm grasveld en wat struiken en bomen. Hier en daar zag ik een verlicht raam, en in een huis stond een vrouw voor het venster naar buiten te kijken. Ik was in ieder geval niet de laatste mens op aarde.

Achter me hoorde ik een auto. Ik draaide me om en zag niets.

Ik hoorde de motor nog steeds.

Opnieuw keek ik achterom, er was alleen maar duisternis. Een auto met gedoofde lichten – dat kon betekenen dat de lampen kapot waren, of dat de bestuurder kwade bedoelingen had.

Ik fietste zo hard ik kon. Ondanks de koude avondlucht brak het zweet me uit.

Thuis tilde ik hijgend mijn fiets de veranda op. Er was niets meer te horen of te zien. Ik was belachelijk. Toch trok ik binnen eerst de gordijnen dicht voordat ik het licht aan deed. Boven hoorde ik Dorothee lopen – tik, tik, tik, met haar hakken over de houten vloer.

Lara zat met haar voeten op het bureau te lezen toen ik binnenkwam. De deur glipte uit mijn handen en knalde tegen de muur. Ze zette haar voeten langzaam op de grond en legde haar boek met de omslag naar boven naast het toetsenbord. Ik dacht dat ik cyrillisch schrift zag, blauwe letters op een wit met groene voorkant. 'Hé,' zei ze. 'Kun je niet uitkijken?'

'Sorry.' Ik veegde een lok uit mijn gezicht. Belachelijk om onzeker te worden van zo'n meisje. 'Ik ben boos,' zei ik.

Lara trok haar perfect bijgetekende wenkbrauwen op. Vandaag had ze haar ogen dik opgemaakt met verschillende kleuren blauw, en haar lippenstift was ijswit. Met die make-up paste ze zo in de jaren zeventig, een periode die ze niet eens zelf had meegemaakt.

Ik begon opnieuw. 'Lara, ik heb reden om aan te nemen dat je mijn adres hebt doorgegeven aan iemand van buiten de universiteit, zonder mijn toestemming. *Right*?'

Ze keek me aan met een vage glimlach en liet een lange stilte vallen. 'Om wie gaat het?'

'Dat doet er niet toe,' zei ik. 'Het gaat erom of jij aan een buitenstaander hebt verteld waar ik woon.'

'Nou, eigenlijk doet het er wel toe.' Ze had een irritant lijzige toon in haar stem. 'Ik krijg voortdurend verzoeken van het administratieve bureau van de universiteit om allerlei gegevens over jullie in te leveren.' Ze glimlachte opnieuw. 'Alles wordt vastgelegd, *you know*.' De getekende Lara's aan de muur keken me over de loop van hun getrokken pistool agressief aan.

'Oké, je wéét dat ik het niet over het administratieve bureau heb.' Ik aarzelde even. 'Dit gaat over mijn ex.'

Ze reageerde niet.

'Hij stuurde me pas een brief op mijn privéadres terwijl ik hem nooit heb laten weten waar ik woon.' De advocaat liet ik er maar even buiten, daar had ze niets mee te maken. Ik zag de nieuwsgierigheid in haar ogen.

'Je ex weet niet waar je woont? Waarom niet?'

'Mijn man en ik zijn uit elkaar – snap je? De details van mijn leven hier gaan hem dus niet aan.' Ik ging zitten. 'Heeft hij contact met jou gezocht?'

'Mmm.' Lara bestudeerde haar blauwgelakte nagels. 'Een paar weken geleden had ik een man met een buitenlands accent aan de lijn. "Ik bel vanuit Nederland," zei hij. Hij vroeg naar jou, wilde weten hoe het met je ging. *Charming guy*, met een stem die klonk alsof hij heel aantrekkelijk is.' Ze keek me aan. 'Klopt dat? Is hij aantrekkelijk?'

'Dat hangt ervan af wat je onder aantrekkelijk verstaat.'

'Hij zei dat hij je wilde verrassen, dat hij nog steeds van je hield.'

Ik snoof. Dat verzon ze. 'Goed. Hij houdt níet van me, en als hij nog eens belt, vertel je niks. *Is that clear*?'

Ze knikte volgzaam.

Ik hield mezelf voor dat achter al die make-up, de sexy outfits en de grote mond Lara gewoon een meisje was, gevangen in een saai kantoorbaantje, dromend van een glamoureuze toekomst. 'Lees je Russisch?' vroeg ik terwijl ik opstond.

'Ik studeer Russische taal- en letterkunde,' zei ze.

Dat was onverwacht – ik was blijkbaar niet geheel vrij van hokjesdenken.

'Jullie zien mij allemaal als een dom blondje. Maar ik doe verderop een deeltijdstudie, ik ben derdejaars. En ik ben van plan om summa cum laude af te studeren en aan Harvard mijn postdoc te doen.'

De universiteit 'verderop' waar ze op doelde stond in een naburig stadje. Die had minder status en glamour dan de onze, en vroeg dus ook een lager collegegeld. Lara rechtte haar rug, en haar gezicht kreeg van het ene op het andere moment een gesloten uitdrukking.

Ik knikte haar toe. 'Goed van je.'

Bij de deur draaide ik me om. 'Trouwens, nog bedankt voor die tip over Seven Feathers. Ik ben bij hem geweest, maar hij wilde me geen wapen verkopen.'

Lara glimlachte. 'Gewoon nog een keer proberen.'

Die dag werkte ik niet erg hard. Ik zat lang voor het lege scherm van mijn computer, totdat ik het geknipoog van de cursor niet meer kon aanzien en een vroege lunchpauze nam. Twee-en-een-half uur later, na een lange koude wandeling door god weet welke buitenwijken en een caffè latte in een ongezellige koffiebar, zette ik mijn computer weer aan. Nu moest het er maar van komen. Ik opende een nieuw document in Word en typte een brief aan de Nederlandse advocaat. Het moest een officieel, koel schrijven worden, maar wat ik ook probeerde, er bleef iets van woede doorheen blikkeren.

Ik schreef dat mijn man wat mij betreft zijn gang kon gaan. 'Stuur me de papieren maar, dan teken ik ze zo snel mogelijk. Hij kan alles verkopen, het huis en al mijn spullen. Er is niets dat ik wil houden, ik zal blij zijn als alles weg is. Laat me maar weten wat de opbrengst is, dan kan de helft van het geld naar mijn rekening in Nederland. Hoogachtend.'

Zodra ik dat laatste woord had getypt, stond ik op. In deze geschiedenis was er helemaal niemand die ik hoogachtte. De middelste lade van mijn bureau stond nog open – mijn knie knalde tegen de metalen rand.

Ik viel weer op mijn stoel. Als mijn collega's in de buurt waren geweest, hadden ze een paar nieuwe Nederlandse vloeken kunnen leren.

Ik lag in bed na te denken over de betekenis van namen. Elke naam, elk woord is een beperking: als je dit ene bent, kun je al het andere niet zijn. Zodra een tafel 'tafel' wordt genoemd, is een tafel nooit meer 'bank', of 'kast'.

Al mijn hele leven had ik een aversie tegen de dikke, zwarte lijnen die om mensen en dingen werden getrokken. Nooit meer uit te gummen, zo'n lijn. Je kreeg een naam, en dat was het dan. Er was je een identiteit gegeven waarmee je het moest doen in je verdere leven, zonder dat je er zelf enige inspraak in had.

Het zou veel eerlijker zijn als je zelf een naam mocht kiezen. En dat dan pas op een moment waarop je al wat geleefd had, een idee had van wie je wilde zijn.

Ik had een kans voorbij laten gaan. Mijn oude naam was ik kwijt en ik had verzuimd zelf een nieuwe te kiezen. Amerika had me een nieuwe naam opgedrongen.

Ik trok het dekbed verder over me heen. Volgens mijn wekker was het elf uur, een grauwe, stille zondagochtend. Dorothee was een weekend weg, met een man vermoedde ik. Er was niemand bij wie ik vandaag langs kon gaan. Ik voelde een groot verlangen naar een vlakte waarop niets was dan wit zand, een leeg, onbeschreven vel papier, of een sneeuwlandschap, alle vormen verdwenen onder een dikke laag gestolde kou. Tabula rasa.

Ik haalde mijn handen langs mijn lichaam – voeten, benen, dijen, venusheuvel, schaamlippen, buik, navel, buik, borsten, armen, gezicht. Hoe lang geleden sinds ik was aangeraakt. Ik deed mijn ogen dicht.

Mijn dromen hingen nog ongemakkelijk om me heen toen ik na het opstaan het witte rolgordijn in mijn slaapkamer omhoogtrok en dacht dat ik verderop in de straat Owen zag lopen.

Later die zondag kwam ik hem tegen in het park, waar hij op een bankje zat en me vriendelijk toewuifde. En hij ging net een hoek om toen ik terugkwam uit de bibliotheek.

Ik nam me voor om vaker de fiets te nemen, fietsend was ik sneller dan lopend. Als ik buiten was, keek ik voortdurend achterom, als ik thuis was, liep ik steeds naar het raam. Met een wapen zou ik me beter voelen. De eigenschappen die bij zo'n pistool hoorden zouden vanzelf op mij overgaan: sterk, zelfverzekerd, doelgericht. Daarmee kon ik Owen trotseren.

'Gewoon nog een keer proberen', had Lara gezegd.

Ik wist niet waar ik het idee vandaan haalde dat ik Seven Feathers nu wel zou kunnen overtuigen. Hij was zo onverbiddelijk geweest. '*He is your best shot*,' zei ik tegen mezelf en vertrok mijn gezicht bij die dubbelzinnigheid.

Op een druilerige zaterdagochtend zag Kathelijne hoe haar vader de deur achter zich dichttrok. Philip had alleen een plastic tasje bij zich. Tussen twee chemokuren door had Sheila hem het huis uit gezet.

Met haar kale hoofd en haar enorme, donkere ogen zag ze eruit als Jeanne d'Arc – een dramatische *beauty queen* of een beeldschone *drama queen*.

Sheila een engel der wrake, Philip een heel klein mannetje.

Kathelijne had nog foto's uit die tijd. Haar moeder lag daar inderdaad als een koningin in haar bed. Kussens in haar rug, een zijden tulband om haar hoofd. Ze zag er helemaal niet ellendig uit, de ziekte maakte haar nog grandiozer dan ze al was.

Later was dat allemaal anders geworden, maar toen woonde Philip allang met zijn nieuwe vriendin in een veel te kleine flat. Sheila eiste dat zij het halfvrijstaande huis zou houden. Philip maakte geen bezwaar. Kathelijne wist dat hij zich schuldig voelde en bovendien, hij kon het huis verkopen zodra Sheila dood was.

En zo was het inderdaad gegaan. Kathelijne en haar zus, negentien en zeventien, hadden na de begrafenis nog een maand in hun eigen huis gewoond en waren toen op kamers gegaan. De huur werd betaald door Philip, dat wel.

Ze was er zelf verbaasd over dat ze na jaren weer contact met hem had gezocht. Op een doordeweekse middag – ze had er vrij voor genomen – belde ze aan bij een verbouwde boerderij met rieten dak. Hij deed zelf open, zijn kantoor had hij tegenwoordig aan huis.

'Dag Philip,' zei ze. Ze vroeg niet eens of hij haar herkende. Wel of hij haar weg wilde geven, ze ging trouwen.

Ik had me voorbereid, deze keer zou Seven Feathers wel naar me luisteren. Ik ging recht voor de deur staan, zette mijn voeten stevig op de grond en belde aan. Zangers deden een munt in hun schoen voor ze het podium op gingen, had ik gehoord. De munt herinnerde hen aan hun kracht en aan de aarde die hen droeg. Misschien had ik vijftig dollarcent in mijn linkerlaars moeten stoppen.

Seven Feathers kwam aanlopen, zijn blik was streng. Hij deed de deur een klein stukje open. 'Wat moet je?' vroeg hij.

Het viel me op hoe recht hij stond en hoe vierkant zijn schouders waren. De eerste keer had hij veel kleiner en magerder geleken.

'Ik ben een klant,' zei ik. '*Let me in.*'

Hij dacht even na en trok de deur toen verder open. 'Je bent inderdaad een klant. Maar ik betwijfel of ik je iets kan verkopen.'

Ik liep achter hem aan de winkel in. Het viel me op dat zijn vlecht tot voorbij zijn middel hing. Misschien was zijn haar nog nooit geknipt – hij draaide zich naar me om, en veegde in dezelfde beweging de vlecht over zijn schouder naar voren.

'Ik heb echt een wapen nodig,' begon ik. 'Ik weet dat je daarvoor een vergunning moet hebben, maar die krijg ik als vreemdeling niet.' Ik slikte. De indiaan zweeg. 'Een klein wapen, het hoeft niets bijzonders te zijn. Ik moet me kunnen verdedigen.'

Ik viel stil.

'Tegen wie moet je je verdedigen?' vroeg hij.

'Een man,' zei ik snel. 'Een man die me achtervolgt. Ik ben bang dat –' Het was alsof er een strakgespannen stuk elastiek knapte. Voor ik het wist, kraakten de woorden in mijn keel, losse, droge brokstukken waar ik me in verslikte. Ik hapte naar adem – niet genoeg zuurstof, licht in mijn hoofd.

De indiaan stond al naast me. Hij duwde mijn hoofd naar beneden en bonkte met onverwacht harde vuisten tegen mijn rug.

Ik stik – dacht ik, kon mijn benauwenis niet uitspreken. De

indiaan sloeg nog eens, nu met de zijkant van zijn hand – alsof ik een stapeltje stenen was en hij een karateka. Er schoot iets los, iets verschoof, maakte plaats in mijn luchtpijp en de zuurstof stroomde ongehinderd door mijn neus en keel.

'Glaasje water?' vroeg de indiaan, en liep naar een ruimte achter de winkel. Even later kwam hij terug met een groot glas.

Hij keek toe terwijl ik dronk. 'Je denkt dat je minder bang zult zijn als je een wapen hebt.'

Het was geen vraag, eerder een constatering.

'Dat is natuurlijk een schijnveiligheid,' ging hij verder. Ik had de indruk dat hij al pratende zijn standpunt bepaalde. Hij liep naar de toonbank en rommelde wat met een sleutelbos. Een laatje ging open en hij nam er iets uit.

'Maar soms kan een illusie je helpen om verder te komen,' zei hij en kwam weer naast me staan. Hij legde een klein voorwerp in mijn hand. *A ladies' pistol,* zei hij.

Het was een echt pistool, maar in een kleinere en elegantere uitvoering dan ik ooit had gezien. De handgreep was ingelegd met een materiaal dat op parelmoer leek, de loop was smal en slank. Ik hield het ding onwennig vast. 'Ik heb nog nooit een vuurwapen van dichtbij gezien,' zei ik.

'Ah.' Hij knikte. 'Ik wil je dit wel verkopen – onder de toonbank, zonder papieren. Maar dan geef ik je er een schietles bij. Als je niet weet hoe een wapen werkt, koop je er gevaar mee in plaats van bescherming.'

Ik draaide het damespistooltje nog eens om en verbaasde me erover hoe licht het was. 'Ja, ik wil het graag hebben.' Zo makkelijk ging dat.

We spraken af dat ik hem volgende week heel vroeg in de ochtend op een verlaten bedrijventerrein aan de rand van de stad zou ontmoeten voor mijn eerste les. Tot die tijd zou hij het pistool in bewaring houden.

Ik betaalde de helft van een bedrag dat hoger was dan ik had verwacht, en ging naar huis.

Die avond was ik een bezoeker in mijn eigen huis. Ik zette

mijn laptop aan, checkte mijn werkmail, zette hem weer uit. Ik gaf de planten water en zag met genoegen hoe de ficus nieuwe blaadjes begon te krijgen. Ik deed de afwas – een bord, een beker en een lepel. Ik kookte een pak rijst, en toen de rijst gaar was, verdeelde ik die in eenpersoonsporties die ik later in zou vriezen. Ik bladerde door de krant en las de koppen. Ik at een boterham met niks. Ik poetste mijn tanden.

Het was pas negen uur.

Mijn hart klopte opdringerig. Met een deken over mijn benen en een kussen tegen mijn onderrug dwong ik mezelf om een tijdje op de bank te zitten en niets te doen.

Ik kwam overeind, stak een kaars aan op de lage tafel, zakte weer onderuit. Niemand zag mij nu – ik vroeg me af of ik nog bestond in de herinneringen van de mensen die ik had gekend.

Er waren er in ieder geval twee die mij niet vergeten waren – Carina en mijn vroegere geliefde. Ik dacht aan het ongeopende stapeltje brieven. Tot nu toe had hij mij in de laatste week van elke maand een bericht gestuurd. Ik vroeg me af wat erger was: als ik deze maand opnieuw een brief van hem kreeg, maar nu gericht aan mijn huisadres in plaats van mijn kantoor. Of als er deze keer geen brief zou komen.

In zijn agenda had hij vast kruisjes gezet. Briefschrijfdag – een zelf opgelegde taak, een punt op zijn to do-lijstje.

Hij deed maar. Ik had er niets meer mee te maken.

Het moment waarop ik op Schiphol door de slurf naar het vliegtuig was gelopen, was het moment waarop ik hem had achtergelaten, waarop ik iedereen had achtergelaten. Een deserteur, weggeslopen.

Op het moment dat het vliegtuig vaart had gemaakt op de landingsbaan, moest ik denken aan kapers en bommen. We konden neerstorten, dat besefte ik heel scherp. Dan zou mijn desertie compleet zijn.

Het vliegtuig had zich losgemaakt van de grond, en even was er dat gevoel gewichtloos te zijn, te suizen door de tijd. De mens is niet gemaakt om te vliegen, zei mijn vader vroeger.

Ik had me overgegeven. Als het vliegtuig vreemde, rommelende geluiden ging maken, als de gezagvoerder een technisch probleem meldde of als een terrorist met getrokken wapen door het gangpad kwam lopen, kon ik niets doen om het gevaar af te wenden. Helemaal niets.

Ik had gedacht aan *nine eleven*, hoe in de vliegtuigen mensen hun telefoons hadden gepakt en berichten voor hun geliefden hadden ingesproken toen ze beseften dat ze gingen sterven. Dat leek strijdig met elk overlevingsinstinct. Als de dood je voor ogen stond, dacht je toch niet aan anderen – jouw leven was dan het enige wat telde.

Maar misschien waren die boodschappen wel de ware overgave. Markeerden die het moment waarop die mensen accepteerden dat hun leven ten einde was, dat ze niets meer konden doen om zichzelf te redden.

Onze gemeenschappelijke wasmachine was kapot en dus gingen Dorothee en ik op zondagochtend buiten de deur onze was doen. Zodra ik binnenkwam, had ik het geruststellende idee dat ik in Laundromat Snowwhite alles en iedereen kende. De dubbele rij industriële wasmachines met rond venster, de drogers met bovenlader, de automaat met blikjes Coke en Sprite en daarnaast de bijna identieke automaat met felgekleurde pakjes Tide- en Cheer-zeeppoeder, de witte tegeltjes op de muren en de zwart-witte op de vloer. De mevrouw met een sigaret in haar mondhoek en een hoofd vol krulspelden onder een hoofddoek bij wie je de muntjes voor de wasmachines kon wisselen, de blonde jongen in spijkerbroek, geruit overhemd en cowboylaarzen die onderuitgezakt op een van de plastic stoeltjes zat. De chemische geur van waspoeder, wasverzachter en elektriciteit, de te hoge temperatuur die ervoor zorgde dat ik onmiddellijk mijn jack uittrok – dat alles had ik al tientallen keren meegemaakt zonder dat ik ooit in een *laundromat* binnen was geweest.

Dorothee wisselde een handvol muntjes en begon haar vuile

was uit twee grote boodschappentassen over te laden in een van de machines. Ik volgde haar voorbeeld en ging vervolgens naast haar zitten op een van de ongemakkelijke stoeltjes.

Nu zou ik kunnen zeggen dat ik een pistool had gekocht, dat ik schietles ging nemen. Dorothee had een beduimeld tijdschrift van een tafel gepakt en bladerde er ongeduldig in. 'Moet je zien,' zei ze, 'Madonna heeft alweer een nieuwe vent.' Ik zei niets.

Zelfs voor deze weinig glamoureuze gelegenheid droeg Dorothee een feestelijke outfit. Naast haar roodfluwelen jasje, enkellange grijze rok, rode laarsjes en Indiase omslagdoek was ik onzichtbaar.

Ik keek met haar mee naar de fotoreportage van Madonna – met zonnebril en piekerig haar – en haar nieuwe minnaar: een onbekende, beetje sullige man. 'Net een gewoon mens,' zei ik.

Dorothee bladerde verder door artikelen vol sterren met depressies en verslavingen. Ze verbaasde zich over popidolen van wie ze nog nooit had gehoord. *'Tiens*, wat een kinderen nog – en wat een zielige magere lijfjes. Moet dat nou de massa entertainen?'

'Je hebt toch een dochter?' vroeg ik. Ze had me eerder een foto van een donker meisje met een scherp gezicht laten zien. 'Zij zorgt er toch zeker wel voor dat je op de hoogte blijft van de muziek van nu?'

Dorothee sloeg het tijdschrift dicht. 'Mijn dochter vertelt me niets,' zei ze. Haar gezicht had een harde trek gekregen.

Ik zweeg.

'Xenia studeert in Indiana,' vervolgde ze. 'Ze komt weinig thuis – behalve als haar geld op is, of als ze haar oude vrienden wil zien.'

'Vind je dat jammer?' vroeg ik.

'Ze is moeilijk,' zei Dorothee en draaide haar hoofd opzij.

We staarden zwijgend naar onze was die door de wasmachines werd rondgewalst als op drift geraakte huisraad in een wervelstorm. Mijn elleboog raakte bijna de arm van Dorothee, ik was me bewust van de warmte van haar lichaam.

Dorothee stond op en liep naar de frisdrankautomaat. 'Wil je ook iets drinken?' riep ze. Toen ik 'nee' schudde, trok ze een blikje cola light.

'Ik heb een kookboek geschreven,' zei ze terwijl ze een plek wat verder in de rij koos en haar benen op de plastic stoeltjes tussen ons in legde.

Ik mocht niet vergeten dat ik een heel klein stukje van Dorothees leven deelde. De buurvrouw, meer niet. Maar ze was een van de weinige mensen met wie ik kon praten. Dus draaide ik me naar haar toe. 'Een kookboek? Is het al uitgegeven?'

Ze lachte en trok haar blikje cola open. 'Nee, nog niet. Ik heb het manuscript net naar een paar uitgeverijen gestuurd.'

Het was een kookboek met recepten en verhalen uit haar jeugd, de herinneringen aan twee levens. Ze vertelde over een gespleten jeugd waarin haar moeder haar voorlas uit Pippi Langkous terwijl buiten de muezzin opriep tot gebed. Het leek me dat dat vast een contrastrijk boek vol bijzondere combinaties had opgeleverd. Ik zag haar al voor me, een flamboyante kok op tournee langs de talkshows, omringd door bewonderaars.

We praatten totdat de was uit de drogers kon worden gehaald – nog warm en met een chemische geur. Ik vergat de lege stoeltjes tussen ons in.

Kathelijne inventariseerde weleens wie er allemaal aan haar graf zouden staan als ze nu doodging. De begrafenis van een jonggestorvene was een sensatie die de meeste mensen vast niet wilden missen. Dus zou het in de afscheidsruimte, of hoe noemde je dat, de aula, overvol zijn met iedereen die ze ooit had gekend. Er zou gehuild worden, wat zouden ze haar missen.

Te laat. Hadden ze haar maar eerder moeten missen.

Ze overwoog een wilsbeschikking te schrijven, met een lijst van mensen die haar in de steek hadden gelaten, of die haar in ieder geval niet hadden geholpen. Die mochten er niet bij zijn.

Onzin. Iedereen was welkom. Bij de crematie of de begrafenis.

Om onder een zware stenen plaat te moeten liggen, zonder licht en zonder lucht, in een krappe, muf ruikende kist. Dat kon ze maar beter niet tot zich door laten dringen.

Verbrand worden was even erg – die vlammen tegen je huid.

Als ze dood was, zou ze zich nergens meer van bewust zijn. Geen angst, geen paniek. Lekker rustig.

En als ze per ongeluk jong zou sterven, dan moest Bas maar beslissen. Laat hem er maar mee zitten. Ze had een vaag gevoel van leedvermaak.

In mijn keuken kon het kleine raam niet goed dicht. Het hout was vermolmd, de overvloedige regen van de afgelopen dagen was te veel geweest. Buiten rook het naar verrotting, de afgevallen bladeren waren samengeprakt tot een kleurloze pap. Binnen tochtte het, ik at 's ochtends mijn muesli in de woonkamer in plaats van aan de keukentafel.

De Chinese landlady had bits gereageerd toen ik haar belde. 'Dat valt niet onder de huur, dat soort dingen moet je zelf regelen.'

Ik voelde me unheimisch, al was dat onzin. Niemand wist dat het raam kapot was en dat je er alleen maar een zacht duwtje tegen hoefde te geven. Dan ging het vanzelf open en kon je zo naar binnen klimmen, als je tenminste klein van stuk was, of anders kon je via het raam gemakkelijk bij het slot aan de binnenkant van de keukendeur. Voor alle zekerheid deed ik 's avonds voor ik naar bed ging de deur naar de gang dicht en zette er een stoel voor.

Toen ik aan Dorothee vertelde wat onze huisbaas had gezegd, werd ze boos. '*Mon dieu*! Dat valt niet onder de huur – wat een gierig mens is dat toch! We hebben er recht op dat zij de boel laat repareren als er iets kapot is!' Ze pakte de telefoon. Binnen vijf minuten had ze het voor elkaar dat de landlady een door haar betaalde klusjesman zou inschakelen.

Als er iemand overtuigd moest worden, kon je mij maar beter niet inzetten, dat was wel duidelijk.

Het was het eind van de middag. Ik was eerder van mijn werk naar huis gegaan en Dorothee hoefde nog niet naar het restaurant. We dronken rode wijn en aten pistachenootjes, er stond een grote schotel met brandende waxinelichtjes op haar tafel.

'Mijn huis in Nederland wordt verkocht,' zei ik, hoewel ik het daar eigenlijk helemaal niet over wilde hebben.

'O.' Dorothee leunde geïnteresseerd over de tafel.

Ik vertelde haar over de brief van de advocaat en dat ik nu op de documenten wachtte waarmee alles officieel zou worden.

'Ga je het missen?' vroeg ze.

'Ja. Nee. Ik weet niet. Het is meer het idee dat ik straks geen eigen plek meer heb. Hier woon ik wel, maar het is niet mijn eigendom. En dit appartement is sowieso niet voor de eeuwigheid.'

Dorothee knikte. 'Dit is een soort tussenhuis.'

Ik ging verder: 'Bovendien, als mijn contract niet verlengd wordt, weet ik niet hoe het zal gaan. Als ik dan niet snel iets anders vind, kan ik hier niet blijven. Thuis – in Nederland – kon ik altijd terecht, met of zonder werk, wat er ook in mijn leven gebeurde.'

'Tja,' zei ze, 'dus wordt straks jouw toevluchtsoord verkocht aan de hoogste bieder en blijf jij onbeschermd achter.'

'Mmm.' Ik hield me op de vlakte.

'Mens!' Dorothee ging rechtop zitten. 'Wees blij dat je niet meer vastzit. Wat is dat nou voor veiligheid, een huis is niet meer dan een hoop stenen. Kijk eens hoe vrij je nu bent. Dat is toch wat je wilde?'

Ik moest lachen om haar felle blik en verontwaardigde toon. 'Ja, je hebt gelijk. Dit is wat ik wilde.'

We brachten een toost uit op de vrijheid.

Het was nacht, ik sliep niet. Ik had een kop thee gemaakt en lag in mijn satijnen jurk in bed, het prijskaartje dat ik was vergeten eruit te halen prikte tegen mijn huid, een paar woorden uit de droom die ik had gehad hingen als een nevel om me heen. *Als ik het nu niet weet, weet ik het nooit.* Het was zo'n droom die tijdens het dromen zelf heel betekenisvol had geleken, maar waarvan bij het ontwaken nauwelijks iets was overgebleven – alleen een scherp gevoel van verwachting. Als een spiegel waarin je onverhoeds een volkomen onbekende blik van jezelf opvangt.

Toen ik mijn ogen dichtdeed, voelde ik de omhelzende handen van de jurk om mijn middel. De lamp stond als een onverzettelijk baken in de hoek van de kamer en wierp zijn gele licht op mijn oogleden. Als klein meisje was ik 's nachts vaak bang geweest en had dan gefantaseerd dat de blauwe schemerlamp in mijn kamertje een goede geest was die me beschermde.

Met zachte handen ging ik over mijn gezicht – mijn linkerhand was warm, mijn rechterhand koud. Alsof ik op een smalle rand stond, boven een diepte.

Een flard van de droom kwam terug: *I must be saved.*

Buiten ging een autoalarm af, met een snerpend piepend geluid.

Ik trok mijn handen terug en vouwde ze op mijn buik.

Stel dat mijn handen de handen waren van iemand anders – de handen van een geliefde. Iemand die geliefd was, ontving liefde. En gaf liefde terug. Een simpele uitwisseling. De economie van de liefde: over de hele wereld namen miljoenen mensen er deel aan, zonder enige aarzeling.

Een pistool ingezet voor de liefde

De man met de groene ogen loopt met grote stappen over straat, Kay versnelt haar pas om vlak achter hem te blijven. Hij is zo dichtbij dat ze zijn aftershave kan ruiken – een geur van pas gemaaid gras, die helemaal niet past bij deze zonloze herfstmiddag. In veel huizen branden de schemerlampen al.

Kay is in T-shirt, ze draagt haar jas nog steeds over haar arm om zo het pistooltje te verbergen. De rillingen lopen over haar rug. Het is mogelijk dat ze niet in een vlaag van gekte heeft gehandeld, maar in een moment van grote luciditeit. Het kan zelfs dat ze heel even inzicht heeft gehad in de samenhang der dingen.

Als dat zo is, dan is ze dat inzicht nu volledig kwijt.

Er zullen consequenties zijn, dit kan niet ongestraft. Ze aarzelt of ze zich teleurgesteld of trots moet voelen.

Aan de overkant loopt een groepje jongens voorbij met lange, wapperende jassen. Ze dragen felgekleurde petjes en lachen luidruchtig als een mobiele telefoon overgaat en de ringtone uit hondengeblaf blijkt te bestaan.

Wat als de man nu vlucht, lachend met lange passen wegrent? Ze kan hem onmogelijk bijhouden. Dan gaat hij vast rechtstreeks naar de politie om te melden dat een gestoorde vrouw hem heeft ontvoerd, geeft haar signalement, eist opsporing en vervolging.

Of hij haalt zijn schouders op en gaat verder met zijn leven. Elke dag naar kantoor, 's avonds voor de tv en soms iets drinken met vrienden. Als hij een vrouw heeft, verzwijgt hij voor haar wat er is gebeurd. Een heel enkele keer, als hij alleen is, denkt hij terug aan een krankzinnige ontmoeting op een stille zondagmiddag.

Kay concentreert zich op dit ene moment, hier in deze kille straat: hij een pas voor haar uit, zij op snelle voeten achter hem aan. Alsof hij de leiding heeft en zij volgt. Ze duwt het pistooltje nog maar eens tegen zijn rug. Hij draait zich om en glimlacht.

Hoe vaak ze hier al niet gelopen heeft – van de campus naar huis. Bijna altijd alleen en dan nu opeens met een man. Tot nu toe heeft hij vanzelf de goede route gevolgd. Of misschien heeft ze hem toch op de een of andere manier laten weten, met een duwtje van het pistool, wanneer ze gingen oversteken of een hoek om moesten.

Kay is duizelig. 'Hier rechtsaf,' zegt ze tegen zijn rug. Haar stem is schor.

Daar is haar huis, aan het einde van de straat. Een puntdak, twee verdiepingen, een gevel met witte houten planken en een veranda met een grasveldje ervoor: een huis zoals er hier zoveel staan, een huis dat je al herkent voordat je het echt in je hebt opgenomen.

Het lijkt alsof Kay het gebouw vandaag voor het eerst goed ziet: een huis in Amerika, met daarin haar appartement, met een keuken en een slaapkamer, met alles wat ze nodig heeft. Haar huis, dat ze zelf heeft gevonden en zelf heeft ingericht.

'Daar woon ik,' wijst ze met haar vrije hand.

De man kijkt niet naar het huis, maar naar haar. Hij zegt niets, zoals hij de hele weg nog niets heeft gezegd.

De laatste meters naar de voordeur loopt Kay naast hem. Ze wil alleen maar afmaken wat ze in het Riverside Cafe is begonnen, de man van daar naar hier brengen. Meer niet.

Ze leidt hem naar binnen, door de gang naar de keuken,

doet het licht aan. 'Ga zitten.' Onhandig gebaart ze met haar pistool naar de stoelen bij de keukentafel.

Kay bekijkt zichzelf van een afstand: ze leunt tegen het aanrecht, haar jas nog onder haar arm gepropt en een kek, onschuldig uitziend pistooltje in haar uitgestrekte rechterhand.

Dan bekijkt ze de man: hij zit op zijn gemak op een van de weinig comfortabele houten stoelen en neemt de keuken rustig in zich op.

Wat nu? Geen enkele ervaring in haar leven tot nog toe heeft haar op deze situatie voorbereid.

'Leg dat pistool maar neer,' zegt hij. 'Ik loop niet weg.'

Haar adem stokt. 'Hoe weet ik dat je niet liegt?' vraagt ze. Alsof ze meespeelt in een gangsterfilm.

Zijn antwoord past in hetzelfde filmscenario: 'Je zult me moeten vertrouwen.' En vervolgens, alsof de gedachte net bij hem is opgekomen: 'Trouwens, ik geloof toch niet dat je me zult neerschieten.'

'Ik ben gevaarlijk,' zou ze kunnen zeggen, maar hij heeft natuurlijk gelijk en dus zegt ze niets. Hij is beeldschoon. Pure schoonheid kan afstotend zijn, omdat zulke perfectie voor een gewoon mens onbereikbaar is en daardoor buiten elk verlangen ligt. Maar om deze man hangt een nauwelijks te benoemen droefheid, die hem aanraakbaar en begeerlijk maakt. In het café was een moment geweest waarop ze bijna zijn hand had gepakt, haar vingers om de zijne, vlak voordat ze de loop van het pistool tegen zijn arm drukte.

Ze legt het wapen op het aanrecht en gaat tegenover hem zitten. 'Ben je bang voor me?'

Zijn handen houdt hij ontspannen op het tafelblad – slanke vingers, olijfkleurige huid. 'Nee.'

Kay ziet dat hij het meent. Hij is niet bang, niet voor haar en misschien wel voor helemaal niets en niemand.

Ze valt terug op het alledaagse, het huishoudelijke, de smeerolie is van ongemakkelijke situaties. 'Wil je iets drinken?'

Hij schudt zijn hoofd.

'Wil je je jas uitdoen?'

Dat wil hij ook niet.

Kays vragen zijn op. Buiten waait het, de hulststruik in de achtertuin zwiept met onregelmatige tussenpozen tegen het raam.

Met moeite vindt ze een paar woorden: 'Waarom ben je met me meegekomen?'

Domme vraag: hij is meegegaan omdat ze hem heeft gedwongen. Zijn antwoord is onverwacht: 'Ik ben je beschermengel. Ik heb je gezocht, ik ben gekomen om je te beschermen.'

Eerst dringt het niet tot haar door, ze reageert alleen op dat deel van zijn woorden dat ze wél snapt: 'Maar ik heb jóú gevonden. Ik heb jou uitgekozen.'

Hij trekt een wenkbrauw op.

'Ik snap je niet.' Ze laat zich op een stoel zakken, onderdrukt de neiging om te giechelen.

De man bekijkt haar met een kalme blik. 'Je weet toch wat een beschermengel is? In de literatuur wemelt het ervan. Die engelen zijn weliswaar niet erg adequaat beschreven, maar het concept is duidelijk: een onaards wezen dat mensen beschermt tegen de scherpe snijranden van het leven.' Hij wacht even, alsof hij haar reactie wil peilen. Als ze blijft zwijgen, herhaalt hij: 'Ik ben een engel. Ik ben gekomen om je te beschermen.'

'Beschermen? Waartegen?' Kay hoort een zweem van hysterie in haar stem.

'Ik bescherm je waar bescherming geboden is, ik blijf bij je zolang je me nodig hebt, en daarna vertrek ik weer.' Hij opent zijn handen, met de palmen naar boven.

Kays vingers tintelen. Ik heb een gestoorde in huis gehaald, denkt ze. Het pistooltje ligt achter haar op het aanrecht, te ver weg om zonder opstaan te kunnen pakken. Dan moet ze lachen. 'En je hebt niet eens vleugels.'

'Ik ben wie ik zeg dat ik ben. En soms hebben engelen geen vleugels.' De man kijkt haar met zijn groene blik recht aan.

De tintelingen nemen bezit van haar hele lichaam. Ze staat op. Gaat weer zitten. 'Ik geloof je niet.'

'Je hoeft me ook niet te geloven. Ik bén er gewoon.'

Kay kan haar ogen niet van hem af houden – dat scherpe gezicht, die donkere wenkbrauwen, de schaduw van een glimlach om zijn mond, alsof hij haar reactie wel had verwacht. 'Je lijkt een gewone man.'

'Ik ben een man omdat jij wilde dat ik een man was.'

'Ik wil helemaal geen man,' zegt ze. Dat antwoord is de grens, de lachbui die al sinds zijn annunciatie tegen haar borst kriebelt, breekt door. De absurditeit van een engel – Kay lacht tot de tranen over haar gezicht lopen. De man wacht rustig tot ze weer kalmeert – van het ene op het andere moment stopt het lachen. Ze veegt langs haar ogen.

'Vertrouw me,' zijn blik is intens. 'Vertrouw jezelf – waarom wilde je me mee naar huis nemen?'

Ze maakt een afwerend gebaar. Toch is het een goeie vraag, waarom zou je een man ontvoeren die je twintig minuten eerder voor het eerst hebt gezien? Kay ziet in een flits naakte huid en verkreukeld beddengoed, maar dat was niet het eerste waaraan ze had gedacht. Zodra ze hem zag, was hij verbonden met de droom die ze had gehad: als je het nu niet weet, weet je het nooit. Alsof hij de onbekende was die die woorden 's nachts in haar oor had gefluisterd.

Hij reikt over de tafel en raakt heel even, heel licht de binnenkant van haar onderarm aan. Haar huid glanst als parelmoer. Terwijl ze naar haar arm staart, neemt ze een besluit.

Hij is prachtig. Hij heeft haar gered van Owen. Hij wil bij haar blijven. Je kunt wel voor alles bang zijn.

Goed, ze neemt de gok.

Kay kijkt op en ziet in zijn ogen dat hij al weet wat ze heeft besloten. Zijn glimlach opent zijn gezicht, ze glimlacht terug. Maar dat hij een engel is geloof ik niet, stelt ze zichzelf gerust.

Engel is in sommige delen van Nederland een gewone jongensnaam. Engel Jansen. Aards en nuchter. Ze inventariseert de engelenwoorden die ze kent – engelenhaar, engelengeduld, engelenkoor, engelwortel.

'Heb je honger? Zal ik een boterham voor je maken?' Iets voorspelbaars en betrouwbaars. Zoals ochtendkoffie met ontbijtkoek en de zaterdagkrant erbij, of witte lakens die in een straffe wind aan de waslijn drogen. 'Ik heb bruinbrood en boerenkaas.'

Hij schudt zijn hoofd.

Oké. Wat nu? 'Je hoeft me niet bezig te houden,' zegt hij met een halve lach. 'Ik ben gewoon hier, ik zit hier, ik kijk naar je. Meer niet.'

'Hoe lang blijf je dan?' Ze wil graag weten hoe het verdergaat.

'Nu? Niet lang. Straks ga ik weg, maar ik kom weer terug.'

Oké – een man die claimt dat hij een engel is, loopt straks haar huis in en uit. Ze slikt een brokje paniek weg en vraagt: 'Hoe heet je?'

'Mijn naam is de naam die jij kiest.'

'O. Michaël? Rafaël? Gabriël?'

Hij glimlacht.

Nee, natuurlijk wordt ze niet bezocht door een van de aartsengelen. Ze is Maria niet.

Uiteindelijk maakt Kay een boterham voor zichzelf, drinkt een beker melk, bergt haar pistooltje in de la van de keukentafel, zet de kachel hoger en gaat met een stapel kussens tegen haar rug op de bank zitten, voeten opgetrokken, een boek op schoot. Ze vergeet te lezen, kijkt naar de kaars op de keukentafel, een flakkerende vlam die het gezicht van de engel verlicht.

Als ze midden in de nacht op de bank wakker wordt, ligt er een deken over haar heen en is de kaars uit. Geen engel te bekennen.

De winter kondigde zichzelf aan: als een hardhandige wasvrouw wrong ze het licht steeds verder uit de dagen. Het was pas halverwege de middag, maar ik moest mijn bureaulamp aandoen om het artikel te kunnen lezen dat naast mijn computer lag. Straks was er geen houden meer aan: sneeuw en nog meer sneeuw, temperaturen onder nul, vrieskoude wind die rechtstreeks vanaf de pool over ons heen waaide. En dagen met het absolute minimum aan licht.

Dit was het land van de strenge winters. *Little House on the Prairie* – als kind had ik gefascineerd gelezen hoe een hele familie een winter lang ingesneeuwd raakte. Nu ik zelf hier woonde, begreep ik pas de ware betekenis van het woord 'streng'. Vorig jaar waren er dagen geweest dat ik niet naar buiten kon, zo koud was het. En op andere dagen moest ik halverwege de campus en mijn huis even op temperatuur komen in de Seven Eleven-supermarkt.

De winter was hier een tuchtiging, als een straf voor verzwegen zonden.

Ik was van plan vandaag zo lang mogelijk door te werken. Er wachtte een koud en donker appartement op me. Dorothee was al twee dagen niet thuis, ze ging na het werk met haar minnaar mee en bleef daar tot het weer tijd was om in het restaurant aan de slag te gaan.

Hoe lang die situatie zou duren wist ik niet. Ze was aan mij geen verantwoording schuldig.

Sanny stak haar hoofd om de hoek van de deur. 'Heb je al gehoord dat Manning volgende week een *budget meeting* heeft gepland?'

Dat wist ik nog niet, en het ontging me waarom dat zo belangrijk was.

'Ik kom je waarschuwen, zorg dat je je financiële gegevens op orde hebt. Ik hoor dat hij van plan is om in begrotingen te schrappen.'

'Oké. Fijn dat je dat komt melden, ik moet inderdaad nog wel het een en ander uitwerken.'

Sanny knikte en verdween weer voordat ik een praatje kon beginnen.

Ik vroeg me af of ik me zorgen moest maken, en concludeerde dat dat weinig zin had. Manning had zijn zetten voorbereid en zou niet eerder dan volgende week onthullen wat hij van plan was. Ik zocht alvast wat documenten bij elkaar.

Het was al helemaal donker toen ik eindelijk de deur van mijn kantoor achter me dichttrok. Een paar meter verderop aan het einde van de gang, waar een lamp kapot was, zag ik iets bewegen in de schaduw. Ik bleef staan.

Er klonk een zachte lach en iemand fluisterde iets dat ik niet kon verstaan. Twee geliefden, studenten waarschijnlijk, in innige omhelzing. Ik zag een hand die de rug van het meisje streelde, onder haar t-shirt.

Ze hadden me niet gezien.

Zo zacht mogelijk sloop ik weg.

Eenzaamheid kent gradaties. Het heeft niet een enkele, solide vorm, maar bestaat uit tientallen, misschien zelfs honderden laagjes, flinterdun op elkaar geplakt. Millefeuille. Als je erin bijt, proef je een dwarsdoorsnede – van de bovenste breekbare laag tot aan de harde smaakloze bodem. Om alles afzonderlijk te kunnen onderscheiden moet je een fijnproever zijn.

Ik was zo'n fijnproever.

Eenzaamheid in de drukte van een winkelstraat. Eenzaamheid op de bank terwijl het buiten al donker werd. Eenzaamheid bij het lezen van mijn e-mail op kantoor. Eenzaamheid tijdens de wekelijkse *staff meeting*. Eenzaamheid bij een zondagavondwandeling langs huizen met verlichte ramen. Eenzaamheid als Dorothee boven met haar minnaar lachte. Eenzaamheid bij het lezen van *The New York Times* zonder een enkel bericht over Nederland. Eenzaamheid in de hopeloze vroegte, bij het wakker worden. Eenzaamheid bij het douchen. Eenzaamheid bij het aankleden. Eenzaamheid bij de eerste kop koffie van de dag.

Ik zat aan mijn keukentafel. Het was hopeloos vroeg, mijn koffie smaakte me niet. Natuurlijk was ik al heel lang eenzaam.

In het begin was ik eenzaam op een manier die ik had ingecalculeerd. Ik moest toen immers nog mijn plek vinden, ik kende nog niemand, niemand kende mij. Meer dan een jaar was ik hier nu, ik had een plek gevonden. De eenzaamheid was snerpend, een geluid dat niet uit mijn oren wilde verdwijnen.

Mijn collega's kenden mij – maar hadden geen idee wie ik was.

De jongen met de lange zwarte paardenstaart in de Food Coop waar ik mijn boodschappen haalde, kende mij. *'Hi, how are you today?'* riep hij me altijd vrolijk toe als ik de winkel binnen kwam. *'Hey, I'm fine. How about yourself?'* riep ik dan terug.

De indiaan van de wapenwinkel kende mij – dat wil zeggen, hij zou zich vast en zeker herinneren dat hij mij illegaal een pistool had verkocht en me een schietles had beloofd.

Een magere score. Uiteindelijk was Dorothee de enige persoon die mij redelijk kende.

Eerlijk: ik had haar wel nodig, maar zij mij niet. Dorothee had genoeg aan zichzelf, aan haar liefdesleven, haar kookboek, haar dochter.

Ik moest realistisch zijn: ze konden mij hier missen.

Snerpend, ja dat klopte. Een messcherp woord waar ik me steeds opnieuw aan sneed.

Ik pakte mijn woordenboek en zocht onder de S: schel, scherp, schril, schrik, schraal, snerpend, snijdend.

'Hoe zie jij de toekomst?' Dorothee tuurde in de beker hete kruidenthee voor haar op tafel alsof het een glazen bol was.

'Mmm.' Ik was aan het strijken. Lakens, t-shirts, theedoeken. 'Daar denk ik niet over na.'

Ik speelde vandaag de moderne, multitaskende carrièrevrouw. In mijn lunchpauze snel thuis het huishouden bestieren en dan weer naar kantoor.

'Nee, serieus,' zei Dorothee, die nog alle tijd had voordat ze naar het restaurant moest. 'Je hebt toch wel een idee hoe jouw leven er over drie jaar uit moet zien?'

Ik haalde mijn schouders op. 'Nou, het liefste zou ik willen dat ik dan nog steeds een verblijfsvergunning bezit, dat ik nog steeds werk heb. Kortom, dat ik nog steeds hier ben. Of ergens anders in Amerika. Of desnoods in een ander buitenland.'

'Je wilt niet terug naar huis?'

'Nee. Dat wil jij toch ook niet?'

Ze glimlachte. '*Dieu, non.*'

Ik vouwde een T-shirt op en legde het op de stapel. 'Klaar.'

Dorothee liet het onderwerp niet rusten. 'Maar dat is toch niet het enige wat je verwacht van de toekomst, dat je hier nog steeds woont? Je denkt toch ook wel na over andere dingen? Over de liefde?'

De liefde.

Ik ging tegenover haar zitten. 'Nee, daar denk ik niet aan. Eigenlijk wil ik niets meer met de liefde te maken hebben.'

'Kom nou.' Dorothee keek me ongelovig aan. Ze wist dat mijn relatie in Nederland met een knal was geëindigd, maar de details had ik haar niet verteld.

'Dit is smerig.' Ze schoof haar beker ver van zich af en vervolgde: 'Niemand heeft ooit genoeg van de liefde, *impossible*. Wij zijn in de wereld om van de liefde te genieten, en de liefde is in de wereld om ons genot en plezier te geven.'

'Romantica,' lachte ik. 'En jij dan, hoe zit dat met jouw twee mannen? Kies je er een of houd je ze allebei?'

Dorothee had twee minnaars, dat had ze me net verteld. Van het bestaan van de ene wist ik allang, hem was ik een keer 's ochtends vroeg bij de voordeur tegengekomen. Een lange, kale man – niet onknap, maar ook niet opvallend aantrekkelijk. Hij was de bedrijfsleider van het restaurant.

'Getrouwd,' had ze glimlachend gezegd, alsof het een grapje was. De andere was een student, een jonge jongen die als koksmaatje in de keuken hielp. 'Hij snijdt de groenten en als ik moe ben, masseert hij mijn schouders.'

Dorothee was het soort vrouw dat nooit zonder man zat. Ze liet zich de liefde aanleunen, weigerde zich over te leveren.

'Ze zijn allebei leuk, maar als ik ze niet meer zou zien, zou ik dat helemaal niet erg vinden. Mannen genoeg,' zei ze.

Ik luisterde met verbazing. Leven in overvloed en daar dan totaal niet van onder de indruk zijn.

'Zal ik eens iemand uitzoeken voor een blind date met jou?' vroeg ze.

'O, nee!' riep ik. 'Alsjeblieft zeg, daar heb ik helemaal geen zin in.'

Ik leek wel een oude vrijster.

Het was nog donker. Zo donker dat de ochtend nog heel ver weg leek – terwijl in werkelijkheid de eerste forensen al onderweg waren naar hun werk. In de verte hoorde ik de auto's op de snelweg.

In de loodsen op het industrieterrein brandde achter een paar ramen licht, maar er was nergens sprake van enige activiteit. Ik dacht aan de serieverkrachter. Wie deed nou zoiets, op een duister uur en een duistere plek afspreken met een vreemde?

Ik onderdrukte de neiging om op mijn tenen te lopen en ging met achteloze passen verder naar het lege gebouw met het logo van de posterijen. Hier zou de indiaan op me wachten.

Er was niemand te zien. Ik sloeg mijn armen om mijn bovenlijf en wiegde heen en weer van mijn hakken naar mijn tenen. Ongetwijfeld kwam mijn adem nu in witte wolkjes uit mijn mond, maar het was te donker om dat te kunnen zien.

Een beweging in de schaduwen bij de muur van het gebouw. Ik draaide me om, onderdrukte een kreet.

'Niet schrikken. Ik was er al een tijdje.' Seven Feathers kwam overeind. Hij had een dikke, brede sjaal om zijn schouders en had blijkbaar gehurkt bij de muur zitten wachten. Hij geeuwde. 'Ik heb zelfs even geslapen, ik ben niet meer gewend om zo vroeg op te staan.'

'Ik schrok,' zei ik omdat ik niet wist wat ik anders moest zeggen.

'Sorry,' zei Seven Feathers terwijl hij dichterbij kwam staan.

Ik kon nu zijn donkere ogen zien en zijn vlecht. 'En ook mijn excuses voor deze locatie, op dit uur,' ging hij verder. 'Het is hier *spooky*, dat besef ik. Maar het is de enige plek in de stad waar we ongestoord kunnen oefenen.' Ik zag dat de sjaal om zijn schouders een deken was. De kleur kon ik niet goed onderscheiden. Langs de rand liep een etnisch aandoend motief van driehoeken en cirkels. Hij haalde iets uit zijn zak en duwde het in mijn hand. Het pistooltje voelde ook nu licht en sierlijk.

'Dit is van jou,' zei hij, 'het is belangrijk dat je echt voelt dat het jouw eigendom is, dat jij ermee kunt doen wat je wilt. Dat je niet aarzelt om het te gebruiken als dat nodig is. Het is ook belangrijk dat je ermee vertrouwd raakt. Dat je hand weet hoe het pistool voelt en hoe zwaar het weegt, hoe de trekker tegen je vinger ligt. De fysieke kenmerken moeten opgeslagen worden in je lichaamsgeheugen. Zodat je daar niet over na hoeft te denken als je het gebruikt.'

Ik knikte. Onmogelijk om mezelf te zien met het wapen in mijn hand, mijn vinger aan de trekker, Owen dreigend *freeze* toeroepend. En ik kon me al helemaal niet voorstellen dat ik die trekker zou overhalen, dat Owen door mijn toedoen bloedend en schreeuwend – of bewegingloos – op de grond zou liggen.

Seven Feathers nam me aandachtig op. 'Je mag je bedenken. Ik geef je je aanbetaling terug als je van het wapen af wilt.'

'Nee.' Ik was er toch zeker van geweest dat ik dat pistool moest hebben. 'Laat me zien wat ik moet doen.'

De indiaan pakte me lichtjes bij mijn bovenarm en leidde me naar de andere kant van het gebouw. Daar verspreidde een eenzame, met staaldraad beschermde lamp genoeg licht om het pistooltje goed te kunnen zien. Seven Feathers tastte opnieuw in zijn zak. De deken had hij in de lengte gevouwen en als een elegante sjaal over zijn linkerschouder gelegd. 'Hier,' zei hij. 'Dit is een patroonhouder.' Hij liet me een metalen langwerpig voorwerp zien, een soort doosje zonder direct zichtbare opening. 'Hiermee kun je vijf schoten achter elkaar lossen, daarna moet je hem verwisselen.' Hij nam het pistool van me over, schoof handig het ding op zijn plek en haalde het er daarna weer uit. '*Easy.*'

Na enig oefenen gleed ook bij mij de patroonhouder gladjes naar binnen en weer naar buiten.

'En nu het schieten zelf.'

In de ader bij mijn hals ging het bloed tekeer. Ik zou leren hoe ik iemand moest doden. Seven Feathers toonde hoe ik de vergrendeling los moest maken en hoe ik moest richten. 'De meeste wapens hebben een kleine afwijking naar opzij of naar beneden. De enige manier om daarmee vertrouwd te raken is door veel te oefenen.'

Hij nam het pistool uit mijn hand, strekte zijn arm, mikte op een oude, gescheurde poster op de muur van het volgende gebouw, zo'n vijftien stappen verderop. De poster kondigde de Drowned World Tour van Madonna aan, in augustus 2001, een tijd waarin de wereld nog onwetend en onschuldig was.

Seven Feathers richtte en schoot – recht in het voorhoofd van een blonde, slaperig kijkende Madonna.

'Nu is het jouw beurt.' Hij overhandigde me het pistooltje.

Ik blokkeerde alle afleidende gedachten, strekte mijn arm, kneep mijn linkeroog dicht, zodat Madonna niet meer was dan een duidelijk omlijnd silhouet. Ik vuurde. Er was een sensatie in mijn arm, een soort trilling en ik voelde hoe mijn lichaam een miniem stukje terugveerde zodra de kogel de loop verliet.

'Er is haast geen terugslag omdat dit pistooltje zo licht is,' zei Seven Feathers terwijl hij naar de poster liep. 'Een goed schot, je hebt de rand geraakt.'

Als de papieren Madonna een levend mens was geweest, had ik in haar arm of haar schouder geschoten.

Ik oefende, schoot drie patroonhouders leeg en de handelingen werden steeds gewoner. Het ging al snel niet meer over dood, maar over techniek en vingervlugheid, over de versmelting van mijn hand met dat wapen. Misschien hoorde die omslag er wel bij, misschien was het überhaupt niet mogelijk voor de schutter om het uiteindelijke doel steeds voor ogen te houden. Als je volledig besefte dat je op het punt stond een moordenaar te worden was het toch ondenkbaar om koelbloedig je wapen te richten? Zelfs terroristen stopten dat inzicht vast en zeker heel ver weg.

Ik dacht aan de kermis, vroeger, hoe een vriendje in de schiettent het geweer aan zijn schouder had gezet en heel stoer een enorme teddybeer voor me had gewonnen. De beer had jarenlang op mijn bed gezeten, ik had hem zelfs meeverhuisd toen ik ging trouwen. Hij had in de logeerkamer gewoond, waar ik haast nooit kwam. Nu mijn huis werd ontruimd en verkocht, zou de beer waarschijnlijk op de stapel oude rotzooi terechtkomen die zo door kon naar het grofvuil.

'Oké,' zei de indiaan, 'je weet nu hoe het moet. Als je echt goed wilt worden, moet je oefenen.' Hij keek me aan alsof hij al wist dat ik dat niet zou gaan doen. 'Maar dat moet je verder zelf weten.'

Ik stopte het pistooltje en wat patroonhouders in mijn tas en betaalde de rest van het bedrag. De indiaan salueerde zwijgend en verdween om de hoek van het gebouw. Het asfalt glom, hoewel het niet had geregend – het was mistig, de wereld leek in een soort permanent halfduister te blijven steken. Toen ik hem achternaliep, was hij al nergens meer te zien.

Als student had Kathelijne een gebroken geweertje op haar jas gedragen. Iedereen die ze kende had zo'n speldje. Antikernenergiebuttons, ban-de-bom-insignes, pacifistische geweertjes: ons soort mensen.

Het was meer geweest dan een politiek correcte accessoire. Ze geloofde onvoorwaardelijk en gepassioneerd in de kracht van geweldloosheid. Gandhi was haar held

Natuurlijk had ze meegelopen met de antikernwapendemonstraties, had ze met honderdduizenden mensen 'Give Peace a Chance' gezongen totdat ze geen stem meer had. Ze had kippenvel gekregen van de sirenes die urenlang op de radio werden uitgezonden als waarschuwing voor de Kamerleden die moesten beslissen over kernraketten.

Nu was ze ouder en wijzer, cynischer. De andere wang – dat was iets voor naïevelingen Maar de afkeer van geweld was gebleven. Vliegen en spinnen sloeg ze niet dood, die ving ze onder een glas om ze vervolgens buiten te zetten.

Juist daarom was ze zo ontsteld over haar eigen gedachten – de onuitgesproken vreselijke scheldwoorden voor zeurende collega's, voor de deftige mevrouw die voordrong bij de bakker en de automobilist die haar geen voorrang gaf. Haar spieren die zich spanden om te slaan en te schoppen, hard. Het genoegen waarmee ze bloedige straffen bedacht voor nare mensen.

Hoe woedend ze kon zijn, zonder dat iemand er iets van merkte. En hoe vaak ze woedend was.

Toen de postbode met een pakje aanbelde terwijl ze groenten voor een ovenschotel aan het snijden was, had ze een fles ketchup tegen de muur geknald. Ze was bijna een uur bezig geweest om de plek schoon te maken, maar de rode vlek kreeg ze niet helemaal weg. 'Ongelukje,' had ze tegen Bas gezegd.

'Het is goed om je kwaadheid te uiten', las ze in een damesblad.

Kathelijne had geen enkele behoefte om de wereld te laten delen in zulke verontrustende emoties. Als ze zich stilhield, zou het geraas vanzelf weer verdwijnen.

Om kwart over acht was ik al op kantoor, ongelooflijk vroeg. Dat was een onverwacht voordeel van een schietles bij het ochtendgloren. De bewaker in de centrale hal zat ineengedoken op zijn stoel met een grote beker koffie voor zich. Hij keek nauwelijks op toen ik mijn pasje omhoogstak.

Boven was de gang zo stil en leeg als een spookhuis. Alle kamers waren donker, de deuren waren dicht. Mijn voetstappen klonken opdringerig, ik ging op mijn tenen lopen. Stel je voor dat er iets was gebeurd waar ik geen weet van had, dat iedereen te horen had gekregen dat het veiliger was vandaag thuis te blijven. Ik riep mezelf tot de orde. Als er iets aan de hand was, had ik dat wel van de bewaker gehoord.

In mijn kamer zette ik onmiddellijk de computer aan om mijn mail te checken. Mijn writer-in-residenceprogramma verkeerde in een cruciaal stadium. Als alles goed ging, hoorde ik vandaag welke Nederlandse auteur hier een halfjaar zou komen lesgeven.

Ik had inderdaad een bericht van de commissie die de schrijver voor zou dragen. Snel opende ik het mailtje.

'O nee!' de woorden klonken luider dan ik had bedoeld.

'Zijn er problemen?' Owen stond in mijn deuropening met een beker koffie in zijn hand. Zijn knikkerogen glommen. Hij ging familiair op de rand van mijn bureau zitten, zodat ik uitzicht had op een breed dijbeen, gestoken in een vale, verwassen spijkerbroek.

Ik schoof een stuk achteruit en dacht aan de keer dat hij me had gekust, in ditzelfde kantoor. Wat moest ik doen als hij nu weer iets probeerde – zou het afdoende zijn om hard te gillen?

Hij glimlachte vaderlijk, alsof er niets tussen ons gepasseerd was en alsof deze situatie niet meer was dan wat een toevallige toeschouwer erin zou lezen: ervaren collega geeft groentje advies over een lastige kwestie.

'Je weet dat Manning over de financiën wil vergaderen. Je moet oppassen, voor je het weet is jouw budget gekort en is je baan in gevaar,' zei hij en boog zich naar mijn beeldscherm om mee te lezen.

Ik wilde hem van mijn bureau af schoppen. Ik wilde hem ruw mijn kamer uit zetten en nooit meer binnen laten. Hij had het mailtje al gelezen. Er waren problemen met de Nederlandse kant van de financiering. Waardoor er straks weleens helemaal geen writer-in-residenceprogramma zou kunnen zijn.

'Mmm,' zei Owen. 'Ik dacht dat alles al in kannen en kruiken was. Hoe kan dit? Heb je het proces niet goed gemanaged?'

In het felle tl-licht zag zijn huid ziekelijk geel, hij kwam vast te weinig in de buitenlucht.

Ik sloot het mailprogramma af en ging bij het raam staan. Het leek alsof ik in de luchtstroom van een veel te harde airconditioning stond. Ik hield mezelf bij mijn ellebogen vast. 'Nee,' zei ik, 'het ligt absoluut niet aan mij,' en hoorde hoe slap dat klonk.

Owen hield aan: 'Maar je zei toch dat de voordracht door de commissie niet meer dan een *formality* was en dat we snel zouden weten wie van onze favoriete auteurs hier komt doceren.' Ik had inderdaad, gesouffleerd door professor Manning, een lijstje met namen opgesteld. Vervolgens had ik overmoedig gesuggereerd dat een van die beroemde auteurs zeker naar Amerika zou willen komen, terwijl ik in werkelijkheid geen idee had wie de commissie in Nederland uit zou kiezen. Waarschijnlijk iemand die nog jong en onbekend was.

Daar zat Owen, met zijn ene bil op mijn bureau en dat vergenoegde lachje op zijn gezicht. Als ik wilde, kon ik me nu voor eens voor altijd van hem ontdoen. Ik kon mijn tas van de grond pakken, achteloos mijn damespistooltje eruit halen, op zijn voorhoofd richten en *bang* – exit Owen.

Ik schrok zo van mijn eigen gedachten dat de temperatuur in mijn lichaam binnen een seconde omhoogschoot van onderkoeld naar oververhit. Met een rood hoofd begon ik in een hoge stapel papier te bladeren die op de vensterbank balanceerde. 'Ik denk dat we gewoon even moeten afwachten,' mompelde ik. 'Waarschijnlijk is er alleen maar sprake van een kleine vertraging. Ik mail ze wel.'

Het was Lara die me redde. Ze stak haar hoofd om de hoek van de deur en riep: 'Wat zijn jullie belachelijk vroeg vandaag – *senior staff members* zijn nooit voor negenen op kantoor, sommigen zelfs niet voor tien uur.'

Laat Lara maar denken dat ik lui was, wat kon het mij schelen.

'*By the way*,' ze stapte mijn kamer in. Owen liet zich van mijn bureau af glijden. 'Hebben jullie al gehoord dat Bush heeft afgezegd? Blijkbaar is de situatie toch te onveilig. In Kennedy Hall en op de campus zijn te veel veiligheidsrisico's. Een blamage voor de politie en voor de beveiligingsdienst van de universiteit – in feite zijn zij er de oorzaak van dat Bush hier geen eredoctoraat komt halen.' Lara lachte triomfantelijk, het was duidelijk dat zij er niet mee zat dat de president een week voor de datum een prestigieus bezoek had afgezegd. 'En die bomen zijn dus ook voor niks gekapt,' voegde ze eraan toe, met een blik naar mij.

Een groot gevoel van zinloosheid overviel me.

Op de campus renden de eekhoorntjes druk heen en weer om voorraad te verzamelen voor de winter inviel. De studenten met hun nonchalante jonge lijven zaten in de Student Union te kletsen en naar muziek te luisteren. Een stroom auto's reed door State Street, gedisciplineerd optrekkend en afremmend, optrekkend en afremmend. De klanten van de winkels in Liberty Street liepen naar binnen en kwamen weer naar buiten met papieren tasjes met aankopen. De werknemers van de universiteit werkten ijverig aan hun publicaties.

Het dagelijks bestaan volgde zijn onwrikbare koers, mijn afwezigheid zou dat nog voor geen centimeter verstoren. Ik kon net zo goed teruggaan naar Nederland.

Toen ik na de schietles thuiskwam ging Dorothee net weg. Ze had een grote weekendtas bij zich en droeg een bordeauxrode stola over een zwarte jurk.

'Moet je geen jas aan?' vroeg ik, alsof ik haar moeder was.

Ze schudde haar hoofd. 'Eric komt me halen.'

Inderdaad stond aan de overkant een auto met draaiende motor. Dorothee draaide zich halverwege om. 'Een buitenkansje, Kay. Erics vrouw is een paar dagen naar haar zus.' Met een triomfantelijke glimlach danste ze naar de auto.

Geen scrupules. Wat een licht leven moest dat zijn.

Aanraken en wakker worden waren bijna gelijktijdig geweest. Op het moment dat ik mijn ogen opendeed en er zoveel daglicht was dat ik me wel verslapen moest hebben, had ik een zachte, aangename druk tegen mijn onderrug gevoeld. Alsof iemand met zijn duim langzame cirkeltjes draaide.

Warmte was langs mijn ruggengraat naar boven gestroomd, naar mijn borst en nek. Het ene ogenblik was het gevoel er nog, het volgende moment was het verdwenen.

Mijn keel had droog en schraperig gevoeld. Ik had me abrupt op mijn zij gedraaid en was met stijve ledematen overeind gekomen.

Dit ging zo niet langer. Ik hoefde toch niet te leven als een onaanraakbare non.

In de keuken had ik een doos met allerlei rommel – eindjes touw, losse spijkers, bonnen voor goedkope pizza's. Daar zocht ik naar de visitekaartjes die ik vorig jaar had verzameld op de feestjes en borrels die ik toen nog allemaal af had gelopen.

Op een van die feestjes was een man geweest, docent Franse letterkunde: 'Anthony, net als de heilige'. Ik vond zijn kaartje. Hem zou ik uitnodigen voor een lunch. 'Herinner je je mij nog?' zou ik zeggen. Ik ging op het puntje van een stoel zitten en bedacht met de telefoon in mijn hand dat het nog veel te vroeg was om met zo'n uitnodiging te bellen.

Moed, moed, moed, mompelde ik terwijl ik naar de universiteit fietste.

In mijn kantoor scheurde ik het visitekaartje doormidden.

Het was bijna te koud voor de markt, een felle wind waaide dwars over de Grote Meren uit het noorden. Ik had medelijden met de mensen die achter de kramen met groenten en kruidenierswaren stonden.

'Je went eraan,' zei de man die bloembollen verkocht, 'zoals alles in het leven went.' Hij wees me de zakken met gemengde bollen. '*Top quality*. Daar heb je in het voorjaar echt iets moois mee.'

Ik bekeek de zak met een mix van tulpen en narcissen. *Bulbs from Holland* stond erop, onder een foto van een Keukenhoftafereel. In kleine lettertjes op de achterkant werd gemeld dat de bollen uit Holland, Michigan kwamen. Zeker vijf keer zo duur als ik gewend was. Ik nam er ook een zak blauwe druifjes en een zak paarse en witte krokussen bij. De herinnering aan Nederlandse lentes, de aardige bloembollenverkoper, die de eerste persoon was die ik vandaag sprak, en een verlangen om mezelf te verwennen haalden me over. In april zouden in mijn tuin overal bloemen bloeien.

'Je moet ze zo snel mogelijk planten, nog voor de eerste nachtvorst,' adviseerde de koopman en gaf me als bonus een pakje met bollen van sneeuwklokjes mee.

Thuis ging ik meteen aan de slag. De kou hapte dwars door mijn spijkerbroek heen naar mijn benen. Ik knielde op het gras en maakte ondiepe kuiltjes, overwinteringholletjes, steeds een paar bij elkaar. Een voor een duwde ik de bollen in die kuiltjes en veegde er een laagje aarde overheen.

Er was een najaar geweest, ik was pas tien of elf, dat mijn moeder honderden krokusbollen mee naar huis had gebracht. Alleen paarse, want 'die kleur weerspiegelt de hemel'. Ik mocht haar helpen met planten – het was herfstvakantie, ik hoefde niet naar school. 'Mijn kleine tuinmeisje', had mijn moeder me genoemd en ik voelde me speciaal, specialer dan Carina.

Ik wist nog hoe verwonderd ik was geweest dat uit die dorre bolletjes een halfjaar later echte bloemen tevoorschijn kwamen. Die verwondering voelde ik nog steeds: zoveel samengebalde levenskracht, onzichtbaar als een geheim.

Aan krokussen hoef je niets te doen als ze zijn uitgebloeid, ze gedijen bij verwaarlozing en vermeerderen zich ieder jaar. Ik vroeg me af of in het voorjaar in de tuin van mijn vroegere ouderlijk huis nu velden met paarse bloemen te zien waren, en of de huidige bewoners zich realiseerden dat die krokussen een souvenir waren van mensen die allang verder waren getrokken.

Het huis was stil en donker, maar Dorothee was blijkbaar even thuis geweest, ze had mijn post op het tafeltje in de gang gelegd. Een postordercatalogus met sportieve buitenkleding die ik later door zou bladeren – met de juiste kleren kon ook ik zo'n stralende country girl zijn – en die ik uiteindelijk weg zou leggen zonder iets te bestellen. Een brief uit Nederland. Deze keer niet van de advocaat, maar een gewone envelop met mijn adres erop geschreven. Ik herkende het handschrift van mijn ex.

Dat was te verwachten. Nu hij eenmaal had uitgevonden waar ik woonde, stuurde hij zijn maandelijkse correspondentie niet meer naar kantoor, maar naar dit huis. Toch moest ik even gaan zitten. Aan de keukentafel, onder het ongezellige grote licht, sprak ik mezelf toe.

Hij durft heus niet hier te komen.

Hij heeft vast spijt, hij wil het goedmaken.

Jij hebt nu de overhand, je hebt niets te vrezen.

Ik overtuigde mezelf niet. Langzaam draaide ik de envelop om en om. Ik herinnerde me zijn liefdesbrieven, bestaande uit slechts een enkele zin: 'Ik hou van je'. En dat in tientallen talen, elke keer een andere. Alles moest toen nog beginnen.

Dat hele verleden stond als een samengeraapt, nogal haveloos servies uitgestald op een lange tafel. Voor de schone schijn een tafelkleed over die tafel, zodat het nog iets leek. Ik verlangde ernaar om dat tafellaken beet te pakken en er een harde ruk aan te geven, zodat alles van zijn plaats zou komen, door de lucht zou vliegen, onzacht op de grond zou landen. In gruzelementen.

En dan die tafel helemaal schoon en leeg. Tabula rasa.

De envelop moest maar wachten. Ik liep naar het ladekastje in de huiskamer en legde de brief bij de andere brieven.

'Waarom ben je eigenlijk met Bas getrouwd?' Kathelijne liet de hoorn bijna uit haar hand vallen toen haar zus haar dat zomaar vroeg.

Ze belde vanuit Duitsland om te laten weten hoe fantastisch haar tournee verliep.

'Waarom vraag je dat?'

'Ach, zomaar,' zei ze. 'Er is hier een man, nogal rijk en nogal oud, die met me wil trouwen. Dat ga ik niet doen, denk ik, maar ik zou weleens willen weten wanneer je "ja" zegt. Wat de criteria zijn.'

'O, zo,' zei Kathelijne. Wat waren die criteria eigenlijk? 'Nou, ik hield natuurlijk van hem,' zei ze ten slotte. 'En hij van mij. Toen we dit huis gingen kopen was het bovendien handig voor de belasting.'

Haar zus zuchtte. 'Oké.' Het was even stil, toen riep ze, plotseling weer geanimeerd: 'Ik moet hangen, er is hier iemand met een fles champagne. Doei!'

Kathelijne legde de telefoon neer en bleef stil zitten. Ze wist nog heel goed wanneer ze had besloten. Het was zo'n moedeloze dag geweest, een dag in de herfst met natte jassen en doorweekte bladeren. Aan het eind van de middag, toen het licht elke levendigheid begon te verliezen. Mensen met doffe ogen waren in auto's, in trams, in bussen met duizenden tegelijk op weg naar huis, het kon ze niets schelen – het werk, het land, de wereld.

Waarom juist toen, dat wist ze niet, maar precies op dat moment had Kathelijne een soort openbaring gehad. Onder al die droefgeestigheid was ze weerloos geweest, en tegelijk had ze zich, onverwachts alsof een hand haar in haar nekvel had gegrepen, gerealiseerd dat er van haar gehouden werd.

Ze was midden op straat stil blijven staan, had haar paraplu ingeklapt, zag Bas voor zich. Hoe hij zondagochtend pannenkoeken voor haar bakte, een woordeloos liedje zong.

Het gevoel: er wordt van mij gehouden. En dat in deze vermoeide wereld, zo'n geluk.

Op straat was iets gaande. Ik liep naar het raam en zag hoe mijn overbuurvrouw uit haar huis kwam rennen, de voordeur bleef achter haar openstaan. Ze gebaarde naar iemand. Verderop lag de dikke vrouw op de grond, die altijd door haar schriele man werd rondgereden in haar rolstoel, half op de stoep en half op de rijweg, haar benen machteloos opzij. Ze maaide met haar armen om zich heen alsof de lege lucht een solide houvast bood waaraan ze zich omhoog kon trekken. De rolstoel was gekanteld en balanceerde op zijn zijkant precies op de stoeprand, de wielen draaiden nutteloos rond. Haar echtgenoot stond er hulpeloos en ongelovig bij.

Ik haastte me naar buiten. De overbuurvrouw, bijna een meisje nog, knielde al bij de invalide en voelde voorzichtig aan haar hoofd. 'Rustig,' zei ze, 'rustig, het komt goed.' De dikke vrouw hield op met om zich heen slaan en keek het meisje in het gezicht. Blijkbaar was ze gerustgesteld door wat ze zag. 'Jij moet me helpen,' zei ze op dwingende toon.

Ik hurkte ook bij de rolstoel. De echtgenoot stak geen vinger uit.

Zonder een woord te wisselen, besloten het meisje en ik tegelijk om de vrouw met rolstoel en al overeind te hijsen. Zij trok en ik duwde en de vrouw zelf zette haar voeten stevig tegen de stoeprand. '*Go for it! Go girls!*' vuurde de vrouw ons aan. Een enorm gewicht, maar ik was sterker dan ik wist, en het meisje was sterker dan ik had verwacht.

We puften en zweetten, het meisje riep 'fuck', de stoel kraakte, er zat beweging in. Toen kwam de man in actie, hij zette zich schrap en gaf een geweldige laatste duw.

De rolstoel stond weer op zijn wielen, de vrouw hing scheef over de zijkant. Het meisje pakte haar bij de schouders en schoof haar in een comfortabele houding, met haar rug tegen de zitting. 'Gaat het?' vroeg ze.

De vrouw keek mij en het meisje stralend aan. 'Jullie zijn lieverds, *thank you so much.*' Ze leek niet erg geschokt.

'Hoe kwam dat nou?' vroeg ik.

Ze maakte een minachtend geluid. 'Ha, hij liet me weer eens vallen.'

'Dat deed ik niet, je zat zo te wiebelen dat de stoel vanzelf omkieperde.' De man klonk eerder vermoeid dan verontwaardigd. Ik stelde me voor dat door de jaren heen discussies en ruzies een vast ingrediënt van hun gezamenlijke leven waren geworden.

'Niet waar,' zei de vrouw, 'ik hield me zo stil mogelijk, alles om het jou gemakkelijk te maken.'

De man schudde zijn hoofd en draaide zich naar het meisje en naar mij. 'Dank jullie wel.' Hij zette zijn handen op de handgrepen van de rolstoel. '*Come on*, we gaan,' zei hij tegen zijn vrouw.

We bleven staan kijken terwijl hij haar tot aan hun voordeur duwde.

'Redden ze het wel, denk je?' vroeg ik.

Het meisje haalde haar schouders op. 'Hij wil geen hulp. Ik heb weleens eerder gezien dat ze viel, maar voor ik buiten was had hij haar zelf al overeind gekregen. Toen ik hem vroeg of ik iets kon doen, werd hij boos op me.'

Er liep een grote paarse plek over haar slaap en kaak die ze had geprobeerd te camoufleren met een dikke laag foundation. Het zag er vreemd uit, ik overwoog haar te vertellen dat ze beter een beetje groengekleurde crème kon gebruiken. Maar waar bemoeide ik me mee?

'Ik ga,' zei ze, 'ik moet naar mijn werk.' Ze stak de straat over voor ik iets kon zeggen.

Zodra ik op kantoor was, zette ik mijn computer aan in de hoop een mailtje aan te treffen dat de problemen met het writer-in-residenceprogramma op zou lossen.

Er was geen nieuws. Ik probeerde mijn ongerustheid toe te dekken en in slaap te zingen. 'Het komt wel goed.'

Maar zo gemakkelijk ging dat niet. Als dit niet lukte, had ik gefaald. En in Amerika hadden ze weinig compassie met mislukkelingen.

Ik had behoefte aan een bondgenoot. Van mijn collega's was Hadley de enige die ik misschien om raad kon vragen. Ze had weliswaar duidelijk laten merken dat ze me niet moest, maar ze was in de staff meetings altijd zakelijk en kwam vaak met goede argumenten.

Het was nog redelijk vroeg, als ik geluk had, was ze nog geen college aan het geven. Ik klopte aan en duwde de deur open.

Hadley zat aan haar bureau en keek me met een vreemde blik aan. Haar lippen zaten onder de donkere kruimels en op haar bureau lag een halfleeg pak met Oreo-koekjes. Ze wilde iets zeggen, maar het duurde een gênante halve minuut voordat ze alles fijn had gekauwd en doorgeslikt.

'Ik ben bezig,' zei ze op beschuldigende toon, alsof ik zomaar binnen was komen lopen tijdens een zorgvuldig voorbereid wetenschappelijk experiment. Ze pakte de Oreo's en kiepte het pak in een la.

'Sorry.' Het was duidelijk dat ik nu niet over mijn programma hoefde te beginnen. 'Het kan wel wachten.' Snel verliet ik de kamer weer.

Het was zo makkelijk om hier een fout te maken. Bij successen ging dat heel anders, die volgden een veel ingewikkelder route.

Een groot deel van de dag werkte ik in de bibliotheek. Op de terugweg naar kantoor hoorde ik meer sirenes dan gewoonlijk. Het jankende, doordringende geluid trok barsten en scheuren in het vernis van alledag. Toch leek ik de enige te zijn die dat verontrustende craquelé opmerkte.

Bij de ingang van het Humanities-gebouw bleef ik even staan. Alles was zoals altijd: de groepjes studenten die naar college of naar huis liepen, een rugzak vol boeken losjes over een schouder, kletsend en lachend. De bomen die op deze windloze dag roerloos stonden te wachten tot er een enkel dor blad naar beneden dwarrelde. De demonstranten in een hoekje van het plein – vandaag voor het onomstreden goede doel van dierenrechten in de grondwet. Niets buiten de orde – behalve dat krijsen van de ambulances en politieauto's.

Binnen ging ik eerst naar Lara. 'Weet jij wat er aan de hand is?'

Ze haalde haar schouders op, een stapel formulieren vroeg haar aandacht. 'Geen idee.'

Niet zeuren, zei ik tegen mezelf en zette in mijn kamer het mailprogramma aan. Er waren nieuwsbrieven, mail van de Academic Council over een aangestelde ombudsman, een bericht van de *dean* over een kerstbijeenkomst voor alle medewerkers en een mailtje uit Nederland van de commissie die zich met het writer-in-residenceprogramma bezighield.

Ik klikte het open, de opluchting zorgde voor kippenvel op mijn armen. De financiën waren geregeld en een niet heel beroemde, maar wel redelijk bekende schrijver zou hier vanaf volgend jaar augustus tien maanden lang komen wonen en werken.

Ik stuurde het bericht onmiddellijk door aan Manning en Owen met een triomfantelijk 'alles geregeld' erbij. Mijn baan was in ieder geval voor het moment veiliggesteld.

Er werd op mijn deur geklopt en Owen stond in mijn kamer. Zijn gezicht glom alsof hij me een bijzonder geschenk kwam overhandigen.

'Gefeliciteerd,' zei hij. 'Met deze gunstige ontwikkeling. Heel mooi dat een beroemde schrijver uit jouw prachtige land hier komt lesgeven.'

Ik knikte minzaam. 'Ik heb er geen moment aan getwijfeld dat het allemaal goed zou komen.'

Owen trok zijn wenkbrauwen op. '*Good*,' antwoordde hij. 'Ik ben blij voor je.'

Ik probeerde hem met een neutrale blik te bekijken – een belangstellende collega stond naast mijn bureau. Ik had niets van hem te vrezen, die zoen was een onnadenkendheid geweest. Hij had begrepen dat ik niet van zulke intimiteiten gediend was, het zou niet nog een keer gebeuren. En al die keren dat ik hem op niet te verklaren momenten in mijn buurt had gezien – dat was mijn eigen paranoïde geest.

Buiten klonken opnieuw de sirenes. 'Weet jij wat er daar aan de hand is?' vroeg ik.

'O, dat.' Hij pakte de ongemakkelijke stoel met plastic zitting en kwam vertrouwelijk naast me zitten. Ik rolde mijn bureaustoel een stukje opzij. 'Op de radio hoorde ik dat er rellen zijn bij onze collega's.' Hij doelde op de naburige universiteit waar Lara Russisch studeerde.

'Studenten met banden in het Midden-Oosten schijnen zich gediscrimineerd te voelen en hebben de kantoren van het bestuur bezet. Voor alle zekerheid houdt de politie de boel hier ook extra in de gaten.'

'Moeten we ons bedreigd voelen door studénten?'

Owen haalde zijn schouders op en kwam overeind. *Better safe than sorry.*' Hij gaf me een veelbetekenende blik. 'Bij mij ben je veilig.' En liep de gang op.

Zodra ik thuis was, pakte ik de brieven van mijn vroegere geliefde uit het ladekastje. Zonder de tijd te nemen om mijn jas uit te trekken ging ik op de bank zitten en ritste de onderste envelop van het stapeltje open. Die bevatte een enkel vel duur briefpapier dat ik nog herkende van vroeger. Er stond maar een zin op: Ik haat je.

Oké.

Nu ik was begonnen, moest ik doorzetten. Ik opende de tweede envelop: dezelfde boodschap. Ik haat je. En de derde, en de vierde, alle veertien brieven.

Ik las de berichten die hij over een periode van meer dan een jaar had gestuurd en waarin hij monotoon en vasthoudend zijn woede steeds opnieuw herhaalde. Eigenlijk viel het me mee, dit was niet zo onheilspellend en ellendig als ik me had voorgesteld. Geen dreigementen, geen vuistslagen, geen geschop en getrap, zoals ik gewend was.

Kale woede, meer niet.

Zorgvuldig stopte ik elke brief terug in zijn eigen envelop en legde het stapeltje weer in de la. Er zouden er ongetwijfeld meer volgen, maar daar zou ik me niet druk over maken.

'Tot de dood jullie scheidt, dat moet je serieus nemen,' zei Philip op de ochtend van het huwelijk.

Kathelijne was bezig haar nieuwe schoenen aan te trekken die misschien toch net iets te strak zaten. Pas later, toen ze met een kop koffie op de auto wachtten, zei ze: 'Dat moet jij nodig zeggen, jij hebt jezelf ook niet aan je trouwbelofte gehouden.'

Philip lachte alleen maar, waarschijnlijk had hij het eerder als een grap dan als een vaderlijke waarschuwing bedoeld.

Toch moest Kathelijne aan zijn woorden denken, tijdens de speech van de ambtenaar van de burgerlijke stand, die helemaal niet over Bas en haar ging maar over een heel ander stel. 'Ja, ik wil,' zou ze zeggen. Maar wát ze eigenlijk wilde, wist ze niet.

Bas zat gespannen naast haar, ze had de indruk dat hij bang was voor een 'nee'.

Hij droeg haar niet over de drempel toen ze 's nachts thuiskwamen.

Dit, dacht ze, dit is het. Terwijl Bas onder de douche stond, liep ze door de kamers, knipte een voor een de lampen aan en maakte overal eilandjes van vloeibaar, gouden licht. Ze trok de gordijnen dicht, voelde de zachte katoen tussen haar vingers, vulde een vaas met water en zette die met haar bruidsboeket op de eettafel. Humde de Bruidsmars. Keek naar de zwarte en witte tegels in de gang.

Ze had een paar glazen wijn gedronken op het feest, al het bloed was naar haar voeten gezakt. Ze voelde zich een tuimelpoppetje, zo'n met een magneet verzwaard speelgoedje dat je nooit echt omver kon krijgen, hoe hard je er ook tegen duwde.

Dorothee had een vrije avond en na het eten ging ik bij haar naar het nieuws kijken. Op de nationale zenders werd geen melding gemaakt van rellen bij de universiteit. Wel van onlusten in zwarte wijken van Los Angeles. De nieuwslezer berichtte met neutrale stem dat de aanleiding vooralsnog onduidelijk was, en gaf het woord aan een verslaggever ter plaatse die zich als een oorlogscorrespondent voor een brandende auto had opgesteld. Ingeslagen winkelruiten, losgerukte stoeptegels, plunderingen, molotovcocktails, gewapende oproerpolitie.

'*Merde*. Kwam dat vroeger ook voor?' vroeg Dorothee en zette de tv uit. Ik vatte dat maar op als een retorische vraag, natuurlijk was dat soort geweld van alle tijden.

'Het ligt zo voor de hand,' zei ik. 'Alles is lelijk in die buurt – grauwe huizen, kapotte portieken, autowrakken in voortuinen zonder een enkele bloem, agressieve graffiti en dichtgemetselde vensters. Wie zou daar niet kwaad en ellendig van worden? In zo'n omgeving is er niets wat inspireert, niets wat blij maakt. Waarom zou je dan je best doen om de boel heel te houden? Het gemeentebestuur zou moeten investeren in het aanleggen van parkjes, in het opknappen van de huizen, het stimuleren van prettige buurtwinkels. Die hele wijk zou mooi gemaakt moeten worden, overal waar je kijkt zou je blik aantrekkelijke zaken tegen moeten komen: fonteinen, gekleurde kozijnen, bankjes rondom oude bomen, muurschilderingen, er is zoveel te verzinnen.'

Dorothee trok een gezicht.

Ik ging gewoon verder. 'Als je omringd bent door schoonheid, ga je die echt niet kapotslaan. Iedereen wil schoonheid juist beschermen. De jongens die nu alles vernielen, zouden hun energie dan op heel andere zaken richten.'

Dorothee keek me meewarig aan. '*Chérie*, jij komt niet van de straat, dat hoor ik wel.'

'Nou, jij komt anders ook niet uit de goot,' antwoordde ik vinnig.

Ze negeerde mijn opmerking. 'Ja, schoonheid is belangrijk, en kan inspirerend werken. Maar jij bent naïef als je denkt dat die knullen zich van hun vandalistische neigingen laten weerhouden door een beetje esthetiek. Wat is het mooiste schilderij dat je kent?' Ze wees in de verte, ik nam aan in de richting van het Art Institute. 'Neem het werk van Rembrandt, of van Picasso' – natuurlijk zaten hun schilderijen niet in de provinciale collectie van het stadsmuseum – 'hang die bij dat *scum* in de straat, en het interesseert ze niets. Denk je nou heus dat die *punks* zich bekeren tot geweldloosheid en liefde alom op het moment dat jij ze wat mooie dingen voorhoudt?'

Ik kreeg de kans niet om te antwoorden. Blijkbaar ging het onderwerp haar aan het hart.

'Nee!' riep ze met overtuiging. '*Pas du tout.* Dat tuig heeft vernielzucht in de genen en met een beetje schoonheid vlak je dat niet uit. Accepteer het nou maar: sommige mensen dragen het kwaad in zich, in zware of minder zware gradaties, en er is geen enkele macht in de wereld die daar iets tegen uit kan richten.'

Dat ging me een beetje te snel. 'Hé, hebben we het nou opeens over de aanwezigheid van het kwaad? Ik dacht dat het over een stelletje klierende straatschoffies ging. Vervelend, maar *no big deal* – toch?'

Ik besefte best dat het kwaad nooit uit de wereld zou verdwijnen, maar het ging mij om het evenwicht. Dat evenwicht was nu zoek.

Boosheid en angst trilden tegenwoordig in de atmosfeer als een luchtspiegeling op een hete dag. Je hoefde niet eens bijzonder gevoelig te zijn om dat waar te nemen. En het schokkende was dat mensen er trots op leken te zijn, dat ze bijna opgetogen spraken over de crisis in hun deel van de wereld. Dorothee net zo goed. 'Kijk eens hoe *tough* ik ben. Ík sluit mijn ogen niet voor deze nieuwe realiteit, ík heb me aangepast.'

Ik kon het haar horen denken.

De moeheid walste over me heen als een verse laag asfalt over een snelweg. Morgen een lange, lege zondag. Misschien kon ik een stuk gaan wandelen en dan ergens koffiedrinken, dat zou de dag iets bekorten. Ik wreef in mijn ogen en veranderde van gespreksonderwerp.

Voor ik naar bed ging, haalde ik het pistooltje uit de la in de keukentafel. Het parelmoer bij de handgreep glansde zacht, de kleine, smalle loop leek op een wijzende vinger. Ik kon me niet voorstellen hoe dit sierlijke dingetje mij zou beschermen.

Ik strekte mijn armen en richtte op mijzelf, zodat ik in de loop keek. Een onschuldig rond gaatje, daar moest de dodelijke lading uit komen. Hoe zou dat zijn, om bedreigd te worden en een kogel in je vlees te voelen dringen?

Later schrok ik wakker. Mijn droom snelde achterwaarts van me weg, als een film die wordt teruggespoeld. Een zin draalde nog even na: *I must be saved.*

Buiten klonk een autoalarm.

De jurk met de satijnen handschoenarmen – het prijskaartje zat er nog in – lag over de stoel. Op de rand van het bed zat ik er een tijdje naar te kijken voor ik de jurk ten slotte aantrok.

Als ik het nu niet weet, weet ik het nooit – later kon ik niet bepalen of ik die zin had gedroomd of, nog wakker, tegen mezelf had gefluisterd.

Deel II

Het missen van iets dat er nooit was

Ik lig in mijn witte nachtpon onder een wit katoenen laken. Het is koud in de slaapkamer, maar ik voel de kou niet. Achter mijn gesloten oogleden schieten lichtgevende bollen met grote snelheid door het donker.

Ik voel zijn aanwezigheid naast me, hij zit heel licht op de rand van het bed. Zijn geur van zon en gras, de warmte van een lichaam dat ondefinieerbaar anders is.

Ik concentreer me, ik wil weten hoe hij is. Voor straks, als hij weer verdwijnt.

Mijn ogen houd ik dicht. Zijn blik gaat over mijn lippen, het kuiltje onder aan mijn keel, mijn schouders. Mijn rug kromt zich een heel klein beetje en ik voel zijn adem op de plek waar het laken over mijn borsten valt.

Hij zegt iets, een enkel woord, maar ik versta het niet.

Mijn mond gaat een stukje open, zodat dat woord naar binnen kan. Ik proef zoet en zout en zie alleen nog wit.

Langzaam open ik mijn ogen. Buiten trekt een vrachtwagen op en stopt weer, rijdt verder en stopt. Het geluid trekt me terug naar de wakende wereld.

Er klinkt gerammel van metaal op metaal – de vuilniswagen maakt zijn wekelijkse ronde. Lege pizzadozen en plastic verpakkingen van mij, kale broccolistronken, appelschillen en restjes verlepte sla van Dorothee. Ik bedenk hoe in Nederland de meeuwen 's ochtends vroeg vaak krijsend de vuilniszakken openscheuren op zoek naar lekkere restjes, en hoe het afval dan in een oogwenk over de hele straat verspreid ligt. Nu stop ik mijn vuilnis in een grote metalen emmer met een deksel. Hier zijn het geen meeuwen die in het afval schooieren, maar wasbeertjes. Als ik 's avonds thuiskom, betrap ik soms zo'n beestje bij de vuilnisbak – een onwezenlijk creatuur dat me met lichtgevende ogen aanstaart en zich zelfs niet door een luid 'ksshh' laat verjagen. Zelfs zoiets doodgewoons als het wegruimen van huisvuil is hier anders.

Ik rek me uit en werp een blik op mijn wekker. Nog meer dan een uur voordat ik de deur uit moet.

Als ik probeer te bepalen hoe mijn week eruitziet, ben ik me vaag bewust van iets dat zich ergens in mijn herinnering heeft verstopt. Dan verstijf ik. Man, pistool, engel. Redeloos, reddeloos – die woorden treffen me vol in de borst.

Mijn geheugen kan ik niet vertrouwen, ik spring uit bed en loop op haastige, blote voeten naar de keuken. Grijs licht valt door het raam naar binnen.

Een van de stoelen bij de keukentafel staat een stuk naar achteren geschoven, alsof daar net iemand is opgestaan. Op het aanrecht wacht één bord met broodkruimels en één glas met een randje melk op de afwas.

In de woonkamer ligt op de bank mijn paarsblauwe plaid achteloos op een hoopje, waar ik hem heb neergegooid toen ik gisteravond laat half slapend naar mijn bed ben gewankeld. De ficus buigt zich met elegante takken over het kleine tafeltje.

Er is geen bewijs, wat niet betekent dat er niets is gebeurd. Bij afwezigheid van bewijs gaat het om geloven. Ik denk na over bewijsmateriaal zoals dat in politieseries voorkomt. Daarbij gaat het altijd om concrete zaken: onweerlegbare getuigenissen of nog liever spullen die je in je hand kunt nemen. Een nat geworden krant, een espressokopje met een restje koffie. Een uit een vleugel neergedwarrelde veer desnoods. Vermoedens, intuïtie, schaduwen op de muur tellen niet in de rechtbank – maar in mijn geval komt er geen rechter aan te pas. Ik loop naar de slaapkamer en weer terug naar de bank met de plaid. De ingrediënten van mijn verhaal zijn zo bizar. Een engel, een pistool, een ontvoering passen niet bij wie ik denk te zijn. Wie weet ben ik nu anders, stiekem veranderd terwijl ik niet oplette. Misschien ben ik heel anders dan ik altijd heb gedacht.

In de keuken zet ik water op voor koffie en ga op de naar achteren geschoven stoel zitten. Ik kan alleen zeker weten of mijn herinnering klopt – of dat ik gek aan het worden ben – als ik een ooggetuige vind. Er zijn maar twee mensen die hebben kunnen zien wat er gisteren wel of niet gebeurde. Owen en het meisje met de gebloemde haarband in het Riverside Café.

Mijn lichaam zet zich schrap. Ik weiger om Owen iets te vragen – ik mag hem niets, maar dan ook niets in handen geven waarmee ik mezelf kwetsbaar kan maken.

Goed. Ik zal hem vandaag op het werk observeren. En aan het eind van de middag ga ik bij het meisje in het Café langs.

Ik was twaalf en stond op het punt mijn beste vriendin kwijt te raken. Zij zou na de vakantie naar de mavo gaan, terwijl ik op het lyceum was ingeschreven.

Marieke was wat je tegenwoordig een refomeisje zou noemen. Ze ging elke zondag met haar vader, moeder en drie broers twee keer naar de kerk en bad voor het eten, zelfs voor een boterham met pindakaas in de ochtendpauze op het schoolplein. Sinds ik wist dat zij was ingeschreven bij de mavo aan de andere kant van de stad, volgde ik haar voorbeeld en bad ook ik voor het eten. Tot verbijstering van mijn ouders, die tijdens vakanties weleens in een kerk kwamen om een triptiek of gebrandschilderd raam te bewonderen, maar die nog nooit een echte dienst hadden meegemaakt.

'Ik wil morgen met Marieke naar de kerk,' kondigde ik op een warme zaterdag in augustus aan.

'We gaan morgen naar het strand, dan kun je lekker zwemmen. Dat is toch veel fijner?' zei mijn moeder.

Mijn ouders waren aanhangers van het idee dat kinderen hun voorkeuren het beste konden ontwikkelen door te proberen en te experimenteren. Ze lieten Carina en mij meestal onze gang gaan, met als enige waarschuwing dat we moesten 'afmaken waar we aan begonnen'.

De kerkdienst was prachtig: de psalmen, het donderende orgel, de jonge dominee en de hoge ruimte met de lege witte muren en de gouden sterren op het blauwe plafond.

Al die dingen bij elkaar tilden mij een stukje op, samen met de andere mensen in de kerk voelde ik mij bijzonder en verwachtingsvol. Alsof wij een uitnodiging hadden gekregen voor een superfeest.

Na afloop werd er koffie geschonken in de hal. Ik stond met Marieke in een hoekje en keek naar de mensen. Ze leken niet zo blij als ik eerst had gedacht. Marieke was vrolijk als altijd, vol binnenpret over dingen waarvan het ridicule verder iedereen ontging.

'Hé,' zei ik, 'geloof jij eigenlijk in God?'

'Ja, natuurlijk.' Ik had een domme vraag gesteld.

'Hoe weet je dan dat hij bestaat?' hield ik aan.

Ze grinnikte. 'Dat weet ik helemaal niet. Niemand weet dat. Ik gelóóf gewoon dat hij er is.'

'Maar hoe wéét je het dan?' Thuis had ik geleerd om niet zomaar alles voor zoete koek te slikken.

Marieke keek me aan met een blik die misschien wel medelijdend was. 'Ik voel dat hij er is, en dus geloof ik in hem.'

Daaruit leidde ik af dat het mogelijk was om heel koeltjes te besluiten om te geloven. De rest van de zomer en de herfst geloofde ik ook. Elke zondagochtend zat ik met Marieke en haar familie in de kerk. Ik kende al veel teksten van psalmen en gezangen toen ik na de herfstvakantie mijn wil om te geloven verloor.

Marieke praatte alleen maar over haar vriendinnen op de

mavo. Als ik haar wilde vertellen over een leraar die zo mooi voorlas uit *Karel ende Elegast*, was ze niet geïnteresseerd.

Op een regenachtige zondagochtend bleef ik in bed liggen, en twee weken later nog een keer. In de kerk was het een saaie bedoening en een gebed voor het eten was bij nader inzien niet nodig. Mijn moeder plaagde mij dat ik weer een heiden was.

Vanochtend staat Mannings budgetvergadering gepland. Ik heb een stapeltje prints met keurige financiële overzichten bij me. Owen, die tegenover me zit, werpt me zijn gebruikelijke broeierige blikken toe.

Af en toe stelt hij een scherpe vraag aan Manning, die een uiteenzetting geeft over het nieuwe beleid van de universiteit, met *key performance indicators* en *management information systems*. Derek benadrukt dat die verzakelijking dodelijk is voor de academische creativiteit. Hij is docent letterkunde, maar brengt verbazend weinig tijd door op de vakgroep. Niemand weet hoe hij het voor elkaar krijgt, maar hij reist alle mogelijke symposia en conferenties af, zelfs als ze maar weinig met ons vakgebied te maken hebben. Zijn meest recente reis heeft hem naar Florence gevoerd, waar literatuurspecialisten uit de hele wereld zich over de *Divina Commedia* bogen.

Hadley, Sanny en ik zitten er zwijgend bij, alsof we willen illustreren dat het mannennetwerk ook hier de overhand heeft. Hadley heeft eerder een voorstel gedaan om meer student-assistenten aan te trekken, maar Manning doet alsof ze een dom gansje is. De studenten noemen hem niet voor niets Mean Manning.

'De tijden veranderen nu eenmaal,' zegt hij tegen Derek. 'Die nieuwe controlesystemen zijn juist een goede zaak.' Dan houdt hij een exposé over aanstaande bezuinigingen en de gevolgen voor ons budget, waarop iedereen ijverig aantekeningen begint te maken. Concrete maatregelen noemt hij niet. Misschien heb ik uiteindelijk toch niets te vrezen voor mijn bibliotheek en het writer-in-residenceprogramma.

Op mijn schrijfblok teken ik een paar geometrische figuren zoals ik al sinds mijn middelbareschooltijd doe. Hoe kan ik Owen zover krijgen dat hij iets over gisteren zegt?

'Kay, ik wil deze week nog de uitgaven voor jouw programma bespreken.' Manning kijkt me scherp aan over de rand van zijn leesbril. Hij draagt vandaag een felblauw katoenen colbertje met een rood-witgestippeld pochet. Lara zit naast hem in een zilver Star Trekachtig pak te notuleren. Af en toe lijkt het hier wel een wedstrijd voor de excentriekste excentriekeling.

Goed, hij wil de klap dus liever onder vier ogen uitdelen. Ik mompel: 'Ja, natuurlijk, *boss*. Ik hoor wel van Lara wanneer die afspraak wordt gepland.'

Manning maakt een keurig stapeltje van zijn papieren, schraapt zijn keel en zegt wat hij aan het einde van elke vergadering zegt: 'Oké, jongens en meisjes. Dat was het voor vandaag. Aan het werk. *Let's roll.*'

Ik weet nog dat ik lang geleden gek was op een politieserie. Ik bleef ervoor thuis, wie die ene avond in de week naar de film of naar het café wilde, moest maar zonder mij. In die serie stuurde de politiechef zijn rechercheurs 's ochtends op pad met diezelfde woorden: '*Okay, boys 'n girls. Let's roll.*' Ik had nooit gedacht dat nog eens ergens in het echt te horen.

Iedereen loopt opgelucht het raamloze vergaderzaaltje uit. Owen snelt achter Lara aan om te vragen wanneer het kopieerapparaat gerepareerd wordt.

De man met de groene ogen had gisteren rustig tegenover me gezeten. Wat zeg je tegen een engel die op bezoek is in je keuken? Ik had hem willen vragen of de hemel bestaat, wie daar woont, of mijn moeder wellicht een van de bewoners is. Kinderachtige vragen, ik had ze niet gesteld.

Ik had steeds naar zijn handen moeten kijken. Slanke, krachtige handen, met spitse vingers. De olijfkleurige huid glad en gelijkmatig – die tint was natuurlijk en niet het resultaat van een veelvuldig verblijf in de zon. Losjes in elkaar gevouwen, de vingers zo ontspannen. Als ik die handen had vastgepakt en omgedraaid, had ik in zijn pols zijn hartslag kunnen zien.

De rest van de dag is Owen onvindbaar. Hij ontloopt mij – dat zou het bewijs kunnen zijn dat er gisteren inderdaad iets is gebeurd.

Zo makkelijk kan ik niet geloven, ik heb meer nodig dan een vage suggestie. Lang voordat het officieel tijd is om naar huis te gaan, loop ik het Humanities-gebouw uit en haast me naar het Riverside Café. Wat een vreemde naam, bedenk ik nu voor het eerst, in de nabije omtrek is geen rivier te bekennen.

Voor de deur blijf ik even staan, ik weet zeker dat ik hier gisteren ook ben geweest. Het meisje met de bloemetjeshoofdband zie ik niet, achter de koffiemachine is een slungelige jongen met een paars T-shirt aan het werk. Er zitten alleen een paar studenten met studieboeken aan de lange tafel, verder is het leeg.

Binnen vraag ik de jongen waar zijn collega is. Hij laat handig de schuimende melk in een grote mok stromen. 'Diana? Ja, die had gisteren dienst, ik weet niet wanneer ze weer moet werken.' Hij geeft me een brede, charmante glimlach. 'Sorry.'

Ik ga op weg naar de winkel van Seven Feathers. Het is nog vroeg, misschien wil hij me voor het donker is nog wel een schietles geven.

Fietsers met helmen op hun hoofd vliegen rakelings langs de stoeprand, een jogger rent zo hard dat hij vast een ergens geregistreerd record breekt. Ik ruik zijn zweet als hij me passeert. De mensen die hier wonen alsof het hun recht is, passen precies in een stramien van werken, studeren, sporten, sociale verplichtingen: een afgemeten geheel zonder rafelranden. Zij twijfelen nooit, zij niet.

In de winkel van Seven Feathers zijn geen klanten. Ik kijk door de etalage naar binnen, bang dat de zaak al gesloten is, zo verlaten en donker is het er. Dan is er een beweging in de hoek bij de toonbank. Seven Feathers zit in elkaar gedoken op een krukje. De deur is niet op slot, ik kan hem gewoon openduwen. De indiaan staart naar de grond, kijkt niet op als ik binnenkom.

'Voel je je wel goed?' vraag ik haastig.

Hij tilt langzaam zijn hoofd op en neemt me in zich op alsof hij me niet direct thuis kan brengen.

'Je hebt me pas een pistooltje verkocht en me een schietles gegeven,' breng ik hem in herinnering. Voor mij is hij een oude bekende, voor hem ben ik een van de vele gezichten die hij in zijn winkel ziet. Hij reageert niet, ik probeer het nog een keer: 'Seven Feathers?'

Hij lacht. 'Craig White. Craig White heet ik. Seven Feathers is een naam uit een film, of uit een boek. Geen enkele Sioux zou zijn kind zo noemen.'

'Kan ik iets voor je doen?' Ik sta onzeker midden in de donkere winkel. Moet ik weggaan of juist blijven?

Hij leunt op de toonbank terwijl hij overeind komt. 'Blijf maar even.' Met een grimas: 'Ik ken je nog wel, hoor. *The girl from Europe.* Ik heb je illegaal een wapen verkocht, dat vergeet ik niet zo snel.' Hij knipt een lamp aan. Het licht valt op de kasten met jachtgeweren achter de toonbank. Het staal glanst als gepoetst zilver.

'Kopje thee?'

Theedrinken met een korzelige indiaan – waarom niet? Ik knik, en sta even later bij de toonbank met een grote mok dampende kruidenthee in mijn handen. Het hete brouwsel smaakt bitter.

'Salie,' zegt hij. 'Goed voor de keel.'

Ik wil hem vragen wat er aan de hand is, maar weet niet goed hoe te beginnen.

'Ik heb reuma,' zegt hij dan. 'In mijn benen, in mijn handen. Het wordt steeds erger, straks kan ik geen geweer meer vasthouden.'

Ik vraag of hij medicijnen gebruikt, maar hij schudt zijn

hoofd. 'Geen medicijnen. Pijnstillers, ja, die helpen even. Er is geen redden meer aan.'

'En hoe moet dat dan?'

'Als het niet meer gaat, sluit ik de winkel en ga ik naar huis. Ik heb in het reservaat nog wat neven en een oude oom. Ik kan wel bij een van hen wonen, dat is het probleem niet.' Hij ademt zwaar. 'Het probleem is dat ik daar niet meer thuishoor. Ik noem het wel "*home*", maar ik ben daar al zo lang niet meer geweest – jaren en jaren. Ik weet niet meer hoe het er ruikt, hoe het licht over het gras valt. Ik wilde alles vergeten toen ik wegging, en dat is me gelukt.'

We drinken een tijdje zwijgend onze thee. De salie trekt een spoor van warmte van mijn keel naar mijn buik.

Ten slotte zeg ik: 'Ik heb gisteren een man mee naar huis genomen, een man die ik niet kende.' Zodra ik die woorden uitspreek, weet ik dat ze wáár zijn. Ik heb niet gedroomd.

De indiaan trekt zijn wenkbrauwen op.

Ik zeg snel: 'Nee, het is niet wat je denkt. Geen onenightstand of zo. Een rare man, ik weet niet wat ik van die ontmoeting moet denken. Ik weet niet of ik hem kan vertrouwen.'

Craig White kijkt me aan, hij opent mijn hoofd als een boek. 'Wil je dat hij terugkomt?' vraagt hij.

Ik hoef niet na te denken. 'Ja.'

Rode rozen in de winter. Kathelijne hield er niet van, zomerbloemen in het verkeerde seizoen. Rozen hoorden in een uitbundige tuin: 's ochtends vroeg met blote voeten, in een dun katoenen jurkje, even ruiken, een nostalgische geur. De bijen zoemend op zoek naar honing.

Een groot boeket van donkerrode, grote geurloze bloemen zonder doornen in november was net zoiets als aardbeien in februari of een sneeuwstorm in mei.

Bas stond ermee voor de deur, lange stelen, stijf dichte knoppen. Het was de climax van zijn maandenlange, vasthoudende campagne om haar het hof te maken.

Het was begonnen toen ze nog studeerden – Bas wiskunde, Kathelijne Nederlands. Ze hadden weinig geld gehad. Toch had Bas steeds kleine cadeautjes voor haar meegebracht, chocola, een boek, oorbellen. Voor ze hem kende, kwam Kathelijne bijna nooit in een restaurant, maar Bas had haar vaak mee uit eten genomen. Nooit mocht ze betalen, hoewel zij toch het rijkste was met haar bijbaan als corrector bij een uitgeverij van schoolboeken.

Na elk tentamen had hij haar gebeld, hij wist altijd precies waar ze mee bezig was, wie haar vrienden waren, welke boeken ze las.

Kathelijne stond midden op een podium met alle spotlights op haar gericht, voor een publiek van één persoon. 'Ik voel me bekeken,' zei ze tegen hem. 'Ik maak het uit.'

Ze had zich schuldig gevoeld toen ze zijn tranen zag. En opgelucht.

Nadat hij was afgestudeerd kwamen de briefjes. Elke ochtend had ze een envelop in haar bus gevonden, met daarin een vel duur briefpapier. In het midden van het papier stond alleen maar de tekst: 'Ik hou van je' – in steeds een andere taal. Drie maanden lang – en dat in een tijd dat je dat soort dingen nog niet heel simpel op het internet kon opzoeken. Ik hou van je. *I love you. Ich liebe dich. Je t'aime. Ek het jou lief. Amu tè. Ik hâld fan dy. Jeg elsker deg. Ti amo. Ooheboki. T'aimi.*

Na tweeënnegentig brieven belde hij aan. Met een bos rozen in zijn hand.

Ze liet hem binnen, hoe kon ze hem op de stoep laten staan?

Thuis ga ik in het donker voor het raam zitten. Bij de overburen is de woonkamer felverlicht, zodat ik als in een etalage naar binnen kan kijken. De buurman loopt heen en weer, terwijl zijn vrouw, of zijn vriendin, met opgetrokken schouders bij de muur staat. Ik herinner me hoe doortastend ik haar had gevonden toen we samen de gekantelde rolstoel overeind zetten. Die stoere meid was nu nergens te bekennen.

Ik weet wat ik hier doe. Ik zit te wachten. De man met de groene ogen heeft gezegd dat hij terug zou komen.

Het is de vraag of ik dat moet geloven, hij heeft wel meer ongeloofwaardige dingen gezegd.

Toch wacht ik, ik kan niet anders.

De buurman maait met zijn armen en ik houd mijn adem in. Hij haalt niet uit. De buurvrouw wordt steeds kleiner. Ik heb de aanvechting om op mijn blote voeten, zonder jas, naar buiten te rennen en aan de overkant op het raam te tikken. 'Hé, ga eens rechtop staan! Je bent niet zo minnetjes als je je voordoet!'

Dan is zij alleen in de kamer. De buurman verschijnt op de veranda en trekt de deur achter zich in het slot. Hij heeft zijn jas onder zijn arm – wie weet vlucht hij voor zijn eigen harde vuisten. De buurvrouw trekt de gordijnen dicht en het licht in de woonkamer gaat uit.

Ik huiver, sta langzaam op om een lamp aan te doen.

De man met de groene ogen komt niet meer terug. Met mijn rechterwijsvinger streel ik de binnenkant van mijn linkerarm, bij de pols waar de huid dun is en de aderen zich als een blauwe schaduw aftekenen. Je kunt er zo bij, kwetsbaar. Enigszins indecent, dat open en blote. Dat past niet, heb ik altijd gevonden: wat binnen is, hoort binnen te blijven achter beschermende en verhullende huid.

Een man die zich engel noemt, een man die ik met geweld mijn leven in heb gedwongen: ik krijg het claustrofobische gevoel dat ik me in een spiegelgladde, kronkelige tunnel bevind waarin ik voortdurend uitglijd, zonder enige controle over mijn voortgang.

Buiten klinkt de pompende, donkere bas van de sirene van een brandweerauto, die ik om de een of andere reden altijd associeer met mijnwerkers die op het punt staan de diepte in te gaan.

In mijn slaapkamer pak ik de satijnen jurk die over een stoel hangt. Hij is niet eens zo erg gekreukt nadat ik er een paar nachten geleden in heb geslapen. Snel trek ik mijn spijkerbroek en trui uit en laat de witte gladde stof over mijn hoofd glijden. De handschoenen omhelzen me met een sensuele streling.

In de verte klinkt alweer een sirene.

Dorothee klopt aan. 'Hé, heb je zin om een glas wijn te komen drinken? Ik ben vrij vanavond. Mooie jurk heb je trouwens aan – *très belle*. Ga je naar een feest?'

'Nee, ik ga niet naar een feest, en ja, ik heb wel trek in een glas wijn.'

Op de trap moet ik mijn rok een stukje optillen om niet over de zoom te struikelen. Een ogenblik lang ben ik – zoals altijd – overweldigd door de felle kleuren in Dorothees appartement, die samen met de vele ornamenten de sfeer van een bedoeïenentent oproepen. Overal kussens, een enorme paarse bank, lage roodgelakte boekenkasten, schilderijen en foto's aan de muur, en op de grote eettafel een menigte kaarsen. Op een bijzettafeltje staat de tv aan op een nieuwszender.

Ik loop achter Dorothee aan naar de keuken. Die is het tegenovergestelde van de uitbundige woonkamer: spartaans en functioneel in wit en blank hout. 'Mijn twee kanten,' heeft ze een keer gezegd. 'Scandinavië en Libanon in één huis.'

Buiten komt een politieauto met loeiende sirene langs, vlak bij onze straat. 'Wat is er toch aan de hand?' vraag ik, gewoon om maar iets te zeggen. Het gebeurt zo vaak dat je 's avonds sirenes hoort. Ik heb wel erger meegemaakt, als er ook nog een helikopter boven de stad rondcirkelde.

'*Code orange*,' zegt Dorothee op droge toon.

'*Old news*, dat hebben ze toch al een paar weken geleden afgekondigd?'

'Nee,' zegt Dorothee terwijl ze zwarte olijven in een schaaltje schept. 'In de tussentijd is het alarm weer een keer ingetrokken en hadden we *code yellow*. Nu is er blijkbaar weer iets aan de hand, er is een postpakketje met antrax gevonden, of ze hebben een plan voor een aanval onderschept of zo.'

We lopen met de glazen wijn en de olijven weer naar binnen, waar op de tv een expert iets uitlegt over vliegtuigen die niet mogen opstijgen en Amerikanen in het buitenland die naar huis moeten komen. Dorothee zet de tv uit en heft haar glas. '*Santé*.'

We voelen ons veilig.

'Het maakt niet uit,' zegt Dorothee. 'We gaan hoe dan ook dood. Misschien eerder, als een terrorist ons meeneemt op zijn weg naar de hemel. Of later, als we krom en gerimpeld zijn.'

Ik voel het satijn van de gehandschoende handen om mijn middel.

Het is helemaal donker, nog geen streepje licht. Ik weet niet zeker of ik wakker ben en houd mijn hand voor mijn ogen: een vage witte vorm. Als ik ermee heen en weer zwaai, voel ik de lucht langs mijn gezicht gaan. Mijn hart bonkt, ik ben ergens van geschrokken. Roerloos lig ik te luisteren. Er ligt een zware, paardenharen deken over de nacht, zelfs op straat is het doodstil.

De verontrusting landt met een doffe plof op mijn borst: stel dat de man die zich engel noemt mijn huis is binnen gedrongen? Stel dat hij op de avond toen hij hier was een afdruk van de voordeursleutel heeft gemaakt – of dat hij een van de extra sleutels van de keukendeur in een la heeft gevonden?

Zachtjes stap ik uit bed en knip het bedlampje aan. Het gele schijnsel valt over het verkreukelde beddengoed en de stoel met de stapel gedragen kleren. De satijnen jurk ligt ertussen. Ik moet hem beter behandelen: strijken, op een hanger in de kast hangen.

Het is koud. Ik gris een trui van de stapel en sluip de huiskamer in. Zelfs zonder dat ik licht maak, zie ik het al. Niemand. De keuken: ook niet. De wc, de douche: hetzelfde verhaal.

Alle dingen staan kalm op de hun toegewezen plek en glanzen discreet in het donker, dat helemaal niet zo ondoordringbaar blijkt als ik eerst dacht. Mijn hart neemt geleidelijk het bedaarde ritme van het huis over. Ik trek het laatje van de keukentafel open – daar ligt het pistooltje als een eendimensionaal, uitgeknipt silhouet. Snel duw ik het laatje weer dicht.

Er komt wat licht van buiten door de rolgordijnen van bewerkt Japans papier, die ik juist om die reden heb uitgekozen: ze sluiten mijn huis niet hermetisch af van de rest van de wereld. Ik trek een van de gordijnen een stuk omhoog en schuif het raam open. Ik heb behoefte aan frisse lucht.

De maan hangt als een zilveren boog boven de huizen aan de overkant, half verscholen achter een schuin dak. Ze wordt omgeven door een bittere, onmiskenbare rooklucht. De rook mengt zich met de typische zware geur van rottende bladeren en natte grond. Even heb ik de sensatie dat de tijd stilstaat, of liever dat ík stilsta te midden van de tijd. Deze herfst zal de rest van mijn leven voortduren.

Overal stukken glas, geel politielint wappert in de wind. De etalages van de boekwinkel zijn provisorisch dichtgespijkerd. Groepjes mensen staan aan de overkant te kijken naar een paar politieagenten die wat heen en weer lopen, scherven bij elkaar vegen en nieuwsgierigen op een afstand houden. Ik ben al laat, maar blijf toch staan. 'Wat is er gebeurd?' vraag ik aan niemand in het bijzonder.

Een korte, ronde man in een gewatteerd jack kijkt me aan. 'Brand. Iemand heeft vannacht een molotovcocktail naar binnen gegooid.' Hij schudt zijn hoofd. 'We worden omringd door terroristen, *even here*.' De zweetdruppels staan op zijn bovenlip.

Het lijkt me niet productief voor terroristen om een boekwinkel in brand te steken. 'Is er veel schade?' Ik lijk wel een ramptoerist.

De ronde man heeft inside-informatie. 'Ja, bijna de hele voorraad is verbrand, en de rest is nat geworden van het bluswater. Een ramp – ik kan me niet voorstellen dat ze voor zoiets verzekerd zijn, en ze hebben het toch al moeilijk met die terug-

lopende boekenverkoop – niemand heeft nog tijd om te lezen.'
Hij schudt opnieuw zijn hoofd over het verval van de wereld.

Afgezien van de gebroken etalageruiten is aan de buitenkant
niet veel te zien. Ik stel me voor hoe die arme boeken ongelezen
in roet en modderwater liggen, de kasten omgevallen en verbrand, de tafels met bestsellers opgegaan in vlammen.

Ik begrijp best dat je razend kunt worden van een boek, dat
de provocerende, temende, tartende stem van de schrijver je
gek maakt.

'Boeken hebben mij al vaak het leven gered,' zeg ik tegen de
dikke man, die vol spanning volgt hoe een motoragent voor de
winkel stopt en druk in gesprek raakt met zijn collega's.

Dat klinkt een beetje pathetisch, maar toch is het waar. Hoe
vaak ik me niet uitgehongerd tot een geliefd boek heb gewend.
Sommige boeken hebben een voedingswaarde die elke leegte
vult.

Klokslag halfelf klop ik op de deur van professor Manning
⚊ 'The Boss'.

Manning staat aan het hoofd van een vakgroep die niets
voorstelt en toch slaagt hij erin om een air van macht en gezag
te verspreiden. Waarschijnlijk is dat zijn manier om te overleven binnen een universiteit vol hoogleraren met sterallures, die
sexy onderwerpen doceren als staatsveiligheid, crisismanage-
ment en oorlogsrecht.

'Come in,' roept hij.

Binnen word ik overspoeld door een sfeer van belangrijk-
heid. De neergelaten rolgordijnen van dikke grijze katoen
dempen het licht. De muren zijn bekleed met een bewerkte
beige stof, zoals je ook wel in victoriaanse landhuizen ziet.
Aan die muren hangen talloze ingelijste diploma's, certificaten
en foto's waarop Manning poseert met beroemdheden, van
wie het overgrote deel niet uit Nederland komt, maar uit de
minder obscure Angelsaksische literaire en politieke wereld.
Opvallende uitzondering is een ernstige foto met Wim Kok.

Een breed bureau van donker hout neemt een flink deel van de niet al te grote ruimte in beslag.

Importantie, een bolrond, van zichzelf overtuigd woord – dat past hier.

Het ingetogen effect van de grijze combinatie die Manning vandaag draagt, wordt enigszins tenietgedaan door zijn limoengele das en felgroene pochet. Hij knikt me toe. 'Ga zitten.'

'Beste Kay,' begint hij in het Nederlands, 'we zijn blij dat je hier bent. Je doet goed werk.' Zonder haperen gaat hij over op het Engels. 'Ik wil het met je hebben over het budget voor jouw programma's.'

Ik knik beleefd.

'Ik ben in overleg met het universiteitsbestuur. Ik wil een deel van de gelden van het legaat waaruit jouw budget bestaat realloceren. De termen van het legaat voorzien in die mogelijkheid, zoals je misschien weet. *These are difficult times for us.* Het beschikbare geld gaat naar de waan van de dag – alles wat zijdelings of rechtstreeks met terrorisme te maken heeft – 'en voor onze onderzoeken en programma's blijft er haast niets over. We moeten geld vinden om nieuwe projecten te ontwikkelen.'

Ik wacht.

'Als ik toestemming krijg van het bestuur, wordt jouw budget met ongeveer vijftig procent teruggebracht. Realiseer je goed dat dit betekent dat jouw contract volgend jaar mogelijk niet wordt verlengd.' Manning kijkt me vaderlijk aan. 'Dat is de uiterste consequentie, Kay. Ik zal er natuurlijk alles aan doen om jou op de een of andere manier voor ons *department* te behouden.'

Op de een of andere manier?

'Wat bedoel je precies?' vraag ik. De aanspreektitel 'boss' krijg ik niet uit mijn mond, ook al weet ik dat ik hem ermee vlei. 'Ontslag? Een contract met minder uren?'

Hij legt zijn hand even op mijn pols, alsof hij me wil geruststellen. 'Beide scenario's behoren tot de mogelijkheden, maar ik zal ervoor strijden dat je hier een tijdelijk contract houdt.'

Met suizende oren sta ik weer op de gang. Hadley komt met een stapel papieren op me af.

'Ik wil dat je dit even leest, Kay,' roept ze op schrille toon. Ik zou haar kunnen zeggen dat ik niet doof ben. Haar uitbundig krullende zwarte haar zweeft als een halo rond haar gezicht.

'Zo meteen, Hadley,' zeg ik zwakjes. 'Ik heb nu geen tijd.' De tegelvloer golft onder mijn voeten alsof ik door de Noordzeebranding waad.

Eenmaal in mijn kantoortje leun ik met mijn rug tegen de deur. Het ontbreekt er nog maar aan dat ik ga hyperventileren. Als een toeschouwer kijk ik naar mezelf, ik vind dat mijn reactie overdreven theatraal is.

Wat is er nu eigenlijk aan de hand? Een vage mogelijkheid dat ik mijn baan kwijtraak. Nog niets concreets. De wind kan zo weer draaien, dat gebeurt zo vaak. Het bestuur kan besluiten om geen goedkeuring te geven. Mean Manning kan verdwijnen naar een aantrekkelijker baan aan een andere universiteit en zijn plannen met zich meenemen. Wie weet komt er geld uit een onverwachte bron, zodat mijn budget helemaal niet nodig is voor nieuwe projecten.

Mijn hart slaat vasthoudend met een harde vuist tegen mijn borstkas. Ik slaag er niet in mezelf te kalmeren. De toeschouwer met de nuchtere blik trekt zich terug.

Ook al staat straks het geld van de verkoop van mijn vroegere huis op mijn bankrekening, dan is dat lang niet genoeg om van te leven. Bovendien heb ik hier niets te zoeken als ik werkloos ben. Zonder werk kan ik mijn visum verliezen. Zonder visum heb ik geen thuis meer. Zonder thuis ben ik niet veilig.

De bibliotheek is mijn toevluchtsoord. Ik kom er ook als ik niet hoef te werken. Ik loop snel langs de grasvelden naar Washington Library. In dat gebouw is alles enorm – proporties om de bezoeker zich zo klein mogelijk te laten voelen. Iedereen die de brede trappen beklimt en vervolgens de toegangshal binnen gaat onder de hoge koepel waardoor het daglicht naar binnen valt, langs de twee levensgrote standbeelden van Washington en een andere strenge man van wie ik de naam niet ken, voelt zich een minimensje.

Mijn aanwezigheid heeft geen enkele impact op de hoge ruimte – ik kan er net zo goed niet zijn. In de hal boven aan de trap die naar de collecties leidt lopen een paar mensen. Door een truc van het perspectief lijken ze kleiner dan ze eigenlijk zijn – figuren aan een verre einder.

Ik moet denken aan de mensen die ik heb achtergelaten, aan de afstand tussen hen en mij. Die afstand wordt steeds groter en groter en zij steeds kleiner en kleiner. Ten slotte zullen ze verdwijnen in de verte, wuivende passagiers op een groot oceaanschip.

Ik toon mijn pasje aan de bewaker en ga door het draaihekje. Naar boven, waar mijn collectie een eigen plek heeft naast alle andere collecties. De titels die ik stuk voor stuk heb uitgezocht, de mooiste boeken – alleen van mij. Als ik daarmee bezig ben, heb ik het gevoel dat ik reddingswerk verricht – dat zonder mij die boeken verloren zullen gaan.

In gedachten loop ik te stampvoeten. Hoe durft die vent mijn werk in gevaar te brengen? Met elke stap word ik kwader. 'Geldwolf!' roep ik hardop, 'opportunist!' Een passerende jongen met een lange zwarte paardenstaart kijkt me vreemd aan. Ik voel me al iets beter.

Voorbij de megalomane toegangshal begint de échte bibliotheek, het hart van het gebouw – op een heel andere manier indrukwekkend. Het belangrijkste deel van Washington Library bestaat uit vele duizenden vierkante meters met stellingen vol boeken, verdeeld over in elkaar overlopende ruimtes. Een heerlijke doolhof van papieren gedachten.

Soms slenter ik hier gewoon maar wat rond, ga met mijn vingers langs de ruggen van de boeken, lever me over aan de bibliotheek die me van de ene schrijver naar de volgende leidt – naast de bekende namen, onbekende auteurs die tegenwoordig niemand meer leest, of die misschien wel nooit iemand heeft gelezen.

Lage plafonds, gedempt licht, smalle paden tussen de stellingen. Samen met de muffe lucht van oude wijsheid geeft dat de associatie van een veilig, donker hol. De rommelzolder waar ik als kind over fantaseerde, de allerbeste verstopplek.

Op elke afdeling staat een aantal hokjes van hoogstens twee bij twee, zonder ramen, maar met een bureautje en stoel en een deur die je achter je dicht kunt trekken. *Cubicles* worden die genoemd – een woord dat ik niet serieus kan nemen omdat het me aan *cuticles*, nagelriemen, doet denken. De hokjes zijn een prettige plek om even een dutje te doen of om zomaar wat te zitten denken.

Langzaam loop ik langs de rijen boeken – ik ben in de sectie Engelstalige Literatuur, vak B. Zoveel boeken: vanaf het moment dat de eerste boekdrukpers bedrijfsklaar was tot nu, uit elke periode zijn hier boeken. Al die verhalen, dobberend door bibliotheken en boekenkasten, en nog steeds is er ruimte voor méér.

Af en toe licht in de zee van B's een beroemde naam op: Beckett, Bellow, Betjeman, Blake, Boswell, Brontë, Browning, Byatt, Byron. Sommige van hen stonden vast ook in de boekenkasten van de in brand gestoken boekwinkel.

De cubicles van deze afdeling staan op een kluitje in het halfduister aan het einde van de boekenstellingen. Ik installeer mezelf in de laatste, die tegen de buitenmuur aan drukt. Het hokje bestaat uit vier muren zonder plafond. Met mijn hoofd in mijn nek kijk ik naar de antieke verwarmingsbuizen die door de hele bibliotheek heen lopen. Ik denk aan de engel zonder vleugels.

'Niet zeuren' – die woorden kon Kathelijne wel op een lapje borduren en ingelijst boven haar bed hangen.

Vroeger was dat zo vaak door zoveel verschillende mensen tegen haar gezegd dat het een soort levensopdracht was geworden, haar op cruciale momenten toegeroepen door een anonieme stem uit het universum.

Het was vreemd hoe haar zus, die toch dezelfde opvoeding, of non-opvoeding had gehad, daar zo weinig door beïnvloed was. Kathelijne kende niemand die zo kon zeuren als Carina. Ongegeneerd liet ze weten wat haar niet beviel.

Kathelijne herinnerde zich nog hoe ze een keer vlak voor kerst samen bij de kassa van de supermarkt hadden gestaan. Een rij die de hele winkel door meanderde, allemaal gestreste mensen met hoog opgestapelde boodschappen in hun karretje. Carina had na vijf minuten zo genoeg gehad van het wachten dat ze gewoon op de grond was gaan zitten, en vanaf die positie een Albert Heijn-jongen had gewenkt. 'Dit kan echt niet, hoor. Ik heb geen uren de tijd. Straks lopen de mensen weg, ik voorop. Ga eens zorgen dat er nog een paar kassa's opengaan.'

Om je dood te schamen.

Niet zeuren, flink zijn, doorgaan: kreten als een stelletje verzuurde oude vrijsters. Kathelijne zou die aansporingen het liefst met dikke zwarte stift doorkrassen en dan in heel veel snippers scheuren, maar ze kon ze simpelweg niet negeren. Misschien was dat wel de reden dat ze na elke klap altijd weer opstond. Wat pijnstillers en dan gewoon weer verder.

Als ze naar zichzelf keek, zag ze alleen hoe stoer ze was.

Het advies van Dorothee is waardeloos. 'Het universiteitsbestuur,' zegt ze op eurekatoon. 'Die hebben er uiteraard geen idee van wat een profiteur en een poseur Mean Manning is, maar als jij hen daarvan op de hoogte brengt, zien ze wat een briljante, waardevolle kracht je bent. Dan zullen ze jou steunen in plaats van hém.'

'Ik ken ze niet eens, ze kennen mij niet,' werp ik tegen. 'Ik ben een onbetekenende, onbekende researcher zonder netwerk, een werknemer op tijdelijk contract die ook nog eens uit het buitenland komt. Waarom zouden ze naar mij luisteren?'

Dorothee schenkt me zonder vragen een glas donkerrode wijn in. '*Chérie*, je hebt vast gelijk, die types voelen zich enorm belangrijk. Maar hoe moeilijk kan het zijn om tot ze door te dringen? Als je nou eens een scherpe brief schrijft?'

Ik schud geïrriteerd van nee. 'Dat werkt echt niet, geloof me nou maar. Voor hen besta ik niet.'

Ik lig languit tussen de kussens op Dorothees bank. Op de een of andere manier nodigt haar appartement meer uit tot praten en drinken dan het mijne. Beneden, op de keukentafel ligt een grote envelop uit Nederland. Een brief van de advocaat, waarschijnlijk met documenten over de verkoop van het huis. Ik heb mezelf er nog niet toe kunnen brengen om hem open te maken.

Om die brief bekommer ik me op dit moment niet – de kwestie met mijn werk is veel dringender. Ik ben nu al gehecht aan het gevoel van een naderende catastrofe – de urgentie ervan, de manier waarop het alles weer op scherp stelt. Dus zeg ik het nog maar een keer: 'Nee. Nee, nee. Er is geen oplossing, ik kan niets anders doen dan afwachten.'

Dorothee zinkt naast me in de rode kussens. Ze neemt een flinke slok wijn en zegt nadenkend: 'Je hebt zo weinig zekerheid als vreemdeling, zelfs na meer dan twintig jaar voel ik dat nog. Alsof je eigenlijk niet het recht hebt om hier te zijn.'

'Na al die tijd,' zeg ik. 'Je werkt hier, je hebt hier een kind gekregen, je hoort hier.'

'Nee, ik hoor hier niet, eigenlijk steeds minder. In het begin voelde ik me Amerikaans, ik was trots en wilde niets meer te maken hebben met mijn moeder- en vaderland. *But these last few years...*' Ze werpt me een zijdelingse blik toe. 'Ik weet niet wat ik dan wél ben, Zweeds of Libanees, of allebei, of geen van beide – de luxe om ergens te wonen waar je tot de norm behoort, waar iedereen jou onvoorwaardelijk verstaat en begrijpt – die luxe heb ik weggewuifd en in plaats daarvan ben ik vreemdeling geworden. Op sommige dagen lijkt het wel alsof "vreemdeling zijn" mijn beroep, mijn bestemming is.'

Ik ga rechtop zitten. 'Mis je je thuis?'

Ze schudt haar hoofd. 'Nee. Dat probeer ik je uit te leggen. Ik héb geen thuis.' Een slok wijn en dan: 'Mis jíj thuis?'

'Ja.'

Een Libanese salade met granaatappelpitjes, feta en radicchio, met daarbij falafel en couscous. Dorothee staat erop dat wij samen koken. Ik heb nog nooit met een echte kok in de keuken gestaan.

'Ik vind eten niet zo belangrijk,' werp ik tegen. Ze luistert niet, is al druk bezig de ingrediënten te verzamelen. In de enorme koelkast, *true American*, zoekt ze naar een potje koriander op olie.

'Echt,' probeer ik nog een keer, 'ik heb helemaal geen trek.'

Straks komt Xenia, die ik nog nooit heb ontmoet, alleen maar heb gezien op een foto van een paar jaar geleden. Ze is een weekend thuis van de universiteit waar ze studeert – verder weet ik niets en durf ik ook niets te vragen.

Dorothee draait zich om met het potje in haar hand. '*Chérie*, als er één ding is dat ik in de afgelopen twintig jaar heb geleerd, dan is het wel dat somberheid om creativiteit vraagt. Als je verdriet hebt, moet je iets gaan máken. *Vraiment*. Een maaltijd bijvoorbeeld.'

Ik kom naast haar bij het aanrecht staan. 'Ben je daarom kok geworden? Om de somberheid te bestrijden?'

Geconcentreerd groepeert Dorothee verschillende ingrediënten – een blikje kikkererwten, paneermeel, specerijen, couscous, rozijnen en gepelde amandelen. Ze pakt een granaatappel van de fruitschaal en ruikt eraan. 'Prachtige vorm met dat kroontje erop, precies de uitpuilende navel van een zwangere vrouw die op punt van bevallen staat,' zegt ze, en vervolgt zonder me aan te kijken: 'Ik ben gaan koken omdat ik me eenzaam voelde. Toen Xenia pas geboren was, had ik geen werk. Xenia's vader was met de noorderzon vertrokken en ik zat moederziel alleen in een muf appartement waar nauwelijks licht naar binnen kwam. 's Ochtends vroeg maakte ik kantoren schoon. De dagen waren van taaie stroop, ik werd langzaam gek.'

Ze hakt met een scherp mes de granaatappel doormidden. De pitjes zitten in een nestje van rode gelei tegen elkaar gepropt, een kastje met noodrantsoen voor magere tijden. 'Ik dacht veel aan mijn moeder en mijn grootmoeder, aan wat ze me hadden geleerd. Dat je, als je goed voor jezelf zorgt, vanzelf ook meer waard wordt in je eigen ogen en in de ogen van anderen. Ik besloot mezelf dus serieus te nemen. Ik ging naar de markt en kocht met mijn weinige geld de beste spullen die ik kon krijgen. Daarmee kookte ik thuis de heerlijkste gerechten, alleen voor mezelf. Het gaf me zoveel vreugde om een doel te hebben: de hele dag was ik bezig met het voorbereiden van een prachtige maaltijd. En als ik dan aan tafel zat, met een mooi opgemaakt bord en een glas wijn, was ik gelukkig.'

Ze overhandigt me de halve granaatappels. '*Comprends?*' Met een klein lepeltje doet ze voor hoe ik de pitjes los kan halen. Ik knik.

'Het was een vervulling – ik was vervuld.' Ze kijkt of ik het echt begrijp.

Ik zie haar voor me – aan een kleine tafel met een wit dekservet, een brandende kaars en een bord met een blauw randje, de baby in een wiegje in de hoek. Een ferme verklaring met een uitroepteken: Ik besta!

Dorothee prakt de kikkererwten en mengt ze met een soort meel en specerijen uit interessante doosjes. Ik kijk naar haar vaardige handen, hoe snel en hoe krachtig – de handen van iemand die zware zaken kan torsen, die niets laat vallen. Ze heeft mij iets verteld waarvan ik vermoed dat het een geheim is. Dat moet worden beantwoord met een tegengeheim.

'Ik voed me met woorden – met boeken en verhalen, en ook met losse woorden.'

Ze wijst naar de radicchio die in stukjes gescheurd moet worden. Geen spoor van afkeuring, minachting.

Ik leg uit hoe belangrijk woorden zijn, de júíste woorden – hoe elk woord een smaak en kleur heeft en hoe uitgehongerd ik soms ben.

Ze knikt. 'Dat snap ik – natuurlijk is taal voedzaam. Woorden glijden over de tong, net als eten, en ze dragen troost in zich, precies zoals de lekkerste gerechten.'

Ze is bezig om kleine balletjes van het kikkererwtenmengsel te rollen, houdt dan plotseling op. 'Ik heb het manuscript van mijn kookboek teruggekregen, voor de tweede keer al. De uitgeverijen willen het niet.'

Op de foto die in de boekenkast staat, is Xenia een ranke, kwetsbare puber. In het echt, op negentienjarige leeftijd, is ze een duistere ijskoningin.

Ze draagt een soort baljurk van zwarte glanzende stof, die in gescheurde punten tot op de grond hangt. Eroverheen een grofgebreide, uitgezakte trui. Zwarte ringen aan haar vingers en zwarte armbanden om haar polsen. Zwartgeverfde piekende haren en dikke zwarte heksenranden om haar ogen. Ze is opvallend bleek, terwijl Dorothee juist een olijfkleurige huid heeft die zelfs in de winter iets van de zon lijkt vast te houden.

Ik moet telkens naar haar kijken.

'Ze komt alleen maar hier om met haar oude vrienden uit te gaan – meestal is ze nauwelijks thuis. Dat is ook de reden dat je haar nog nooit eerder hebt ontmoet,' had Dorothee gezegd nadat ik een slappe hand van haar dochter had gekregen. Ze had over haar gesproken alsof het meisje er zelf niet bij was.

Xenia zwijgt, al zolang we aan tafel zitten. Ik zie dat Dorothee zich verbijt, en zou haar willen zeggen: 'Het geeft niet, ik kijk wel door die ijzigheid heen.' Maar onder het laagje venijn van het meisje kan ik niets ontdekken wat het licht vangt.

Ze heeft nog geen hap genomen van het kleine beetje couscous en de drie balletjes falafel op haar bord.

'Ik snap best dat je manuscript al door twee uitgeverijen geweigerd is,' zegt ze plotseling. Ze neemt een slokje groene thee.

'Ah, je spreekt,' zegt Dorothee spottend.

Xenia negeert haar moeders irritatie. 'Het is veel te Arabisch – je hebt het alleen maar over oma Mimi in Beiroet, en dan al die recepten met rozenwater en amandelen – lam gemarineerd in kardemomsaus, duivenborstjes ingelegd met vijgen!'

Ze heeft het manuscript goed gelezen. Dorothee knijpt haar mond samen tot een slot waar geen vriendelijk woord of glimlachje meer uit kan.

Langzaam trekt Xenia met een zwartgelakte nagel een streep over de tafel. 'Dat snap je toch wel, Dorothee,' zegt ze. 'Na nine eleven is er simpelweg geen markt meer voor het Midden-Oosten, ook al gaat het om gezellige verhalen uit het land van Duizend-en-een-nacht. De mensen willen niets meer weten over die terroristenbende. Ze zouden het liefst doen alsof de wereld ophoudt achter Oost-Europa, en dat hij pas weer begint bij Japan of zo. Iedereen hoopt toch dat alle taliban, Al Qaida, en hoe ze verder mogen heten in een diep, godvergeten gat verdwijnen.'

Met een onschuldige blik kijkt ze ons aan en haalt haar schouders op bij het zien van Dorothees woede. 'Het is maar een tip, hoor. Je hebt per slot van rekening ook een Zweedse moeder – die komt maar heel weinig in je boek voor. Ik herinner me haar nog goed: pannenkoekjes met rode bessen, vis met dillesaus. Dat soort dingen. Waarom schrijf je niet méér over haar? Oma Anka noemde ik haar.'

'Je hebt haar maar drie keer ontmoet, en toen was je nog heel klein,' zegt Dorothee met dunne stem.

Xenia steekt een vinger omhoog. 'De laatste keer was ik zeven, toen hebben we een maand bij haar in Zweden gelogeerd. Ik weet nog heel goed hoe jullie tegen elkaar schreeuwden. En hoe ze dan lekkere dingen voor mij ging koken.'

Dorothee staat op en begint de tafel af te ruimen.

'Oké, doe het dan voor mij – je schrijft voor mij over haar en over haar recepten. En dan gooi je er nog wat midzomernachten en Pippi Langkous bij – exotisch en ongevaarlijk Scandinavië met een snufje Libanon, als dat echt moet. Je zult zien dat de uitgevers vechten om zo'n manuscript!'

Het lijkt me dat ze gelijk heeft, maar ik houd mijn mening voor me. Dorothee smijt de vuile vaat in de afwasmachine.

Xenia blijft aan tafel zitten, haar magere armen tegen haar borst gevouwen – ze staart met een vage glimlach in de verte. Het is pijnlijk om haar kale, platte woede te zien, haar verlangen om zich met geweld los te hakken. Ik weet hoe het is om zo razend te zijn.

Over de vreemdeling die ik naar mijn huis heb ontvoerd, zeg ik niets. Er zit een klein, ijdel prinsesje in mij dat dat jammer vindt. Maar voordat ik het engelenverhaal zonder pijn bij een borrel kan vertellen – gelach over hoe dom, hoe desperaat – moet er nog heel wat tijd overheen gaan. Ik moet de engel en het pistooltje eerst in stevig bruin papier inpakken en het pakje ver achter in een kast leggen. Net zo lang tot ik het vergeten ben en het toevallig bij de grote schoonmaak weer tegenkom. Dan blaas ik het stof eraf en scheur het papier los, en vertel ik aan wie het waard is om te horen.

Dom en desperaat.

Ik zal hem nooit meer terugzien.

Als ik me zijn gezicht in gedachten wil brengen, lukt dat niet. Die groene ogen, zijn magere handen, dat is eigenlijk het enige wat me echt bij is gebleven. Andere details – zijn lange gestalte, zijn donkere haar, hoe mooi hij was – zie ik alleen als woorden zonder beeld.

's Avonds zit ik op de bank waar hij me heeft toegedekt nadat ik in slaap was gevallen. Ik voel het overal kriebelen: het merkje van mijn T-shirt in mijn hals, de wol van mijn vest en van mijn sokken. Bij mijn linkerneusgat, de dunne huid bij mijn ooghoeken, het plekje tussen mijn borsten. Met krabben wordt het alleen maar erger, ik krijg rode vlekken. Aan mezelf ontsnappen kan niet.

Als ik niet goed meer weet hoe hij eruitzag, wat ben ik dan nog meer vergeten?

Vertrouwen is geloven. Geloven is vertrouwen. Ik wil wéten. Ik ben geen klein meisje dat in sprookjes gelooft. Ik ben een wetenschapper, ik geloof in feiten, in zwarte letters op wit papier, in strak omkaderde concepten.

Ik wil bewijs.

Ik éís bewijs.

Niemand luistert naar mijn eisen – mijn geheugen al helemaal niet.

Ik kijk verbijsterd toe hoe kwetsbaar ik me heb gemaakt – terwijl ik weet wat er kan gebeuren. Ik heb een mán mee naar huis genomen.

Er zijn alleen vragen – of hij echt aan mijn keukentafel heeft gezeten. Of hij echt heeft gezegd dat hij een engel is.

Ik wrijf over de binnenkant van mijn onderarm. Alsof hij me daar werkelijk heeft aangeraakt.

Het formaat van de envelop waarin de advocaat de documenten over het huis heeft verstuurd, verraadt het buitenland. A4 – die maat bestaat niet in Amerika. Hier is alles *legal size*, net een slag kleiner.

Dit land is goed in afwijkend gedrag. Een pond bevat hier geen 500, maar 450 gram, iets wat me nog steeds verbaast. Ik zie voor me hoe de founding fathers een lange neus maakten tegen Europa. Wij bepalen zelf wel hoe we onze wereld meten.

En dan de tijd: elf september is hier geen *eleven nine*, maar *nine eleven*. Alsof de maanden achterstevoren het jaar uit lopen.

Die eigenzinnigheid bevalt me wel. Die subtiel ándere alledaagsheid.

Ik blader door de stapel papieren, met juridische teksten zo droog als oud brood. Geen persoonlijk woord te vinden. Maar wat had ik dan verwacht?

Een kattebelletje, een ansichtkaart met daarop een boodschap van Bas. Of een boodschap van de advocaat als tussenpersoon. Dat mijn echtgenoot wil weten hoe het met mij gaat. Dat het hem spijt.

Maar goed dat zo'n bericht ontbreekt. Het zou op mij hetzelfde effect hebben als een boeman die in het spookhuis krijsend uit een kast springt.

Het is al laat, ik heb te veel wijn gedronken. Ik ga rechtop zitten en sorteer de documenten. Morgen, na mijn werk, zal ik alles nauwkeurig doornemen en ondertekenen. Dan maak ik er op de vakgroep kopietjes van en stuur ze terug. Beter om er nu vaart achter te zetten.

Kathelijne stond voor de grote spiegel in de slaapkamer en bekeek zichzelf in het scherpe ochtendlicht. Een lichaam dat redelijk aan het slankheidsideaal voldeed, afgezien van de iets te brede heupen en de volle borsten. Lange armen en benen, met enigszins scheve knieën. Een buik die wel wat platter kon, maar dan wel weer een heel smalle taille. Een lange hals, een scherp gezicht. Middelblond haar, blauwe ogen, een brede mond en een lange neus. Blonde wenkbrauwen en lichte wimpers. Op geen enkele manier bijzonder, afgezien dan van die lelijke blauwe plekken.

Ze cirkelde voorzichtig haar vingers om haar rechteroog, vanaf de ooghoek naar boven en langs het jukbeen weer terug.

Ze was een expert geworden in het camoufleren – met gekleurde crème en met sjaals, een hoge col of lange mouwen. Niemand mocht het weten. Vaak loog ze, terwijl iedereen vermoedde dat ze loog. Dat was gênant, maar onvermijdelijk. 'Ik ben van de trap gevallen.' En dat dan zo nonchalant mogelijk uitgesproken.

Ze zou de mensen die achter haar rug over haar praatten, het liefst zelf van de trap smijten.

Elders is het oorlog. Een constatering zonder betekenis, er is altijd wel ergens een oorlog. Maar deze oorlog komt dichterbij dan de meeste, met de erin geramde boodschap dat het kwaad ons nu bedreigt.

Ik wil proberen om niet kritisch te zijn – dit is per slot van rekening mijn nieuwe land. Wat is eigenlijk het verschil tussen kritisch en cynisch? In Europa is iedereen zo cynisch, hoor ik hier.

Ik kijk tv in de lounge, een plek die beschamend duidelijk laat zien hoe mager het budget van de vakgroep is. De inboedel bestaat uit spullen die waarschijnlijk zo van een yard sale afkomstig zijn: een vettige bank van oranje nepleer met scheuren aan de zijkant en vier jarenzeventigfauteuils in versleten groen. Een plastic salontafeltje en een triplex kastje voor het tv-toestel zijn de enige items van het meubilair die nog redelijk nieuw zijn. In Nederland zou geen enkele faculteit het wagen om haar armoede zo uitdagend tentoon te stellen.

Ik ben in een van de fauteuils gaan zitten. Owen is met Patrick, een van de student-assistenten, op de bank neergezakt. Patrick is een jaar of twintig, en heeft de zwartste huid die ik ooit heb gezien – met een indigoblauwe weerschijn. Met zijn kaarsrechte rug en zijn gespierde lichaam zou hij een exotische Abessijnse prins kunnen zijn, en ik vraag me nog steeds af waarom zo'n jongen zo'n obscure studie heeft gekozen. Hij heeft voortdurend een spottende blik in zijn ogen waardoor mensen onzeker worden, ik ook. Misschien adoreert hij Owen, misschien vindt hij hem lachwekkend.

Patrick negeert me en Owen ook, we kijken in stilte naar een documentaire. Beelden van een Afghaans dorp in de bergen. Een emotieloze, diepe stem vertelt over een aanval waarbij meer burgers dan talibanstrijders zijn gedood. Een vergissing, zegt een legerwoordvoerder die om commentaar wordt gevraagd. Collateral damage.

De gal komt omhoog in mijn keel, ik spring op. Owen kijkt me verstoord na als ik de lounge uit loop.

Verdomme, verdomme, verdomme – een mantra die ik niet meer uit mijn hoofd krijg.

Ik ga achter mijn computer zitten, sta weer op. De woede die ik voel kan ik niet goed richten, het is een vreemd abstracte emotie.

Met een knal valt de deur van mijn kantoor achter me dicht, ik loop met grote passen door de gang. Het heeft geen enkele zin om hier op kantoor te blijven bouwen aan een collectie boeken die toch door niemand gelezen wordt, en die binnenkort waarschijnlijk niet eens meer bestaat.

'Ik ga naar huis,' roep ik op net iets te schrille toon naar Lara, die verbaasd opkijkt van haar computerspel.

Voordat ze iets kan zeggen ben ik al weg. Het is niet slim om midden op de dag zomaar te verdwijnen terwijl mijn positie toch al onder vuur ligt – maar dat kan me nu niets schelen.

Ik ben blij dat ik vandaag niet op de fiets ben, dat ik al lopend stevig kan stampen, met mijn voeten tegen de grond kan beuken. Op het plein voor de bibliotheek protesteert een groepje studenten met spandoeken tegen de aantasting van burgerrechten. Ze worden belaagd door een ander groepje, volgens de spandoeken supporters van *the US army*. Beide clubs staan met strakke gezichten tegenover elkaar. Hun adem komt in een serie staccato wolkjes uit hun mond.

Een jongen met een neus die rood is van de kou wil mij een foldertje in de hand stoppen. Ongeduldig duw ik hem weg. Voor vandaag heb ik even genoeg van politiek. 'Wat wil je hier nou mee bereiken? De president of de baas van het *Congress* komen hier echt niet langs, hoor.' Ik blijf niet staan om zijn antwoord te horen.

En die engel hoef ik ook niet meer. Mocht hij toch nog komen opdagen, dan kan hij oprotten.

Hoe hij voor me uit was gelopen, ik met het pistooltje in mijn hand, hij met zekere, lange passen. Door mijn smalle gang, over het grijze linoleum, tot aan de keukendeur. Rechte rug. Rustig, rustig. Had ik dat tegen mezelf gezegd? Zonder dat ik dat hoefde aan te geven, had hij zijn hand op de deurkruk gelegd om die naar beneden te duwen.

Hoe koud het was geweest. Hij was midden in de keuken blijven staan, ik had het licht aangeknipt.

'Ga zitten,' had ik gezegd. Of had ik dat niet gezegd, en had hij zelf een stoel gekozen?

Daar zat hij, in mijn huis, op mijn stoel, aan mijn tafel, zijn handen gevouwen voor zich op het houten tafelblad.

De eerste man in mijn huis.

Daar zat hij, en ik had geen idee wat ik met hem aan moest.

Ik ga niet direct naar huis, loop nog een extra rondje. Het voelt prettig om flink door te stappen en naar de grond te kijken: de dorre bladeren, stoeptegels, asfalt, een reepje gras, nog meer bladeren, stoep, met daarop mijn voeten in zwarte laarzen met hakken, tik tik tik op het plaveisel – als een onfeilbare metronoom.

Als ik opkijk, ben bij het witgeverfde huis waar ik woon. Op de oprit staat de stokoude auto van Dorothee en op de verandaschommel zit de man met de groene ogen. Ik blijf staan voor het grasveldje, naast de seringenboom die bijna al zijn blad al kwijt is. Even overweeg ik om door te lopen, alsof dit niet mijn huis is, alsof ik die man op de schommelbank helemaal niet ken. Dat is wat ze je adviseren als je denkt dat je wordt achtervolgd: loop je eigen huis voorbij, zodat je belager niet weet waar je woont.

Hij schommelt zachtjes heen en weer, kijkt me aan zonder een woord te zeggen.

'*Hi*,' mompel ik en loop het trapje naar de veranda op.

Het overvalt me hoe mooi hij is. Die schoonheid heb ik me toch niet goed herinnerd.

Ik kijk op hem neer, hij kijkt naar mij op. De kettingen van de schommel piepen. Hij is degene die als eerste iets zou moeten zeggen, hij is per slot van rekening zonder verklaring vertrokken, midden in de nacht.

'Ik heb op je gewacht.'

'*Naturally*,' zegt hij.

Ik wil iets kapotmaken, een steen door mijn eigen ruit gooien, de schommelbank van de veranda trappen, die man met een hamer op zijn hoofd slaan.

In plaats daarvan zeg ik dat hij binnen moet komen. Net als de vorige keer loopt hij voor me uit door de gang, regelrecht naar de keuken, gaat aan de tafel zitten. Als hij zijn benen over elkaar slaat, zie ik dat hij geen sokken aanheeft in zijn wintersneakers.

'Trek je jas uit,' zeg ik. Hij draagt dezelfde donkergrijze duffelse jas, een kledingstuk dat eigenlijk te jeugdig en te studentikoos is, en dat tegelijkertijd voor hem gemaakt lijkt te zijn.

Ik steek mijn hand uit en raak zijn pols aan. Die voelt warm en vertrouwd. Snel trek ik de jas uit zijn handen en leg die over een stoel.

'Wil je iets drinken?' vraag ik.

Hij schudt zijn hoofd, begint dan toch een gesprek. 'Dacht je dat ik niet meer terug zou komen?'

Ik zet een glas water voor hem neer en ga tegenover hem zitten, net als de vorige keer. 'Ja.'

Hij zwijgt.

'Ik ben boos omdat jij zegt dat je terugkomt en dat je dan niet komt.'

De engel trekt een wenkbrauw op.

'Oké. Ik ben boos omdat je zegt dat je een engel bent. Engelen bestaan niet. Dus jij liegt en als je liegt kan ik je niet vertrouwen.' Ik aarzel. 'Terwijl ik je juist wel zou willen vertrouwen.'

'Je kúnt mij vertrouwen,' zegt hij. 'Ik heb toch gezegd dat ik terug zou komen? Nu ben ik terug. Zo heb ik ook gezegd dat ik je zou beschermen, en dat ik een engel ben.'

'Dat is geen bewijs, dat je terug bent. Iedereen kan terugkomen, daar hoef je geen engel voor te zijn.'

Hij haalt zijn schouders op. 'Terugkomen is nog niet zo makkelijk.'

Ik houd aan: 'Hoe weet ik of je echt een engel bent? Je ziet er niet uit als een engel, je gedraagt je niet als een engel.'

'Hoe ziet een engel er dan uit, hoe gedraagt een engel zich?'

Ik laat me niet van mijn stuk brengen. 'Dat weet ik niet, maar in ieder geval niet zoals jij. Jij ziet eruit als een mens, je praat als een mens, je beweegt als een mens – hoe weet ik of je in werkelijkheid niet toch een mens bent?'

De engel zucht en gaat met zijn wijsvinger over de rand van het waterglas, dat tot mijn verbazing met een zoemend geluid reageert.

Hij ziet mijn blik. 'Een trucje.' Dan zegt hij: 'Ik kan niets bewijzen. Ik doe geen wonderen, weet je. Het is heel simpel, ik ben gewoon wie ik ben. Nu ik hier ben, woon ik in dit lichaam, als ik ergens anders ben, heb ik misschien een ander lichaam. Maar de essentie verandert nooit. Ik ben een engel. Dat moet je gewoon geloven. En als je het niet gelooft...'

Ik wacht, maar hij gaat niet verder. 'Wat dan, als ik niet geloof dat je een engel bent? Ga je dan weg, los je op in rook?'

'Nee, ik ga nog niet weg, dit is mijn opdracht. Maar...' Hij zwijgt.

'Opdracht? Wat voor opdracht? Van wie?'

Hij negeert mijn vraag. 'Maar als je me niet gelooft, blijf ik een vreemdeling.'

Daar zit ik dan, met een engel aan mijn tafel. Dorothee is naar haar werk gegaan, ik hoorde haar in de gang. Niemand in huis dan wij tweeën.

Ik denk aan de engelen die ik ken – de engelenschare bij Bethlehem, lovenden en prijzenden, Michaël, engel met een zwaard, Rafaël, genezer. Gabriël, die bij Maria langskwam en die al wist dat zij zwanger was voordat zij dat zelf wist.

De geheime engel van Tobias. Glazen engelen met veertjes in plaats van vleugels die in de kerstboom hingen toen ik jong was, mollige barokengeltjes in Oostenrijkse kerken en een treurende victoriaanse engel bij een Londens grafmonument. De engel met de Mona Lisa-glimlach in het portaal van de kathedraal van Reims. Nicholas Cage in *City of Angels*, somber en in het zwart gekleed, een depressieve engel. De sensuele engel in marmer die een sterfelijke vrouw kust op de ansichtkaart die ik vroeger boven mijn bed had hangen, alle naamloze engelen op schilderslinnen, papier, porselein, aardewerk, goud, plastic, glas – hoe langer ik erover nadenk, hoe meer ik me er herinner. Engelen zijn overal.

En altijd lijken ze precies op mensen, mensen met vleugels.

De engel die – ademend, met kloppend hart, met warme huid – nu tegenover me zit, is precies zo'n mens. Zonder vleugels.

Ik snap het niet.

Hij neemt me in zich op. Hoe weet ik of hij op dit moment niet meeluistert met mijn gedachten, me tot in het allerverste, zelfs door mijzelf nooit geziene plekje van mijn ziel bekijkt – ik krijg kippenvel. Bij onze eerste ontmoeting heb ik verzuimd om bang te zijn – maar nu zie ik de angst vanuit de verte aankomen: heftig, meer dan levensgroot, almachtig. Als een vloedgolf rolt hij over me heen.

'Wat zie je?' zeg ik schor.

'Wat bedoel je?' vraagt hij.

'Ik ben bang.'

'Aah. Wat kan ik zeggen? Geef het een kans – dan zul je vanzelf zien dat er geen reden is om bang te zijn.' Hij strekt zijn hand over de tafel naar mij uit, maar raakt me niet aan.

Het zweet breekt me uit.

'Kijk me aan,' zegt hij zacht.

Ik kan mijn blik niet losrukken van zijn hand. De huid lichtgekleurd, tussen olijfbruin en goudbruin in. Korte nagels.

'Kijk me aan.'

Ik laat mijn ogen langzaam omhooggaan, van zijn arm, zijn borst, zijn hals, zijn kin, zijn mond, naar zijn ogen. Ik zie iets dat ik al lang zoek, iets dat zich misschien het beste laat benoemen als tederheid.

'Ik zal je geen kwaad doen,' zegt hij.

Ik zucht en merk dat ik al die tijd mijn schouders krampachtig heb opgetrokken. Langzaam ontspan ik mijn spieren. 'Goed,' zeg ik. Zonder erover na te denken, reik ik naar zijn uitgestrekte hand. Ik ben te laat, hij leunt weer achterover in zijn stoel.

We blijven elkaar zwijgend aankijken, alsof we elkaar nu pas voor het eerst echt goed zien.

Dan schraap ik mijn keel. 'Ik heb geen ervaring met engelen. Wat doen we nu? Wil je misschien toch iets eten of drinken?'

Hij lacht zachtjes, een ronde, prettige lach. 'Ik ben een engel. Ik heb geen voedsel en geen drank nodig om te kunnen bestaan.'

'Wat ongemakkelijk,' zeg ik, maar vind dat vasten van hem tegelijk ook passend. Met hem moet het anders zijn.

'Het is niet onmogelijk voor mijn lichaam om eten of drinken te accepteren. Kleine beetjes kunnen, af en toe – als jij je daar prettiger bij voelt.'

'Oké. Dat helpt. Dan maak ik een kopje thee voor je, is dat goed?'

Ik ben een beetje raar in mijn hoofd, alsof ik in een onscherpe foto zit. Ik probeer me te richten op hoe het was voordat ik de engel ontvoerde. Het lukt me niet, die tijd is onzichtbaar.

Op dat moment gaat de bel – iemand houdt zijn vinger er veel langer tegenaan geduwd dan noodzakelijk is. Ik schiet overeind.

Op de veranda staan drie kleine monsters: een draak met rode ogen en groene schubben over zijn hele lijf, daarnaast een zwart gedrochtje met rode oren en enorm grote paarse mond, en achter hem een zwarte heks met hoge puntmuts en een pukkel op haar neus.

Ik deins achteruit, zo onverwacht is hun verschijning bij mijn huis. De monstertjes springen op en neer en krijsen: '*Trick or treat! Trick or treat!*'

Mijn Engels hapert, ik vind de juiste woorden niet om hun te antwoorden. Er komt iemand achter me staan.

'Alsjeblieft, dit is voor jullie. *Happy Halloween.*' De engel geeft de verklede kinderen ieder een appel. Wonderlijk genoeg zijn ze tevreden met zo'n weinig spectaculaire traktatie. Ze bedanken in koor en rennen het trapje af, de straat op.

'Dank je,' zeg ik. 'Je hebt zojuist mijn leven gered. Ik was helemaal vergeten dat het Halloween is.'

Samen zoeken we in de keukenkastjes naar zoetigheden die als zoenoffer voor de kleine spoken kunnen dienen. Er zijn geen appels meer, maar ik vind een zak Engelse drop die ik bij mijn vertrek op het laatste moment in mijn koffer heb gestopt en waar ik nooit meer naar heb omgekeken. De engel diept ergens nog een pak chocoladekoekjes en een doos citroenzuurtjes op.

De rest van de avond worden we bezocht door een hele stoet spoken, toverkollen en monsters. Hun ouders, die verderop in de straat de situatie in de gaten houden, hebben blijkbaar stuk voor stuk besloten om hun zoon of dochter in een onrustbarend kwaadaardig kostuum te hullen.

'Te veel duisternis,' mompel ik nadat ik de laatste citroenzuurtjes in de uitgestrekte handen van een skelet met hoorntjes heb gelegd. Het zit me dwars dat ik geen enkel prinsesje, geen ridder, geen indiaan heb gezien. Al die ouders en hun kinderen die zich zo aangetrokken voelen tot de zwarte krachten.

'Zo werkt het nu eenmaal,' zegt de engel. 'Wie bang is voor het kwaad, probeert dat met kwaad te bestrijden. Voor mensen is dat een natuurlijke reactie. De kostuums van die kinderen horen daar ook bij. En dat terwijl het zo simpel is. De wereld is een weegschaal. Ooit was die in balans, maar nu is dat evenwicht allang zoek. Op het moment dat je kwaad toevoegt aan het kwaad dat er al is, slaat de balans door.'

'Ik wist niet dat engelen idealisten waren,' zeg ik terwijl ik een snee brood op een bordje leg.

'Ik ben geen idealist,' zegt de engel. 'Ik wil de wereld niet beter of slechter maken, ik observeer alleen maar. De wereld is zoals hij is.'

'Bullshit!' roep ik. Zo onthecht kan niemand zijn.

Hij werpt me een moeilijk te interpreteren blik toe en gaat verder: 'Ik heb er geen oordeel over. Mijn taak is heel simpel: ik bescherm jou op dit punt in je leven. En of jij een idealist bent of een realist, dat maakt niets uit voor wat ik doe.'

Ik heb zin om hem te jennen. Uit zijn tent te lokken. 'Dus jij kijkt vanuit de hemel op de wereld neer. Hoe ziet het er daarboven uit?'

Hij glimlacht. 'Jullie mensen zijn zo gefixeerd op de hemel. Eeuwige liefde en eeuwige rijkdom, en nooit meer honger. Wie heeft dat toch ooit bedacht? De hemel – geen idee wat dat is en hoe het eruitziet. Voor mij is er alleen een andere wereld die parallel loopt aan deze wereld. Daar is mijn oorsprong, en ik kan heen en weer gaan tussen allebei.'

Ondanks mijn scepsis ben ik gefascineerd. 'Kun je zelf kiezen waar je wilt zijn?'

Hij antwoordt langzaam: 'Ja, natuurlijk. Maar –'

'Maar wat?'

'Uiteindelijk moet ik altijd weer terug. Dat zijn de regels.'

Ik herinner me een sprookje over een betoverde vrouw die 's nachts mens is maar bij het krieken van de dag een diergedaante aanneemt. Als haar menselijke echtgenoot haar dat op een ochtend verhindert, verdwijnt ze voorgoed.

Ik heb geen trek meer.

Later zitten de engel en ik tegenover elkaar op de bank, allebei met onze rug tegen een zijleuning en met onze voeten opgetrokken op de zitting.

Als ik me beweeg, raakt mijn enkel de zijne. Ik ben rillerig van vermoeidheid.

Buiten is het stil, alle kinderen zijn naar huis.

'Het zit me dwars dat je geen naam hebt,' zeg ik.

'Iedereen mag mij noemen zoals hij wil,' zegt hij.

Hij strekt zijn benen, zijn voet rust tegen de zijkant van mijn knie. Zijn warmte voel ik dwars door de stugge stof van mijn spijkerbroek heen. Ik zit heel stil.

'Misschien heb ik geen naam omdat ik niemand ben – ben ik een blanco doek waarop iedereen die ik bescherm projecteert wat hij in mij ziet.'

'Nee!' Ik schreeuw het bijna. 'Je bestaat, je bent hier, nu, in deze kamer. Je zit hier met mij op de bank, we praten. Je bént iemand. Ik voel je vlak bij me –'

Zijn groene ogen flitsen als die van een kat. Hij trekt zijn knieën op.

'Ik moet weg,' zegt hij.

'Hoezo? Heb ik iets verkeerds gezegd?' Ik vouw mijn benen onder me.

'Nee, natuurlijk niet.' Hij zet zijn voeten op de vloer en trekt haastig zijn schoenen aan. 'Ik moet gewoon weg. Het is tijd.'

'Zijn dat de regels?'

Hij geeft geen antwoord en loopt naar de deur.

'Hé, vergeet je jas niet!' Zijn duffel ligt nog in de keuken. 'Kom je later terug?'

Hij is al weg.

Waarmee je moed uit zijn donkere hol trekt

Het is een ouderwetse, smalle ladekast, die ongeveer tot aan mijn borstbeen reikt. De kast staat naast een raam dat uitkijkt op zee, met een wilde branding die tot vlak bij de fundamenten van het huis lijkt te komen. Witte gordijnen wapperen in de wind.

Ik trek een van de lades open en zie dat er een vrouw in ligt, opgevouwen tot een klein pakketje. Haar lange haar raakt los en stroomt van de la naar de grond.

Ik zie haar ademhaling, ze leeft. Ze zegt niets.

Omdat ik niet weet wat te doen, schuif ik de la maar weer dicht.

De kast staat stil naast het raam, aan niets is te zien dat daar een vrouw in woont. Voor wie goed kijkt, is er één enkele aanwijzing: een blonde lok die is ontsnapt en over de rand van de lade naar buiten krult.

Iemand roept mijn naam. Ik sta in een lege ruimte vlak bij de zee, ik weet dat ik droom. Mijn naam – in de verte – dichterbij. Ik schiet overeind en spring mijn bed uit.

Dorothee staat op de deur te kloppen. 'Weet je wel hoe laat het is?' roept ze.

'Nee.' Ik veeg langs mijn ogen en haal een hand door mijn warrige haar. Ik zie er vast uit als een verkreukelde papieren zak.

'Moet je niet naar je werk? Je hebt je verslapen, het is half-tien!' Ze duwt de deur verder open en komt de kamer in.

'Ik ga niet werken vandaag. En jij, moet jij niet uitslapen?'

Dorothee staat al in de keuken en vult de ketel. 'Koffie?'

Goed, ik heb dus ochtendvisite. 'Ik ga eerst douchen,' zeg ik.

Later, aan tafel met een extra grote beker koffie met warme melk, ben ik weer aanspreekbaar, maar niet goedgehumeurd. 'Waarom ben je hier?' wil ik weten.

'Ik ben nieuwsgierig,' zegt ze, beide handen warmend aan haar beker. 'Wat is het hier koud. Kan de kachel wat hoger?'

'Ga je gang,' gebaar ik.

'Waarom ga je vandaag niet naar de universiteit?' zegt ze terwijl ze aan de thermostaat draait. 'Ben je ziek? Er heerst iets, een naar virus.'

'Mmm. Nee. Ik ben niet ziek.'

'Dan is het zeker laat geworden, gisteravond. Was het gezellig met je *amant*?'

'Wat bedoel je?'

'Xenia zei dat je een heel knappe man op bezoek had. Ze zag hem toen hij op de veranda zat te wachten tot je thuiskwam. *Chérie*, ik ben blij voor je. Is hij blijven slapen?'

'Wat?' De woede die al ligt te loeren sinds Dorothee me veel te vroeg uit mijn slaap heeft gehaald, schiet nu grommend naar voren. 'Daar heb je helemaal niets mee te maken!' Ik geloof dat ik zelfs mijn tanden ontbloot. Dorothee knippert niet eens met haar ogen. De golf razende energie stort weer in elkaar. Ik begin te huilen.

Dorothee haalt een zakdoek uit een van de zakken van haar lila vleermuisvest. Ze maakt troostende geluidjes, als tegen een klein meisje.

'Hij is weg.' Dat is het ergste: dat hij niet meer hier is – en dat ik het niet te negeren gevoel heb dat ik iets verkeerds heb gedaan.

Ze slaat haar arm om me heen en dept mijn tranen. '*Tiens*. Zo zijn mannen nu eenmaal.'

'Mag ik je aanraken?' had ik gevraagd.

De engel had geaarzeld. 'Eigenlijk raak ik jóú aan, zo gaat het altijd.'

'Zijn daar dan regels voor?'

'Ja, er zijn altijd regels.' Een strenge trek om zijn mond.

'Toch wil ik graag voelen – jóú voelen.'

De hele situatie had me een beetje dronken gemaakt: de nacht die door de ramen naar binnen vloeide, de stoet verklede demonen die eerder op de avond naar mijn veranda was opgetrokken, en de aanwezigheid van een man in mijn huis – een huis waar nooit een man kwam. Ik was roekeloos geworden.

De kaakspieren van de engel waren gespannen. 'Ik heb de regels nog nooit gebroken.'

Ik had gewacht. Hij had me niet aangekeken. De tijd was voorbijgegaan, seconden of minuten. Ten slotte had hij gezegd, met een blik recht in mijn ogen: 'Het lijkt maar een kleine overtreding.'

Zonder iets te zeggen had ik zijn hand gepakt.

Er hangt sneeuw in de lucht – een bizarre uitdrukking die suggereert dat er ergens, in de hoogste en koudste luchtlagen, bergen sneeuwvlokken liggen te wachten totdat iemand of iets ze uitstrooit over de aarde. Een uitdrukking die bij mijn moeder hoorde, vroeger. Ik veeg de herinnering weg. De hemel is grijs met een onderliggende roze gloed, alsof de dageraad aan de andere kant van de aarde zich in deze wolken, op dit moment weerspiegelt.

Ik besluit niet aan de engel te denken en deze dag iets goeds te doen voor de wereld. De indiaan zal mijn gezelschap misschien waarderen.

In Church Street zijn de laatste sporen van de omgehakte bomen weggewerkt. Elke stronk is bedekt met een laag vers gestort beton, wie niet weet dat hier vroeger rijen eiken hebben gestaan, zal dat ook nooit meer weten. Het lijkt alsof de autoriteiten het risico niet willen nemen van de ongetemde vitaliteit van de bomen, dat hun wortels voedsel uit de bodem blijven zuigen, dat het leven zich via de overgebleven resten weer naar buiten dringt, dat ze uitdagend verder groeien. Zo'n kracht is iets angstigs, daar moet een deksel op.

De wapenwinkel is zonder een enkele klant en zonder indiaan. Het is best mogelijk dat Craig White al naar het reservaat is vertrokken. Ik bel aan.

Hij komt uit het donker achter in de winkel. 'Daar ben je weer,' zegt hij. Zijn stem klinkt ouder dan ik me herinner. 'Heb je aan één pistool niet genoeg?'

'Nee,' zeg ik en stap naar binnen. 'Geen wapens meer. Ik kom voor jou. Misschien kan ik je helpen – ik wil iets terugdoen.' Medelijden is ongewenst, dat voel ik wel. De beste strategie is die van voor wat hoort wat.

De indiaan staat midden in de winkel en houdt de punt van zijn vlecht tussen de duim en wijsvinger van zijn rechterhand. Na een ogenblik zwijgen, knikt hij. '*All right*, ik aanvaard je hulp.'

Ik informeer wat hij nodig heeft, en daar aarzelt hij. 'Vraag maar,' zeg ik. Hopelijk klink ik niet neerbuigend.

Het blijkt dat zijn keuken allang niet meer is schoongemaakt. 'Ik heb geen kracht meer in mijn handen,' zegt hij op harde, veroordelende toon. Die toon negeer ik en ik ga aan de slag.

Keuken is een groot woord voor het hok achter de winkel waar hij kookt en eet. Er staat een kookplaat op een ladekastje en op een scheve plank naast de enorme olijfgroene koelkast zie ik een minioven. Een open rek herbergt een stapeltje borden en drie pannen en op een kleine vierkante tafel wacht de vuile vaat van zeker een paar dagen.

Overal spinrag en een vettige aanslag – hier is eer aan te behalen, zelfs voor iemand die van nature weinig talent voor het huishouden heeft.

Craig White kijkt vanuit de deuropening toe terwijl ik een emmer met zeepsop vul. Ik kan hem moeilijk uit zijn eigen keuken wegsturen, maar hij voelt dat hij overbodig is en sloft naar de winkel.

Schoon, schoon, schoon – het wordt een toverspreuk die ik steeds herhaal. Een woord dat prachtig is van kaalheid. Door schoon te maken kom je in de buurt van schoonheid, besef ik met de schuurspons en de dweil in mijn handen. Ik werk zo geconcentreerd dat ik het besef van tijd kwijtraak. Naarmate het waas van vet en vuil zich oplost, wordt mijn hoofd steeds leger en kalmer.

'Wil je iets eten?' Craig White komt binnen. Hij zegt niets over de metamorfose die de ruimte heeft ondergaan.

'Ik maak zelf wel iets klaar – wil jij ook iets?' Ik veeg het zweet van mijn voorhoofd. Door het raam zie ik dat de lichtval is veranderd. Het sneeuwt zachtjes, met vlokken zo klein als gestolde motregen.

'Nee. Ik maak het eten.' Tegenspraak is niet mogelijk.

Ik ga aan de tafel zitten. 'Oké.' Er staan eieren in de koelkast, heb ik gezien. 'Ik lust wel een omelet.'

Terwijl de indiaan de eieren breekt en de inhoud in een kom laat lopen, mompelt hij: 'Ik kan zelf ook nog wel iets, zie je.'

De lunch smaakt me beter dan ik had verwacht: opgewarmd maisbrood uit de vriezer, een omelet met gesnipperde rode peper en een grote pot saliethee. 'Je kookt goed,' zeg ik.

'Mmm.' Hij houdt zijn blik op zijn bord gericht. 'Ik heb geleerd om voor mezelf te zorgen.' Als hij zijn omelet opheeft leunt hij achterover. Een indringende, donkere blik. 'Hoe is het met die vent die je had opgepikt? Is hij nog teruggekomen?'

De opluchting tilt mijn middenrif een stukje omhoog. Ik leef mijn leven niet meer in eenzaamheid, er zijn mensen die iets over me weten. 'Hij is teruggekomen,' zeg ik met volle mond. Ik slik mijn maisbrood door. 'Maar hij is ook weer weggegaan.'

'Ah,' zegt de indiaan. 'Als hij één keer is teruggekomen, dan komt hij wel opnieuw terug. *For sure*. Wees maar niet bang.'

'Ik ben niet bang,' zeg ik, en op dat moment is dat ook zo.

Als ik bezig ben met de vaat, vraag ik wanneer hij teruggaat naar zijn familie in North Dakota.

'Ik weet het niet.' Hij zwijgt even. 'Ik wil nog niet weg. Vreemd genoeg heb ik het idee dat ik eerst examen moet doen, en dat ik geen kans maak om te slagen. Alles is vergeten, er zijn alleen nog fragmenten.' Hij wijst naar het overgebleven stuk maisbrood dat op de snijplank ligt.

'Ik weet dat we dat vroeger aten, met stukken gedroogd vlees erbij. En ik weet dat ik het recept nog moet kennen, ik heb zo vaak gezien hoe mijn moeder en mijn tantes dat brood maakten. Maar toen ik op een keer zo smachtte naar mais-brood dat ik het zelf wilde gaan bakken, had ik geen idee. Ik heb het recept van internet.'

Stel dat er van alle belangrijke gebeurtenissen in het leven niet méér overblijft dan een platte zwart-wittekening met de con-touren van wat je hebt meegemaakt. En stel dat je, omdat je la-ter toch wilt weten hoe het was, die tekening in gaat kleuren – dat je gokt welke kleuren de goede zijn, dat je dingen toevoegt, zaken weggumt. En dat er als je klaar bent, een onduidelijke, slordig ingevulde kleurplaat aan de muur hangt.

Wat is dan de waarde van wat er in je leven gebeurt? Als je de intensiteit ervan nooit meer kunt reproduceren, niet kunt bewaren – waarom zou je dan nog iets uitzonderlijks mee wil-len maken?

Terwijl ik voor een voetgangerslicht wacht tot de karavaan van auto's stopt, verlang ik plotseling naar bomen en struiken en de geur van aarde. Een omweg door het park in de buurt van mijn huis – mijn lievelingspark met grote kastanjes en beu-ken die ouder zijn dan de meeste gebouwen in de stad, en als je onder die bomen vandaan loopt, de lichtheid van een weids grasveld.

Hoewel het pas middag is, neemt het licht al af. De zachte sneeuw van eerder die dag komt aarzelend weer op gang. Een grijs eekhoorntje rent voor mijn voeten weg – ik vraag me af of hij niet moet gaan winterslapen. Ik volg het geluid van mijn voetstappen op het grind. Aan sommige kiezels kleven een paar minieme vlokjes, andere zijn nog sneeuwloos. In de verte ruist het verkeer.

Bij een hoge, kaarsrechte spar blijf ik staan. Een fiere boom. Ik moet aan mijn moeder denken en lach om die associatie.

Bestaat er eigenlijk een goed Engels equivalent voor 'fier'? 'Proud' is een slap aftreksel, een allemansvriendje, terwijl 'fier' een temperamentvolle majesteit of een flamencodanseres beschrijft.

Nooit opgeven, dat was haar mantra. Ik word nog steeds moe bij de gedachte. Nooit, nooit, nooit. Carina en ik hadden vol bewondering toegekeken.

Het is Allerheiligen, zou er iemand naar haar graf gaan? Waarschijnlijk niet. Sheila zou dat zelf sentimentele onzin hebben gevonden en mijn zus en mijn vader zijn na de begrafenis vast nooit meer op de begraafplaats geweest.

Nooit opgeven, niet vluchten. Ik zie haar voor me zoals ze op de foto stond die ik lang bij mijn bed heb gehad. Een spottend glimlachje, lange benen, een rug zo recht als die van een balletdanseres.

Alle dingen gaan voorbij, een troost en een vloek tegelijk. Uiteindelijk geldt dat voor alles – ook voor dit moment, en het volgende moment.

Als ik mijn straat in loop, komt een vrouw met een hond op mij af. 'Dag buurvrouw,' zegt ze.

Ik heb haar nog nooit eerder gezien.

'Ik woon een paar huizen verderop.' Ze steekt haar hand uit. 'Gina Rissini.' Ze heeft een mediterraan uiterlijk, zwart, nonchalant opgestoken haar dat haar op Sophia Loren doet lijken. Een elegante grijze omslagdoek, knalrode lippenstift en een leren jasje in bijpassend rood – ze ziet eruit als een filmster. Of als maffia, denk ik, en schaam me. Haar golden retriever begint te blaffen. 'Koest,' zegt ze bits. De hond zwijgt.

'Heb je het al gehoord?'

Ik heb geen idee, net als vroeger, toen ik het meest naïeve meisje van de klas was.

'Die serieverkrachter heeft weer toegeslagen – in deze wijk. Een vrouw die 's avonds alleen naar huis liep. En het was nog helemaal niet laat. Een uur of negen. Wat is er toch met dit land? Dat je niet eens meer veilig bent in je eigen buurt!'

'O, wat erg.' Ik begrijp niet goed waarom we die gebeurtenis midden op straat moeten bespreken.

'Hier in deze wijk,' herhaalt ze. 'We moeten iets doen!'

'Maar ik zou niet weten wat we kunnen doen,' werp ik tegen, 'dit is toch zeker een zaak voor de politie.'

'Die hebben geen tijd. Ze hebben het te druk met terroristen vangen.' Het woord 'terroristen' is nooit met meer minachting uitgesproken. 'We moeten ons als wijkbewoners verenigen, een buurtwacht vormen. We moeten in de straten patrouilleren. We moeten zelf voor onze veiligheid zorgen.' Ze pakt me bij mijn arm, ik kan mezelf er maar net van weerhouden om die weg te trekken. 'Overmorgen is de oprichtingsvergadering, bij mij thuis.' Ze noemt het adres. 'Kom je ook?'

Ik krijg het benauwd van haar opgewonden toon. 'Ik zal erover nadenken,' zeg ik snel, waarop ze mijn arm loslaat. 'Ik heb het erg druk.'

Ze doet een stap opzij.

'Ik denk er echt over,' zeg ik.

Bij het trapje van de veranda word ik bijna omvergelopen door Xenia, die met wapperend zwart gewaad de deur uit stormt. Haar oogmake-up is in zwarte poelen uitgelopen op haar wangen. 'Hé,' roep ik, 'gaat het wel goed met je?'

Zonder omkijken rent ze de straat op. Ze heeft geen jas aan.

Het hele huis stinkt naar roet en rook. Ik duw mijn deur open en hol door het appartement. Er is vast een zekering doorgebrand, of ik heb vanochtend het fornuis aangelaten, of mijn collectie boeken is zomaar in vlammen opgegaan. Je verdiende loon, jengelt het, je verdiende loon.

Nergens is een vonkje vuur te bekennen, terwijl de brandlucht toch onmiskenbaar is.

'Dorothee!' roep ik terwijl ik met twee treden tegelijk de trap op ren. Ook hier geen vlammenzee, maar wel een waas van rook dat alle kleur uit de kamers wegzuigt.

In de keuken zit Dorothee op een krukje naast haar fornuis. Overal ligt papier, een menigte zwartgeblakerde snippers. Op de kookplaat, op het aanrecht, op de vloer, op de tafel.

'De rookmelder ging af,' zegt ze. 'Ik moest op een stoel klimmen om hem uit te krijgen.'

'Wat is er gebeurd?'

'Xenia,' zegt ze vermoeid. 'Ze heeft geprobeerd om al mijn foto's en brieven in de oven te verbranden.'

Het zal nog dagen duren voordat de brandlucht uit het huis verdwenen is.

'Waarom is Xenia steeds bij je?'

Dorothee maakt een ontbijt van yoghurt met muesli voor me klaar en snippert er een appel door. 'Je moet beter voor jezelf zorgen,' zegt ze.

Ik trek mijn wenkbrauwen op. Hoewel de brandlucht nog als een vage herinnering om ons heen hangt, spreken we niet meer over de verbrande foto's. Het is alsof Xenia's boosaardige actie nooit heeft plaatsgehad.

'Ze heeft het moeilijk op de universiteit,' antwoordt Dorothee. 'Ik denk dat ze heimwee heeft, dat ze zich eenzaam voelt – ze wil er niet over praten. Ze zegt alleen dat ze nu een paar dagen hier blijft en dat ze na het weekend teruggaat.'

Dorothee druppelt nog wat honing uit de *honey bear* over mijn yoghurt. 'Ze eet niet,' zegt ze.

'Wat?'

'Ze eet niet. Niets van wat ik voor haar klaarmaak, nog geen hapje brood. Misschien is het een manier om mij te straffen. Als ze in Indiana net zo weinig voedingsstoffen binnenkrijgt, dan weet ik werkelijk niet hoe ze erin slaagt in leven te blijven.'

'Ze is erg mager,' zeg ik voorzichtig. Dorothee zet de kom yoghurt voor mijn neus.

'*Eat*,' beveelt ze. Ik durf niet te weigeren.

'Waarom wil ze je straffen?'

'O.' Dorothee zucht en steekt afwezig een stukje appel in haar mond. 'Om alles. Omdat ik een slechte moeder ben. Omdat ik haar vader niet bij me heb kunnen houden. Omdat ik een vreemdeling ben. Omdat ik kook en een kookboek schrijf.' Dorothee heft haar vinger. 'Omdat ik niet wil dat ze uitgaat, in clubs rondhangt – tenminste, niet als ze hier is.'

Ik kijk haar verbaasd aan. 'Waarom niet?'

'Nou, dat is toch logisch? Die serieverkrachter natuurlijk. Ik laat mijn dochter echt niet 's avonds laat over straat gaan terwijl die psychopaat vrij rondloopt.'

'Ze is toch niet alleen, haar vrienden zijn erbij! Hoe groot is de kans dat er iets gebeurt? En bovendien gaat ze in Indiana toch ook haar gang zonder dat jij daar iets vanaf weet.'

'*Exacte*,' zegt Dorothee. 'Dat zeg je goed: daar heb ik geen weet van. En dat maakt al het verschil. Als ik kan doen alsof ze veilig is, simpelweg omdat ze niet in mijn huis woont, dan is dat heel iets anders dan wanneer ik de hele nacht totaal verzenuwd wakker lig tot ik eindelijk de auto hoor die haar thuisbrengt, terwijl ik me ondertussen steeds afvraag wat ik moet doen als die auto nooit komt en als 's ochtends blijkt dat ik geen dochter meer heb. Soms is het beter om je geliefden niet in de buurt te hebben. Aanwezigheid betekent weten, en weten betekent angst.'

Ik wil zeggen dat je het als moeder toch nooit goed doet. Maar wat weet ik daarvan?

Ik eet mijn muesli. We zwijgen.

'Hoe is het met je boek?' vraag ik ten slotte.

Dorothee woelt door haar haar, zodat het alle kanten op

staat. 'Ja. Mijn boek. De uitgevers willen het niet. Terwijl het *wonderful* is, met fabuleuze recepten. Xenia heeft gelijk – het is te Arabisch. Ik heb gisteren besloten om haar advies op te volgen – ik ga het herschrijven. Meer Pippi Langkous, meer gerookte vis en meer houten huizen in berkenbossen.'

'Zou je terug willen?'

'Ha!' Dorothee lacht uitbundig. 'Naar Zweden? Nooit!'

'Nooit? Terwijl dat het land is waar je bent opgegroeid.'

'*Exacte*, dat zeg je goed. Zweden is het land van mijn jeugd. Die periode is passé, ik ben nu een vrouw, ik identificeer me niet meer met de vreugdes van mijn kindertijd.'

Ze staat op. 'Kom, we gaan naar buiten – er is vannacht zoveel sneeuw gevallen dat we een sneeuwengel kunnen maken.'

'Een sneeuwengel?' Daar heb ik echt geen zin in.

'Een van de vreugdes van Amerikaanse kinderen. Kom, we maken onze eigen Amerikaanse jeugd!' Ze rent naar de achtertuin, grist onderweg een van mijn dikke vesten van de kapstok.

'Hé, moet je geen laarzen aan?' Ik trek mijn jack aan en loop haar achterna.

Dorothee staat al in de sneeuw, haar enkels komen net boven de dikke laag uit. 'Wat een feest!' lacht ze. 'Kijk toch eens hoe *superbe* – een andere wereld, in een enkele nacht getransformeerd.'

Ze heeft gelijk. Het is een prachtig, wit feest in de tuin. De esdoorn draagt een bruidsjurk en de takken van de hulststruik hebben witte mutsjes.

'Ik zal je eens een mooie sneeuwengel laten zien.' Ze laat zich languit op haar rug vallen. Ik huiver bij al die kou. Doelbewust begint ze haar armen op en neer te bewegen, alsof ze vliegt.

Dan komt ze voorzichtig overeind. 'Kijk, daar is hij.'

Dorothees lichaam heeft een diepe afdruk in de verse sneeuw gemaakt – met twee brede vleugels aan weerskanten van de schouders.

Ik moet denken aan een engel die vanaf grote hoogte is neer-gestort, zich in de aarde heeft geboord.

De flyer is in kleur op glanzend papier gedrukt – geen goed-kope kopietjes uit de copyshop voor dit comité van verontruste burgers. Een teken van hun oprechte zorg, of van een rijke geldschieter. Het drukwerkje lag in mijn brievenbus toen ik thuiskwam, bovenop twee bruine enveloppen met de rekeningen voor het water en de elektriciteit. En de maandelijkse brief van mijn ex-geliefde.

Op de flyer staat in grote, rode letters NEIGHBORHOOD WATCH, dwars over de Amerikaanse vlag. Daaronder in het kort het probleem en de oplossing: een verkrachter die onze vroeger zo veilige stad bedreigt, en de burgerwacht die al het mogelijke gaat doen om de misdadiger op te pakken. Dit alles wordt afgesloten met de oproep lid te worden onder het motto *Proud to be American.*

Ik heb het idee dat het comité wat zaken door elkaar haalt, maar voel me toch vaag aangesproken. Ik zou naar de start-bijeenkomst moeten gaan, me aanmelden voor een patrouille-groepje. Leuk, urenlang in het donker en de kou over straat drentelen met een stel types met wie ik niets gemeen heb.

Carina vond me vroeger een snob. Alleen maar omdat ik me in de meeste boeken en films niet eens hoefde te verdiepen om te weten dat ze oppervlakkig en dom waren. Dat was voor haar juist een aanbeveling. 'Ik vind alles mooi,' zei ze om mij te jennen, 'als ik er maar niet te veel bij hoef na te denken.'

Ze zou me nu ook arrogant vinden.

Dan maar arrogant. En bovendien, ik bén niet trots om Amerikaans te zijn. Ik ben geen Amerikaanse en zal dat ook nooit worden – zelfs niet als ik een paspoort krijg en met de hand op mijn hart trouw zweer aan de vlag.

Ik zal hier nooit thuishoren, hoe goed ik me ook aanpas, aan hoeveel burgerwachten ik ook deelneem, langs hoeveel straten ik ook patrouilleer.

De brief van Bas heb ik nog niet opengemaakt. 'Vooruit,' zeg ik tegen mezelf. Ik kan immers wel raden wat de inhoud is. Met een mes snijd ik de envelop open. Als ik het vel briefpapier losvouw, staat daar precies wat er in al die andere brieven stond: 'Ik haat je'.

Ik moet toch even gaan zitten. Met een grote slok water verdrijf ik de bittere smaak in mijn mond.

Waarom ben ik niet eerder weggegaan – door zo lang te aarzelen heb ik zelf die enorme berg van brokken haat veroorzaakt. Elke keer als ik bleef terwijl ik had moeten vertrekken, was er weer een bitter, keihard stuk steen bij gekomen.

Met zoveel stenen kun je flink wat ruiten ingooien. Of erger.

Kathelijne werd wakker door de storm. Buiten gierde de wind, de ramen van de slaapkamer schudden in hun sponningen. De deur van de badkamer viel steeds met een harde tik dicht, om daarna weer opengeduwd te worden.

Toen ze naar bed ging was het nog zo rustig geweest. Ze had een vlucht ganzen gakgakkend langs horen komen, hoog boven de tuinen, op weg naar het zuiden.

Ze vroeg zich af of zulke vogels een schuilplek hadden of dat ze zich onbekommerd door de windvlagen voort lieten drijven.

Naast haar sliep Bas rustig door. Hij lag op zijn zij, met zijn gezicht naar haar toe. Zijn adem kwam met zachte, regelmatige pufjes. Het was zo donker dat ze alleen een grijze vorm zag op het kussen. Maar ze hoefde hem niet te zien om zijn gezicht en zijn lichaam op de binnenkant van haar oogleden te kunnen schetsen.

De wind deed een plotselinge aanval op het huis, dat onverstoorbaar bleef staan. Kathelijne voer samen met Bas op een zeilschip over onstuimige golven. De boot werd opgetild en viel weer neer.

Ze deed haar ogen dicht en luisterde naar zijn adem – hoe vertrouwd dat geluid was. Zoveel nachten samen in dat bed.

Als hij er af en toe niet was, kon ze moeilijk in slaap komen. Ze begon te tellen hoevéél nachten precies.

Beneden in de tuin viel er iets met een kletterend geluid om. De grote ijzeren gieter was van zijn plek gewaaid, besloot ze. Niets om bang voor te zijn.

Ze was de tel kwijt en begon opnieuw. Voordat ze de som af kon maken, viel ze weer in slaap.

Ik denk voortdurend aan de engel – als ik in de bibliotheek langs de boekenstellingen loop verwacht ik dat hij aan komt slenteren, terwijl hij nonchalant hier en daar een boekenrug een tikje geeft. Als ik 's avonds de vaat doe, of stil op de bank zit, dan wacht ik tot hij aanbelt. Als ik boodschappen doe in de Food Co-op of in de 24 uurssupermarkt en bedenk wat ik ga eten. Dat hij dan opeens achter me staat en mijn wagentje van me zou overneemt. Als ik een drukke straat oversteek. Als ik achter mijn computer zit. Als ik naar bed ga.

Stel dat hij echt een engel is – stel dat er een dimensie is die voor gewone mensenzintuigen gesloten is, waarin engelen bestaan. Dan is er een kans dat mij een extra zintuig is toebedeeld waardoor ik deze dimensie – en de engel – kan waarnemen.

Wat een onzinnig idee. Als dat waar zou zijn, zou ik nog veel meer engelen moeten zien, niet alleen die ene. Bovendien ben ik niet de enige – andere mensen hebben mijn engel ook opgemerkt, hebben zelfs met hem gesproken: het meisje in de koffiezaak, Owen, Xenia.

Ik ben niet uitverkoren.

Engelen zijn bedrog. De hemel is bedrog. God is bedrog. Er bestaat niets dan deze ene platte wereld.

De overbuurman slaat zijn vrouw door de kamer. Hij geeft haar de ene vuistslag na de andere, en hoewel ze wankelt, blijft ze op miraculeuze wijze op de been. Ik kijk naar een wajangspel, met poppen die pretenderen mensen te zijn maar daar niet helemaal in overtuigen.

Het is tijd om mijn rolgordijnen neer te laten, maar ik krijg mezelf niet in beweging. Ik moet weten hoe dit drama afloopt.

De man maakt dreigende gebaren. Tegenover de in elkaar gekrompen vrouw is hij enorm, een hulk.

'Sta op,' mompel ik. 'Dit laat je toch niet zomaar gebeuren? Je bent sterk genoeg. Sla terug!' Ze is nog zo jong – een meisje bijna. Ze durft niet op zichzelf te vertrouwen.

Het komt niet in me op om iets te doen – ik ren niet naar de overkant om te eisen dat dit stopt, ik bel niet eens de politie. Mijn blik is gefixeerd op het schouwspel. De vrouw wordt in een hoek gedreven en valt. Ik kan haar niet meer zien, en hij staat met zijn rug naar mij toe. Dan draait hij zich plotseling om en trekt de gordijnen dicht. Ik geloof niet dat hij mij heeft opgemerkt in mijn donkere huis.

Mijn onderarm jeukt hevig. In een reactie krab ik de huid kapot, zet mijn nagels in mijn eigen vlees.

Ordinary people. 's Ochtends gaat hij als eerste de deur uit – rond een uur of acht, in een dure donkerblauwe Ford. En daarna zij, in een groene, kleinere Ford, om halfnegen. 's Avonds komen ze in dezelfde volgorde weer thuis – altijd tussen halfzeven en halfacht. Onopvallende mensen, in keurige kleren, in een gewoon huis. Maar achter hun eigen voordeur, buiten bereik van de rest van de wereld, slaat de gekte toe.

What you see is what you get – dat gaat in dit geval niet op.

Als ik overeind kom om dan toch mijn rolgordijnen neer te laten, klopt mijn hart te snel.

Misschien heb ik gehallucineerd, misschien is er niets ernstigs aan de hand in dat huis, misschien komt de vrouw in verzet en stopt het geweld.

Keep on dreaming.

Kathelijne bestudeerde de gebruiksaanwijzing van het fototoestel. Ze had nog nooit een foto met de zelfontspanner gemaakt. Ze trok haar blouse en bh uit, stelde de camera in, zette hem op tafel en ging ertegenover zitten.

Tien tellen – klik.

Ze controleerde op het digitale schermpje de gemaakte foto en stelde het toestel opnieuw in. Een volgende foto, en nog een. En ten slotte nog een waar ook haar gezicht op stond.

Niet de meest flatteuze portretten, maar dat was niet van belang. Nu alleen nog laten afdrukken en dan de foto's zorgvuldig bewaren. Ooit zouden ze haar goed van pas komen.

'Jouw tijd komt nog,' fluisterde ze en bijna geloofde ze zichzelf.

Haar adem stokte toen ze haar blouse weer aantrok, zo gevoelig was de huid.

'Waarom heb je de politie niet gebeld?' zegt Dorothee als ik haar vertel over de mishandelde buurvrouw.

'Ik weet het niet.' Wat een onzin – ik weet het heel goed.

Door niet te handelen word je schuldig. Hoe boos ik ben geweest op mensen die niets deden, aan de kant toekeken, me in de steek lieten.

Dorothee heeft het recht om te oordelen – zij is niet betrokken, is nergens getuige van geweest. 'Goede mensen doen niet altijd het goede,' zegt ze. 'En slechte mensen doen niet altijd het slechte,' vervolgt ze dan met een glimlach. '*Vraiment*! Neem mij maar niet al te serieus. Ik ben er erg goed in om te doen alsof ik een orakel ben.'

Wat heb ik met de overbuurvrouw te maken? Die is waarschijnlijk veel te jong gaan samenwonen of getrouwd. Niet goed nagedacht en nu zit ze met een nare man. Ik wrijf in mijn ogen.

'Hoe weet je of iemand goed of slecht is?'

'Intuïtie,' zegt ze en strekt haar rug, wervel voor wervel, en vervolgens haar kuiten en voeten, tot aan haar tenen. Ze doet me denken aan een wellustige kat. Ik wilde dat ik ook zo'n onvoorwaardelijk vertrouwen in mijn lichaam had.

'Dan is jouw intuïtie beter dan de mijne,' zeg ik.

'Ach kom, dat geloof ik niet. Jij weet best of iemand te vertrouwen is of niet.' Ze kijkt me lachend aan. 'Je vertrouwt mij.'

'Ja, jíj.' Ik trek een gezicht. 'Bij jou is dat niet zo moeilijk. Maar hoewel ik nog nooit iemand heb ontmoet van wie ik absoluut wist dat hij echt slecht was, brengen sommige mensen me toch aan het twijfelen.'

'Wat voor mensen?'

Ik denk na. 'Mensen die iets schimmigs hebben, die zowel het een als het ander kunnen zijn.'

Dorothee komt naast me zitten. 'Nou, dat lijkt me nogal duidelijk: als je twijfelt, houd je je vertrouwen nog even bij je. Totdat je een bewijs hebt waarmee het slechte wordt uitgesloten.'

Ze gebaart met haar handen alsof ze ergens een uitroepteken achter zet. 'Iedereen heeft zowel het positieve als het negatieve in zich. Mensen die puur goed zijn, moeten wel engelen zijn, en die bestaan niet.' Ze zucht. 'Vertrouwen, dat is alles. Dan wint het goede vanzelf aan kracht.'

'En het kwaad dan, dat hoort er volgens jou toch ook bij?' vraag ik.

'*Sympathy for the devil* – natuurlijk hoort het kwaad erbij. Kijk maar naar die aanslagen. De duivel is onder ons, en in deze tijd neemt hij de gedaante aan van macht. Er zijn zo veel soorten macht – in oorlog, in de politiek, in het bedrijfsleven – maar net zo goed in liefdesrelaties. Dus, *chérie*,' zegt ze, 'het kwaad is overal, de wereld is ervan vergeven.'

'Ik zou in het goede willen geloven,' zeg ik alsof ik een bloemenkind uit de jaren zestig ben.

Dorothee lacht spottend. 'Bullshit! En jij wilde laatst een wapen kopen. Je lult maar wat, *madame*!'

Ik aarzel. Ze weet nog niet dat ik ook werkelijk een wapen heb aangeschaft.

Waarom zou ik het haar niet vertellen? Mijn damespistooltje, rustig opgeborgen in een la in mijn keuken.

Eerst was het een geheim tussen mij en Craig White.

Nu is het een geheim tussen mij en de engel.

Er is een geluid dat ik niet kan thuisbrengen. Geschuifel en ge-stommel alsof er iemand rondloopt die niet goed de weg weet. De vloer kraakt.

Ik kom langzaam overeind. De hoeken van de kamer zijn zo donker als de geheime nissen in een spookhuis, alleen de flakkerende waxinelichtjes op tafel geven wat licht. Misschien ben ik even weggedommeld op de bank, misschien heb ik uren geslapen. Hoe laat is het?

Opnieuw gekraak. Ik ben eraan gewend dat de houten vloer-delen zich laten gelden wanneer zij daar zin in hebben, maar dit klinkt anders. In het donker krijgt alle geluid een onheil-spellende ondertoon die het in het volle daglicht nooit heeft.

Er schuift iets over de grond. Een doffe bons.

Mijn hart komt op snelheid voor een wilde vlucht. Rustig, ik ben in mijn eigen huis. Hier kan me niets gebeuren.

Dan hoor ik het duidelijk: er loopt iemand rond. Ik denk aan het pistool dat buiten mijn bereik in de keukenla ligt. Dan denk ik helemaal niets meer. Ik spring op van de bank, ben in twee stappen in de gang en ren naar de keuken.

Daar zie ik een gedaante, schimmig, ik neem de tijd niet om goed te kijken. Schreeuw iets, ik weet niet wat, iets afschrik-wekkends, maak licht, lelijk licht uit de tl-buis boven het aan-recht, heerlijk licht.

Owen.

Dat kan niet.

Owen staat in mijn huis met zijn rug tegen de muur, voor het rekje met handdoeken en theedoeken naast de koelkast. Hij houdt zijn handen voor zich uit gestrekt, alsof hij zichzelf wil beschermen of mij wil smeken. Zijn mond is open en zijn gezicht is heel bleek. Het laatje van de keukentafel is aan zijn kant, daar kan ik niet bij.

'Wat de *fuck* doe jij hier?' schreeuw ik. 'Hoe haal je het in je gore hoofd om hier zomaar binnen te dringen!' Ik kijk wild om me heen en zie de deegroller die ik nooit gebruik aan een haakje boven het werkblad. Ik duik naar voren en grijp het ding.

'Niet doen!' roept hij, hoewel ik niets doe, alleen maar met de roller in mijn handen sta.

'Dit kan niet,' zeg ik, iets rustiger nu ik de overhand lijk te hebben, 'jij hebt hier niks te zoeken.' Als hij niet reageert, hef ik de deegroller. 'Zeg op, wat doe je hier!'

Hij opent zijn mond, gebaart naar de keukentafel. Dan zie ik pas dat daar een grote bos rode rozen ligt, verpakt in cellofaan met een roze lintje.

'Voor jou,' zegt hij ten slotte en slikt moeilijk. 'Ik ben gek op je. Ik wilde je iets geven, zodat je weet... De deur was open...'

Huilt hij?

'Ik haat rozen.' Ik bekijk hem zoals je een spin bekijkt. Als ik wil, kan ik hem in één klap vermorzelen.

'*Sit.*' Ik wijs naar de stoel die het verste bij mij vandaan staat.

Hij laat zich op de zitting zakken – langzaam, alsof hij ergens pijn heeft. Ik plaats mezelf tegenover hem, de deegroller in mijn hand. Onder zijn jas heeft hij een wit overhemd aan, smetteloos en kreukvrij. Op de vakgroep draagt hij altijd dezelfde verwassen, geruite houthakkershemden. Hij lijkt een kleine jongen zoals hij daar zit.

'Kijk me aan,' zeg ik. 'Ik wil weten wat er aan de hand is.'

Eerst schudt hij zijn hoofd, begint dan toch te praten. 'Ik ben gek op je,' zegt hij opnieuw. 'Al vanaf het begin. Ik wilde bij je zijn, maar jij duwde me steeds weg. Je was een ijskoningin, je tolereerde me – *that was all.*'

Ah – de ijskoningin: daar is ze weer.

'Ik wilde je zien, met je praten –'

'Heb jij mij achtervolgd?' onderbreek ik hem.

Hij aarzelt. 'Nou – achtervolgen is het woord niet –'

'Wat is het woord dan wel? Stalken?' De woede is niet verdwenen, helemaal niet.

Hij kucht. 'Ik wilde je gewoon zien.' Is dit de enige tekst die hij heeft?

'Jij mag naar me kijken als je me op het werk tegenkomt,

maar verder niet. Verder niet, hoor je! Als ik over straat loop, als ik in mijn huis ben – dan ben ik niet te bezichtigen. Je hebt het recht niet om me te beloeren.' De gedachte aan zijn blik die me volgt waar ik ga, op momenten dat ik me er totaal niet van bewust ben. Ik ben een leeuwin met de smaak van bloed al in mijn mond. 'Dat tolereer ik niet!'

Hij schuift zijn stoel een stukje naar achteren.

'Wanneer keek je?' Ik leun over de tafel zodat ik hem kan fixeren met mijn blik. 'Wanneer?'

Hij zucht. 'Zo vaak ik kon.'

'Hoe vaak?'

Hij moet wel antwoorden. *'Every day*, als je naar huis ging na het werk. En een paar avonden per week, hier in de straat. Soms in het weekend.'

Ik negeer de walging, concentreer me op de ijskoude kalmte in mijn borst. 'Ik wil dat je nu weggaat.'

Hij staat op.

'En ik wil dat je me verder met rust laat. Als je me nog een keer lastigvalt, ga ik naar Manning en dien ik een klacht in wegens seksuele intimidatie.' Het ergste wat een mannelijke docent kan overkomen, een stellig einde van zijn carrière.

'Oké.' Hij knikt. 'Oké. *I'm sorry*, echt, ik wilde je niet bang maken.'

Ik blijf nog een tijdje in het felle licht aan de keukentafel zitten. De rozen liggen voor me – onschuldige, vuurrode bloemen. Ik kan mezelf er niet toe brengen om ze in de vuilnisbak te gooien.

Volgens het klokje dat op de plank staat, is het negen uur, maar het lijkt ver na middernacht. Mijn voeten zijn rotsblokken, mijn hoofd een brok steen. Mijn bed is onbereikbaar ver weg. Alleen in die koude slaapkamer –

Uiteindelijk sta ik op en loop naar de huiskamer. Het is alsof ik me over spiegelglad ijs beweeg.

De gordijnen moeten dicht, er moet een lamp aan. Ik verstijf. De twee schemerlampen branden al. In de leunstoel bij het raam zit een man. Ik ben aan het hallucineren, een uitgestelde shock.

'Niet schrikken,' zegt de engel. 'Owen had gelijk, je deur stond open. Maar nu niet meer, hij heeft hem achter zich dichtgetrokken.'

Ik kan geen woord uitbrengen.

De engel staat op. 'Kom,' zegt hij, 'nu ben je toch geschrokken. Ga even zitten.' Hij legt zijn hand op mijn schouder en leidt me naar de bank. Ik ben zelf niet aanwezig, sta in een hoek van de kamer naar ons te kijken.

Hij duwt me zachtjes tussen de kussens. Dan komt hij naast me zitten. 'Zodra ik zag dat Owen je huis binnen drong, ben ik gekomen om je te helpen.'

Ik draai me abrupt naar hem toe. 'Waarom was je er dan niet, als je me zo graag wilde helpen?'

'Ik was er wel, hier in de kamer. Meer had je niet nodig – je hebt het heel goed gedaan.' Hij pakt mijn hand.

Onmogelijk om de tranen tegen te houden. 'Ik wil niet –' begin ik en weet niet wat ik niet wil.

'Sssh,' zegt de engel. Hij schuift dichter naar me toe en trekt me tegen zich aan. Ik weet niet wat ik voel. Ik huil alleen maar, zijn shirt wordt nat.

Pas later word ik me bewust van zijn armen, zijn borst, zijn kin tegen mijn hoofd. Hij voelt warm, net als een gewoon mens, en hij ruikt vaag naar gras en zon.

'De rozen,' zeg ik ten slotte, 'die kan ik toch niet zomaar weggooien.'

'Dat hoeft ook niet.'

Ik kan ze aan iemand anders geven, bedenk ik. Er komt een verontrustende gedachte bij me op. Ik heb hem niet gevraagd wat hij van plan was, met al dat gegluur. Wilde hij me kwaad doen?

De engel dempt de paniek. 'Hij is ongevaarlijk. Hij wilde je alleen maar bewonderen.'

Ik word wakker zonder te weten hoe ik in mijn bed terecht ben gekomen. De engel zei: 'Ik kan niet lang blijven', dat herinner ik me. Maar ik heb geen idee op welk moment hij is vertrokken. Heeft hij me in bed gelegd? Ik kom overeind – ik heb een decent nachtshirt aan.

Mijn God – ik heb niets geleerd. Zo onverantwoordelijk. Ik heb me weerloos overgeleverd aan een man die ik nauwelijks ken.

Mijn hoofd is instabiel, het voelt topzwaar en balanceert op een te dun nekje. Het lijkt wel alsof ik een kater heb.

Dit is een engel, geen man. Dat verandert alles, houd ik mezelf weifelend voor.

Ik laat me achterovervallen en trek het dekbed over mijn hoofd. Mijn ogen zijn gesloten, ik zie de engel die me glimlachend aankijkt. Dan glijd ik door rimpelloos water. Onder mij zwemmen scholen felgekleurde vissen.

Langzaam word ik een tweede keer wakker, drijf naar het oppervlak. Hoe laat is het? Ik grijp de wekker van het kastje en houd hem vlak voor mijn ogen.

Shit! Kreunend kom ik overeind. Ik kan me onmogelijk weer ziek melden. Dat zou mijn positie nog verder ondermijnen. Ik duw een opkomende ongerustheid weg. Mijn ledematen zijn slap als het met zaagsel gevulde lijf van een lappenpop.

Aan de telefoon is Lara zo koel en superieur, dat ik me bijna wil verontschuldigen.

Niet doen. 'Ik neem vanochtend vrij. Een noodsituatie,' zeg ik alleen maar. 'Na de lunch ben ik er weer.'

In de keuken staan de rode rozen in een emmer op de vloer. Ik herinner me niet dat ik de bloemen in het water heb gezet. Dat is zíjn werk. Terwijl de cafetière geruststellende, gorgelende geluiden maakt, streel ik gedachteloos de rode bloemblaadjes. De rozen zitten nog stijf in de knop, als weggestopte geheimen.

Ik ga met mijn beker voor het raam in de huiskamer staan. Alle sneeuw is gesmolten. De koffie warmt het aardewerk en het aardewerk warmt mijn handen. Ik heb nog een paar uur om te doen wat ik wil. De straat is leeg en nat, iedereen is aan het werk. Dan heb ik het gevoel dat ik opstijg en mezelf van grote hoogte zie. Ik wil een cirkel van mededogen om mezelf heen trekken.

Aan de overkant stopt een bruine bus van de FedEx. Ik kom terug in mijn lichaam.

Een grote vrouw in een te strak, bruin uniform stapt uit en beklimt met een pakje in haar hand de paar treden naar het huis van de overburen.

Ik neem een slok koffie, de postbode belt aan en de deur gaat open. Ik ga op mijn tenen staan om beter te kunnen zien. De buurvrouw heeft een dikke, donkerblauwe trui met een hoge col aan, van deze afstand kan ik niet bepalen of haar gezicht kneuzingen vertoont. Ze tekent een bon waarna ze het pakje overhandigd krijgt. Snel zet ik mijn koffie neer en haal in de keuken de rozen uit het water. Ik neem niet eens de tijd om mijn jas aan te trekken.

Het duurt lang voordat ze naar de deur komt. Ik tel de rozen – twintig stuks, met lange stelen. Een duur boeket.

'Hi –' Ze houdt de deur op een kier, blijft in de schaduw.

'Dag,' zeg ik. 'Ik kom je deze bloemen brengen.'

De deur gaat verder open en ze stapt naar voren. 'Waarom?'

Vanaf haar linkerjukbeen spreidt zich tot aan haar oogkas een grote paarsgele vlek uit. Haar oog is rooddooraderd.

'Ik wil je helpen,' zeg ik.

Ze doet een stap achteruit en zwijgt.

'Je gezicht...' zeg ik.

'Dat is niets, ik ben van de trap gevallen en ongelukkig te-rechtgekomen.'

Het klassieke antwoord. Het antwoord dat je altijd op je lippen hebt liggen.

'Je man,' zeg ik. 'Ik heb hem gezien.'

Ze maakt een gebaar alsof ze haar wang wil verbergen, maar raakt de beurse plek niet aan, veegt in plaats daarvan een lok van haar rode haar achter haar oor. Haar hand trilt een beetje. Afgezien van de paarsgele plek is haar huid bleek en doorschijnend.

'Je hebt hulp nodig,' zeg ik op dringende toon. Ergens staat de dialoog voor situaties zoals deze genoteerd en wij tweeën werken stap voor stap de voorgeschreven zinnen af. 'Zoiets is onvergeeflijk, een man die geweld gebruikt. Daar mag hij niet mee wegkomen.'

Ze is zo fragiel.

'Je hoeft niet bij hem te blijven, *you know*. Vanaf het moment dat hij gewelddadig werd, ben je hem niets meer verschuldigd,' zeg ik. 'Niets.'

Ze kijkt me aan met een blik waar ik me direct voor wil afsluiten. Ik heb te korte sokken aan, de kou bijt in mijn enkels.

'Ik weet niet eens hoe je heet,' zeg ik.

Een flits van wantrouwen trekt over haar gezicht, maar ze geeft me toch haar naam: 'Alice.'

'Oké, Alice. Ik ben Kay. We hebben laatst samen een goede daad verricht. Ik zie je bijna elke dag in de straat. We groeten elkaar. Ik kan je niet redden, maar ik kan je wel helpen.'

Ze staat heel stil. Haar lippen gaan een stukje van elkaar en ik zie iets van een beweging in haar ogen.

Binnen gaat de telefoon. Haar hele gezicht verandert alsof er een hekwerk wordt neergelaten.

'*Thank you*,' zegt ze beleefd. 'Ik heb geen hulp nodig.'

De deur gaat dicht. Even overweeg ik de rozen op de veranda te leggen, maar nee – die bloemen en kaarsjes die tegenwoordig worden achtergelaten op plekken waar mensen een gewelddadige dood zijn gestorven. Met het boeket in mijn hand loop ik terug naar huis.

Op alle lantaarnpalen hangen witte briefjes. Nieuwsgierig bekijk ik er een. *Get them before they get you* staat er in dikke, zwarte letters, en daaronder in een kleiner lettertype 'neighborhood watch' met een telefoonnummer.

Ik zet de rozen terug in de emmer en loop een rondje door mijn kamers. Keuken, gang, slaapkamer, huiskamer, gang, keuken. Ik open de deur naar de wc en de douche. Mijn huis, mijn fort.

Er moet toch iets zijn wat ik kan doen. Een meldpunt voor huiselijk geweld. Een vertrouwensarts. Ik heb geen bewijs. Dan kom ik daar, bij zo'n hulpverlener, en die stelt me allerlei vragen waarop ik geen antwoord heb. Ik ben de buurvrouw maar.

Of er gaat op mijn aandringen iemand bij haar langs, en dan zegt ze dat er niets aan de hand is. Alles onder controle.

Deed ik ook.

Oké, ze houdt van die man. Ze gelooft dat hij van haar houdt, ondanks alles. Ze gelooft dat het niet altijd zo zal blijven, dat hij verandert, heus, hij verandert.

De banaliteit van die argumenten, een blauwdruk waar je blijkbaar niet van kunt afwijken. Ze is zoals zoveel vrouwen.

Toch is er ook een andere kant. Een pikzwarte, rouwzwarte kant. Een kant die niemand mag zien. De verliefdheid op de destructie. Het verlangen dat alles ophoudt, dat de wereld verdwijnt. Dat er zomaar een vliegtuig uit de lucht valt, boven op je hoofd. Dat je ergens loopt, in een druk warenhuis, op een plein. Dat er dan iemand de menigte in slentert met een bom onder zijn jas. Dat je eigen man, de man die je zelf hebt uitgekozen, de man aan wie je je hebt overgeleverd, je botten breekt, je spieren scheurt, je van de trap gooit.

Daar ga je. Weg.

Die gedachten wil ik niet hebben. Ik trek mijn jas aan, haal de bloemen weer uit het water en ga voor de tweede keer op pad.

'Waarom ben je zo bang?' had de engel gevraagd.

Ik had tegen hem aan geleund, mijn lichaam zo loom als een windstille ochtend na een nacht vol storm.

'Er is geen enkele reden om bang te zijn. Kijk wat je voor elkaar hebt gekregen: die Owen was een klein jongetje tegenover jouw woede. Hij had geen schijn van kans.'

Ik had mijn ogen dichtgedaan. Zo moe. 'Ik kon niet bij mijn pistool.'

De engel had gelachen, ik had zijn adem op mijn wang gevoeld. 'Het idéé van dat pistooltje, dat is alles wat je nodig hebt. Het idee dat het er voor jou is, dat het je sterk maakt. Dan ben je sterk.'

'Blijf mij me,' had ik gezegd.

De grijze lucht hangt zo laag dat hij tegen mijn kruin drukt. De rozen onder mijn arm zijn volkomen *out of place*: die horen bij een seizoen met zon en lange dagen. Ik loop snel, met opgetrokken schouders en mijn handen in mijn zakken door Church Street. In mijn herinnering staan de bomen daar nog – een zinloos offer voor de veiligheid van een president die nooit is gekomen.

Net voor het kruispunt zet de bestuurder van een ambulance zijn sirene en zwaailicht aan en geeft extra gas. Het jankende geluid en het hysterische blauwe licht jagen automobilisten en fietsers aan beide kanten van de weg de stuipen op het lijf. Een pick-uptruck komt midden op straat tot stilstand, de bestuurder slaat geen acht op het achteropkomende verkeer. Piepende remmen en veel gevloek. De ambulance raast voorbij.

'*Hey, man*, heb je een dubbeltje voor me?' Iemand houdt onverhoeds een koffiebeker met wat kleingeld voor mijn neus.

Ik schrik ervan, wat de man die bij de koffiebeker hoort niet ontgaat. '*Hey, man*,' zegt hij, 'niet bang zijn. Ik ben niet gevaarlijk. Alle goeie mensen zijn veilig, weet je.'

Zo te zien heeft hij zijn totale garderobe in lagen over elkaar aan. Hij rammelt opnieuw met de beker en rapt op zangerige toon: 'Ik ben dakloos geen dak boven m'n hoofd heb ik – geef me een dubbeltje of een kwartje alsjeblief.'

Ik haal een dollar uit mijn portemonnee.

'*God bless you, miss*,' roept hij uitbundig en maakt een soort zegenend gebaar.

Ik voel me gegeneerd. Een aflaat voor een dollar – ik had

hem toch minstens de rozen kunnen geven, dan had hij die kunnen verkopen. Maar hij is al verder gelopen.

De indiaan is mijn laatste poging tot een goede daad, als hij de rozen niet wil hebben, gooi ik ze weg.

Als ik aanbel komt Craig direct aanlopen. 'Kom binnen, *squaw*,' zegt hij.

'Squaw?' Ik blijf op de stoep staan.

'Grapje,' bromt hij. 'Ik ben me aan het voorbereiden op mijn terugkeer naar het reservaat.'

Ik duw het boeket in zijn handen. 'Voor jou, omdat je zo grappig bent.'

Hij bekijkt de rozen aandachtig en ruikt eraan. '*Nice*,' zegt hij. 'Waarom?'

'Wapens en bloemen,' zeg ik. 'Zo'n onverwachte combinatie, die kon ik niet weerstaan toen ik langs een bloemist kwam.'

'Dank je wel. Ik kan me niet herinneren wanneer ik voor het laatst bloemen in huis heb gehad.' Met een gebaar naar de twee krukjes achter de toonbank: 'Ga zitten.'

Hij verdwijnt met de bloemen naar de keuken en komt terug met bekers thee. 'Je rozen staan even in een emmer water – straks zet ik ze op een mooie plek.'

Het boeket van Owen komt toch nog goed terecht. Ik neem een slok thee.

'Je doet echt aan *maximum security*, hè?' zeg ik. Achter ons hangt de kast met jachtgeweren en karabijnen, met maar liefst drie sloten. De toonbank met in de vitrine wapens en patronen is aan de achterkant afgesloten met een zwaar hangslot. Toch kan iemand die kwaad wil gemakkelijk het glas kapotslaan en de wapens meegraaien.

Craig ziet mijn blik. 'Allemaal versterkt glas,' zegt hij terwijl hij een dreun op de vitrine geeft. Een metalen blikje met kleine patronen rammelt in respons. 'En 's avonds gaat al dat kleine spul naar de kluis achter de winkel. Je kunt het risico niet nemen.' Hij staart naar zijn beker die op de rand van de toonbank balanceert. 'Ik zou graag zeggen dat dat vroeger allemaal niet nodig was, maar dat is niet waar. Vroeger was het net zo erg als nu. Tuig is er nu eenmaal altijd.'

'Hoe bescherm je jezelf eigenlijk?' vraag ik.

Zwijgend wijst Craig naar een stevige honkbalknuppel tegen de muur. 'En dit natuurlijk.' Hij trekt een kleine lade onder de kassa open.

Ik sta op om erin te kunnen kijken: op een bedje van vergeelde kranten ligt een glanzend stalen handwapen met een compacte handgreep en een korte, brede loop.

'Een Walther P99,' zegt Craig met iets van trots in zijn stem.

'Heb je weleens iemand gedood?' Alsof dat een heel normale vraag is.

Craig kijkt langs me heen naar buiten. 'Niet in de winkel.'

Ik geneer me voor mijn onbeschaamdheid. Maar er is niets meer aan te doen, de vraag is gesteld.

'Ik was in 'Nam,' zegt hij dan, op een toon alsof dat alles verklaart.

Ik heb wel vaker veteranen zo, met grimmige vertedering, over 'Nam horen spreken – een koosnaampje voor wat een nachtmerrie moet zijn geweest.

'Daarvóór was ik kunstenaar. Ik maakte conceptuele kunst, kunst als protest tegen de situatie van mijn volk. Maar toen ik terugkwam na de oorlog, was dat helemaal voorbij. Ik was zo uitgedroogd als de prairie in een hete zomer, er was niets van me over, ik kon niets meer.'

Hij kneedt de vingers van zijn linkerhand. Ik was zo geïmponeerd toen ik hem voor het eerst ontmoette, als Seven Feathers. Nu, dicht bij hem, zie ik de grijze haren tussen het diepe zwart. Ik zou mijn hand op zijn arm willen leggen, maar zelfs hier, op dit lage krukje nog geen halve meter bij me vandaan, is hij onaantastbaar.

Na een lange stilte zegt hij: 'Killen is de gevaarlijkste drug. Als je het eenmaal een keer hebt gedaan, ligt de verleiding altijd op de loer.'

Ik weet niet wat te zeggen, en vraag daarom zomaar iets: 'Waarom een wapenwinkel? Hoe ben je hier gekomen?'

'Mmm. Dit is niet iets wat ik als kleine jongen al wilde worden – wapenhandelaar. Maar de gelegenheid deed zich voor, op een moment dat ik kon kiezen: settelen of creperen.'

We nemen tegelijk een slok thee en de blik die hij me over de rand van zijn beker toewerpt, is een toost. 'Nu zit ik hier, tussen de zielen van al die wezens die met mijn wapens zijn omgebracht. Dieren – en waarschijnlijk ook wel een paar mensen.'

Ik verslik me. 'Voel je dat zo? Jij bent toch niet verantwoordelijk?'

'Ik heb niet de trekker overgehaald, dat klopt. Maar ik ben wel degene die die vuurwapens heeft geleverd.' Hij wrijft het uiteinde van zijn vlecht tussen zijn vingers.

Ik zie hem voor me als jongen, geconcentreerd aan het tekenen, met dat puntje van die vlecht tussen zijn lippen.

'Wij indianen geloven dat iedereen verantwoordelijkheid draagt – tegenover de wereld, tegenover de generaties die voor ons kwamen. Dat alles met elkaar verbonden is – de mensen met de dieren, de dieren met de prairie, de prairie met de sterren. Dáárom ben ik verantwoordelijk.'

Ik drink langzaam mijn thee, terwijl ik nadenk over een wereld uit één enkel stuk, een wereld waarin alles in elkaar overvloeit.

Kathelijne droomde van bijlen en messen waarmee ze oude bomen van jong hout ontdeed. Het kraakte en scheurde om haar heen en het kleverige groene sap droop van haar opgeheven handen langs haar blote armen tot aan haar sleutelbeenderen. Een regen van witte houtschilfers.

Eenmaal wakker, wilde ze de beelden met een zwarte doek bedekken. Stel dat iemand in haar hoofd kon kijken. Toch googelde ze op kantoor 'rattengif' en 'arsenicum' terwijl ze eigenlijk bezig had moeten zijn met haar O-woorden. Ontgoochelen, ontmythologiseren, ontvankelijkheid.

Ze zocht naar e-mailadressen, telefoonnummers, maar nog voor ze iets had gevonden, klikte ze de pagina's weg.

De vergaderkamer is benauwd en het felle tl-licht weerkaatst onaangenaam tegen de witte muren. Ik concentreer me op het financiële overzicht waarvan Lara zeven exemplaren heeft geprint, één voor iedere aanwezige. Professor Manning spreekt al minstens twintig minuten, 'kostenbewustzijn' is zijn nieuwe favoriete woord. Sanny maakt uitvoerig aantekeningen, ook al notuleert Lara de hele bijeenkomst en zal haar verslag ongetwijfeld volledig en overzichtelijk zijn. Hadley zit met kaarsrechte rug op het puntje van haar stoel te luisteren. Af en toe maakt ze een scherpe opmerking, waarop Manning nog geen enkele keer heeft gereageerd. Derek heeft zijn ogen halfdicht. Hij lijkt te slapen, of is in ieder geval geestelijk niet aanwezig. Owen en ik mijden elkaars blikken.

Ik heb schetsen van vleugels zonder lichaam in mijn aantekenblok staan, Owen tekent vierkante, doorzichtige blokken in perfect perspectief.

Ik zou zijn stoel onder hem vandaan willen trekken, maar toon in plaats daarvan een vage glimlach. Niets aan de hand.

De woedende Kay die de indringer de deur uit heeft geschopt, staat me in een hoek van de kamer uit te lachen. Slap miepje, zegt ze. Lafaard.

Wat moet ik dan? Ik kan hier, aan deze vergadertafel, Owen toch niet ontmaskeren en beschuldigen. Niemand zal me geloven.

'Daarbuiten is de chaos,' zegt Manning, 'om niet te zeggen het inferno, waar iedereen elkaar op leven en dood bevecht om de grote subsidies. Wij moeten onszelf daarom sterk neerzetten, met een onderzoeksproject waar niemand omheen kan. Dat is uiteindelijk van levensbelang voor iedereen bij de vakgroep.' Hij schraapt zijn keel. 'Ik vraag om die reden een *budget sacrifice* van alle secties –'

Ik ga rechtop zitten. Nu zal ik eindelijk horen hoeveel geld ik overhoud om mijn programma te financieren – en of ik überhaupt nog wel een programma heb.

'Over de details moeten we later doorpraten, maar ik stel nu voor –'

Owen onderbreekt hem, terwijl hij met zijn potlood een denkbeeldige streep in de lucht trekt. '*With all due respect*, boss, het lijkt me toch dat we eerst een concreet plan moeten hebben voor dat fabuleuze onderzoeksproject. Op dit moment ligt er voor zover ik weet nog helemaal niets op tafel. Het heeft weinig zin om in dit stadium al fondsen vrij te gaan maken, terwijl we nog geen idee hebben hoeveel geld er nodig is.'

Een knock-out, te oordelen naar de reactie van de professor. Die zegt namelijk helemaal niets – dat heb ik nog niet eerder meegemaakt.

Owen glimlacht tevreden en kijkt me recht aan.

Na een lange stilte mompelt Manning: 'Wat stel je dan voor?'

'Iemand moet eerst research doen naar een geschikt thema –' begint Owen. Hij wordt gestoord door een schril, loeiend geluid.

Ik wil overeind springen, maar de anderen blijven allemaal zitten. 'Wat is dat? Het klinkt als een sirene.'

'Het ís een sirene,' zegt Manning. 'Waarschijnlijk loos alarm. Ze zullen ons wel weer een evacuatie willen laten oefenen.'

Derek is ontwaakt uit zijn dutje. 'Ik heb anders niets gehoord over oefeningen.'

Manning negeert hem en schraapt zijn keel. 'Daar verspillen wij onze tijd dus niet aan. Ga door, Owen.'

Dat is vrij lastig, want het alarm loeit alsof we in een op hol geslagen kernreactor zitten. Lara loopt de kamer uit.

Owen doet een poging om zijn betoog te hervatten, maar geeft al snel op. 'Laten we wachten tot die herrie ophoudt,' zegt hij.

Sanny ziet wit en de pupillen in haar ogen zijn abnormaal groot en donker. Ik vraag me af of dat zonet ook al zo was. Wie weet is ze aan de speed.

Hadley strijkt door haar krullen en pakt haar telefoon uit een enorme gele lakleren handtas. 'Ik bel de beveiliging,' zegt ze.

Professor Manning begint net geïrriteerd zijn papieren te ordenen, als Lara zonder kloppen de deur opengooit.

'Ze zijn in gesprek,' zegt Hadley, 'goed om te weten dat we in een noodsituatie op ze kunnen rekenen.'

Lara staat buiten adem in de deuropening. *'Emergency,'* snauwt ze. 'Allemaal naar buiten.' En als we niet in beweging komen: 'Nu. *Move!'*

Daarmee krijgt ze zelfs Manning van zijn plaats.

In het trappenhuis is het druk met studenten en collega's van andere afdelingen. Sommigen hebben stapels papier onder hun arm, en een oudere vrouw in een tweed mantelpak draagt kalm een toren van boeken de trappen af.

Er is geen paniek, geen brandlucht, er zijn geen geluiden van kogelinslagen of explosies, geen ingegooide ruiten – alles is normaal, afgezien van de jankende sirene, die steeds luider wordt naarmate we dichter bij de begane grond komen.

Voor paniek moet je je aanstaande dood duidelijk voor ogen hebben – dan ga je vanzelf rennen en schreeuwen.

Buiten is de directe omgeving van het gebouw afgezet met gele politielinten. Een busje met zwaailicht staat naast de trap bij de hoofdingang. Agenten en mensen in fluorescerend oranje plastic vesten dirigeren ons naar een plek onder de bomen, tegenover het Humanities-gebouw. 'Wat is er aan de hand? Wat gebeurt hier?' hoor ik overal om me heen, maar niemand weet iets – totdat een boomlange zwarte man in onberispelijk pak ons meedeelt dat er sprake is van een bommelding.

'Wie is dat?' vraag ik aan een rillend meisje, zo jong dat ze ofwel met een van haar ouders een dagje mee is naar kantoor, of als wonderkind al studeert op een leeftijd dat anderen nog puberen.

'De dean,' fluistert ze.

Als zelfs de belangrijkste man van de faculteit hier in de kou staat, is dit zeker geen grap. Ik word me ervan bewust dat ik geen jas aan heb, dat de temperatuur enkele graden onder nul is en dat ik geen back-up heb van mijn computerbestanden.

Ik loop een longontsteking op, terwijl al mijn werk van het afgelopen jaar in vlammen opgaat of onder het puin van het instortende gebouw bedolven wordt.

'Staan we hier wel goed?' vraagt het meisje aan niemand in het bijzonder. Ik kan de enorme knal al horen en ga een stapje achteruit.

'Ik heb bescherming nodig,' mompel ik.

Een paar mensen discussiëren over mogelijke redenen voor een aanslag, ze zijn het er al snel over eens dat de vakgroep politicologie iedereen in het gebouw in gevaar brengt. 'Zo'n studierichting trekt nu eenmaal extremisten aan,' zegt een jonge vrouw met kort geblondeerd haar. Ze rilt – wie draagt er met dit weer nou een coltruitje met korte mouwen?

Anderen zeuren over de laptops en kledingstukken die zij in de haast hebben achtergelaten en Sanny vraagt zich af of ze een schadevergoeding voor verloren eigendommen kan claimen. Ik slik en slik nog eens, de irritatie blijft in mijn keel steken.

Vlak bij het gebouw stopt een blauw busje waar zes mannen in blauwe overalls uit stappen. Ze beginnen allerlei aluminium kisten en koffers uit te laden. 'De *bomb squad*,' zegt Owen, die naast me is komen staan.

Snel draai ik me om. 'Ik blijf hier niet de hele middag in de kou wachten,' zeg ik tegen de eerste persoon die ik zie. De dean kijkt me verbaasd aan.

De rest van de middag ben ik in de bibliotheek, waar ik informatie zoek over een bureau voor hulp bij huiselijk geweld. Daarna lees ik alle kranten. De explosie komt niet.

Het huis kraakt en tikt. Zoals altijd, maar sinds Owens onverwachte bezoek toch anders.

Ik heb alle lampen aangedaan, in mijn hoofd wil het niet licht worden.

'Je ziet er beroerd uit,' zei Dorothee gisteren.

Ik heb haar vriendelijk bedankt, heb gezwegen over de slapeloze nachten. Straks moet ik naar bed. Ik kan hier toch niet op de bank blijven zitten. Ik weet dat ik, zodra ik eindelijk onder mijn dekbed lig, weer op zal staan om nog een keer alle ramen en deuren te controleren. Af en toe zal ik even wegdommelen om wakker te schrikken van een geluid: het huis dat zijn eigenzinnige ding doet, Dorothee die heen en weer loopt, of iets ondefinieerbaars dat mijn bloed verkilt.

'Engel, je moet komen,' fluister ik dringend en schaam me.

'Waarom ben je zo bang?' had hij gezegd. 'Er is geen enkele reden om bang te zijn.'

Hoe ontzaglijk kwaad ik was geweest, mijn lichaamstemperatuur was zeker een paar graden gedaald uit ijskoude, kille woede. Mijn ruggengraat was centimeters verlengd, ik was een langgerekte, messcherpe furie geworden. En Owen die zich klein maakte, die daar in elkaar gekrompen tegenover me stond.

Ik sta op en doe het licht uit. In het donker ga ik aan tafel zitten, sluit mijn ogen. Het duister is eerst zwart, dan grijs.

Er is geen enkele reden om bang te zijn.

Het huis knarst.

Er is geen reden om bang te zijn. Ik heb het verdiend om niet bang te hoeven zijn.

Dat zeg ik hardop. En nog een keer. Luider. Het weergalmt in de stilte.

Het fijnste waren de nachten. Dan was Kathelijne een dappere soldaat. Ze stond op als Bas sliep en sloop naar beneden. In de keuken maakte ze kwartier. Ze zette de radio aan en dronk een kop thee, soms nam ze er een beschuit met jam bij.

Een enkele lamp deed ze aan, ze las een stukje in een favoriet boek, de radio zond muziek en levensvragen naar haar tafel. Daar zat ze in een poel van mild licht en zacht geluid.

Het was een soort verovering van vijandelijk gebied. Ik ben niet bang, dacht ze en was trots.

Als ik 's ochtends wakker word, staan de bloemen op het raam van mijn slaapkamer. Ik weet zeker dat het vorig jaar minder koud was rond deze tijd, ijstekeningen heb ik toen niet gezien. In die winter had ik wel een kleine straalkachel gehad, die nu kapot is.

'Koop toch een elektrische deken,' zegt Dorothee.

Ik twijfel.

'Als je wacht op een man tussen je lakens, neem dan in ieder geval een warme kruik mee naar bed zolang hij er nog niet is.'

Ik probeer eerst het semichique warenhuis in Main Street. Daar kijken ze me aan alsof ik rechtstreeks vanuit de Tweede Wereldoorlog hun pand binnen kom lopen. Een pinnige mevrouw met een enorme bos haar verwijst me door naar een *hardware store*. Die naam verbaast me, want *hardware* associeer ik met harde zaken: spijkers, hamers en beitels. Niet met mixers, bakvormen, pannen en rubberen kruiken.

De winkel blijkt een doolhof van huishoudelijke spullen. Ik dwaal rond en overweeg de aankoop van allerlei veelbelovend keukengerei totdat ik me realiseer dat ik nooit iets bijzonders kook. Simpele gerechten – meer kan ik niet. Met een spuitzak voor gekleurd glazuur of met een trommel met vijftien verschillende koekjesvormen word ik heus niet opeens een echte kok.

De man bij de kassa zet zijn petje af. 'Ach, neem mij toch in plaats van die kruik, ik verwarm je veel beter.' Hij is vroeg kaal maar jongensachtig, ik moet ervan blozen.

Als ik naar huis loop, komt de engel me achterop. Alsof het heel gewoon is dat hij er het ene moment níét en het andere moment wél is.

'Waar ben je geweest?' blaas ik. 'Hoe kan ik op je rekenen als je je dagenlang niet vertoont? Je hebt de taak om mij te beschermen, toch?' Ik kijk hem fel aan en zie een geamuseerde blik in zijn ogen.

De ijzige wind beneemt me bijna de adem. Ik blijf midden op straat stilstaan, de papieren zak met mijn aankoop druk ik tegen mijn borst. 'Lach niet! Dit is helemaal niet grappig! Je laat me in de steek – hoe kan ik je vertrouwen als je me niet beschermt, terwijl je wel steeds zegt dat je dat zult doen?'

Hij opent zijn mond, maar ik gun hem geen weerwoord. 'Weet je wat, ik geloof jou überhaupt niet – jij bent helemaal geen engel, laat staan een beschermengel. Een engel – laat me niet lachen! Je bent een gestoorde die me overal achtervolgt – je bent erger dan Owen!'

Hij legt zijn hand op mijn arm. 'Wat heb je gekocht?'

De tranen springen me in de ogen. 'Een rubberen kruik.' Er drukt een zwaar blok ijs op mijn keel, mijn stem kan er nauwelijks uit. 'Omdat ik zo eenzaam ben.'

Zijn ogen zijn lichtgroen onder diepzwarte wimpers. 'Je moet me vertrouwen,' zegt hij. 'Ik bescherm je, echt.'

Dicht naast elkaar lopen we verder. Ik voel zijn hand tegen mijn onderrug, de warmte ervan dringt dwars door mijn dikke jas heen.

'Ik kan niet altijd bij je zijn. Dat is tegen de regels.'

De engel staat wat onhandig naast de keukentafel en houdt het in rood kerstpapier verpakte doosje van zich af, alsof er iets in zit dat kan ontploffen of anderszins gevaarlijk is. Zijn jas heeft hij uitgedaan zodra hij binnenkwam. Tot mijn verbazing draagt hij opnieuw geen sokken.

'A gift,' zeg ik. Mijn stem trilt een beetje. Gift klinkt beter dan cadeautje. Het Engelse woord heeft iets voornaams, met een sfeer van tradities en rituelen, terwijl het Nederlandse cadeautje nogal lichtgewicht door het leven danst. 'Van mij – voor jou.'

Hij kijkt me aan en zet het pakje op tafel.

'Ik wilde je zo graag iets geven.'

'Waarom?'

Ja, waarom eigenlijk. In Miller Street is een winkel vol nutteloze zaken: kleurige speelgoedjes voor volwassenen, prentenboeken, beschilderde doosjes, dromenvangers, caleidoscopen. Ik loop er in mijn lunchpauze graag even binnen – ik vind het fijn om me bloot te stellen aan de verleiding van al die spullen en er dan – sterk – niet aan toe te geven.

Een cadeau voor de engel is natuurlijk iets anders. Op een tafel vol kerstversiering had een plastic bol mijn aandacht getrokken. Het is zo'n bol waarin het gaat sneeuwen als je hem heen en weer schudt. In zijn hart zwemmen twee blauwe, buitelende dolfijnen. Onder water hoort het niet te sneeuwen, maar hier gebeurt dat toch, boven op de glanzende blauwe vinnen en lachende monden van de dolfijnen.

De sneeuwbol is een brutale grap die wil bewijzen dat alles mogelijk is, ook het onmogelijke.

Ik moest hem hebben.

'Waarom?' vraagt de engel opnieuw.

Ik zou heel veel kunnen zeggen, maar herhaal wat ik zonet zei: 'Ik wilde je iets geven.'

De engel pakt het doosje weer op: 'Ik weet niet...'

'Toe, pak het nou maar uit. Het is een klein dingetje, niets bijzonders. Zomaar.'

Hij maakt de zijkant van het rode papier met gouden sterren los, voorzichtig, zodat het niet scheurt. Dan draait hij het doosje om en trekt het plakband aan de andere kant los. Terwijl hij de verpakking zorgvuldig openvouwt, valt zijn donkere haar voor zijn ogen. Hij ziet er uit als een klein jongetje op kerstavond.

Ik zou hem best nog meer willen geven, nog veel meer – nonsens. Ik bezit niets dat de engel wil hebben, omdat hij een engel is en ik een mens, ieder in onze eigen wereld.

'Oh,' zegt hij en schudt de bol heen en weer.

Het sneeuwt in de oceaan. Hij ziet het glimlachend aan. 'Wat mooi.'

'Ja?'

'Ja. Iets dat eigenlijk niet kan, dat kan hier wel.' Hij schudt nog een keer. 'Waar dient het voor?'

'Gewoon om neer te zetten en naar te kijken.'

'Ik heb nog nooit iets bezeten,' zegt hij. De sneeuwvlokken dwarrelen sierlijk naar beneden. 'Wij engelen bezitten niets, want alles wat we ooit nodig zouden kunnen hebben, ís er.'

Dat is haast niet te snappen.

'Dan verlang je dus nooit ergens naar,' zeg ik. 'Verlangen wordt gevoed door de gedachte aan iets dat je niet, of alleen met moeite, kunt krijgen.'

'Mmm.' De engel gaat met zijn vinger over het versleten houten tafelblad. Hij volgt de omtrek van een grillige vetvlek die er al op zat toen ik de tafel kocht. 'Ik denk dat dat voor de meeste engelen wel geldt, ja.'

'Voor de meeste engelen?' Ik ga tegenover hem zitten.

Zijn blik is als een lichtflits zo fel.

Stilte.

'Ja,' zegt hij ten slotte. 'Voor de meeste engelen. Wij hebben alles wat we nodig hebben, en toch kan ook een engel verlangen naar iets dat misschien niet nuttig is, maar op een andere manier van levensbelang. Alles wat leeft, verlangt. Engelen leven, ze kunnen dus verlangen voelen.'

Ah.

De keuken lijkt te trillen. Na een lang moment verbreek ik de stilte. 'Wat ga je met de sneeuwbol doen? Kun je hem meenemen?'

Hij lacht. 'Nee, dat gaat niet. Ik zou niet weten waar ik hem op moest bergen. Maar ik zou je cadeau graag hier laten. Dan kan ik hem zien als ik bij jou ben.'

Sneeuwbol als onderpand. Hij komt dus terug. Mijn hele leven bestaat tegenwoordig uit twijfel.

Een bevroren eiland van tijd

De stoel waarop de vrouw zit, zeilt over het water. Golfjes cirkelen om haar enkels, haar voeten zijn vissen vlak onder de oppervlakte.

Het is een meer, geen zee, ook al ziet ze de overkant niet.

Ze droomt dat ze op een stoel het water oversteekt. Zoetjes dobberend, er is geen haast.

Wat er achter haar is, weet ze niet meer, maar de plek waar ze het land verliet trekt nog aan haar. Koude vingers tegen haar achterhoofd, in haar nek.

Ze maakt zich zorgen dat ze niet snel genoeg gaat. De overkant blijft onzichtbaar. Een vogel spreidt zijn wijde vleugels en laat zich wegvoeren. De hemel boven haar is immens, er is zoveel meer lucht dan water. Als iemand dit geheel, deze bol vastpakt en omdraait, vaart ze over de wolken in plaats van over de golven.

Waar is de overkant?

Ze heeft geen kompas, ze is stuurloos.

Het water tegen haar blote voeten is zacht als gekreukeld vloeipapier.

Het ene moment slaap ik nog en droom over water, het volgende moment ben ik wakker. Helemaal wakker, alsof ik al uren op ben. Meestal gaat dat geleidelijker, kom ik heel traag

191

op gang. Alweer een nieuwe dag – elke ochtend is een schok waar ik even van moet herstellen.

Nu niet – ik doe mijn ogen open en zie de sneeuwbol op het kastje naast mijn bed.

Ik was acht toen ik zo'n bol stal in de speelgoedwinkel vlak bij ons huis. Er woonden pandaberen in. Ik haalde het ding elke avond onder mijn bed vandaan om een zilveren sneeuwstorm te ontketenen in die glazen wereld.

Mijn moeder merkte niets, ik kon gewoon mijn gang gaan. Pas toen ik al op de middelbare school zat, ontdekte ze een doos met lippenstiften en andere make-up in mijn kast. Ze trok me een pluk haar uit mijn hoofd, zo boos was ze. Carina stond in een hoekje te grinniken.

Dat was geen reden om ermee op te houden. Mijn laatste buit – een boek dat ik ongelezen in Nederland had achtergelaten – pikte ik vlak nadat ik mijn visumaanvraag had ingediend. Ik was nog nooit gepakt en wilde het lot niet tarten. Als ik in die periode een veroordeling voor winkeldiefstal had gekregen, had ik mijn visum vast kunnen vergeten.

Waarom ik het deed, weet ik niet goed. Om mezelf te bewijzen dat ik zelfvoorzienend kon zijn, dat speelde een rol. In ieder geval ging het niet om het bezit, de meeste van die spullen heb ik nooit gebruikt.

Terugkijkend, denk ik dat het vooral om de emotie van het ontvangen ging. Elke keer als ik mezelf zo'n gestolen ding overhandigde, kreeg ik iets in handen wat ik nog niet kende, iets wat nog niet vertrouwd was, iets waarmee ik nog van alles kon meemaken. Om dat ene beloftevolle moment ging het, wat er vervolgens mee gebeurde deed er niet toe.

Nu heb ik weer een sneeuwbol gestolen, voor het eerst iets dat ik niet aan mijzelf maar aan een ander heb gegeven.

'Tadáá!' Carina knoopte haar groene, wijde jas open en zwaaide een lang been ver omhoog. Dat been was gestoken in een paarse lakleren laars die tot boven haar knie reikte. De gevaarlijke, hoge, messcherpe hak prikte bijna in Kathelijnes wang, ze deed een stapje naar achteren.

'Hoe vind je ze?' Carina liet de jas van haar schouders op de grond glijden.

'Mooi. Indrukwekkend. Kun je daarop lopen?'

'Ja, natuurlijk. Ik stamp gewoon over hem heen. Dat zal hem leren.' Ze liep met gedecideerde stappen een stukje door de kamer en draaide vlak voor het grote raam een pirouette. Haar publiek bestond uit een paar eenden die op de rand van de woonboot hun veren zaten te poetsen.

'Waren ze duur?' Kathelijne trok haar jas ook uit.

'Mmm.' Carina sloeg zedig haar ogen neer en knikte. Met een onbeschaamde glimlach: 'Ze kostten een god vermogen. Maar ze zijn het waard, dat weet ik nu al.' Ze zou de laarzen aantrekken als ze haar vriend ging vertellen dat hun relatie voorbij was.

Heupwiegend liep ze naar de open keuken. 'Wil je koffie?'

'Ja, lekker.' Kathelijne ging door het wildwestklapdeurtje naar de slaapkamer. 'Even je schoenencollectie bekijken.'

'*These boots are made for walking,*' zong Carina. Haar lage stem vulde de hele ruimte.

Het bed ging schuil onder een patchworksprei van honderden gekleurde lapjes en op de grond zat een lieve teddybeer met één zwart oor. Kathelijnes aandacht was gericht op de kast die bijna de hele lengte van de achterste muur in beslag nam. Ze trok een la open – op een rekje rustten zes paar pumps – turkoois, zilver, groen met witte madeliefjes, verschillende tinten rood.

In de la daarnaast stonden nog meer pumps, een andere la herbergde een aantal elegante slippers. Uit de onderste la, die breder was dan de andere, haalde Kathelijne een paar halfhoge laarzen in brandweerrood leer, met een stevige hak.

'*One day these boots are gonna walk all over you.*' Carina stond in de deuropening. '*Are you ready boots? Start walking!*'

'Je bent beter dan Nancy Sinatra,' zei Kathelijne, de laarzen nog in haar hand.

'Dat nummer zing ik in mijn nieuwe programma. En dan trek ik natuurlijk mijn nieuwe paarse laarzen aan.'

'Een bron van inspiratie.'

'Kathelijne, dat zijn schoenen altijd! Die laarzen die je daar hebt bijvoorbeeld. Perfect voor een vrouw die voor zichzelf op moet komen. Krachtig. Stevig. En je kunt er lekker mee schoppen.'

Kathelijne keek haar zus aan.

'Neem ze maar. Ik draag ze toch niet meer.'

'Hoe zit het nu met die man?' vraagt Dorothee.

'Welke man?' Ik bekijk een kogelronde pompoen.

Het koufront is verder getrokken naar het noorden, de temperatuur is mild. Op de *farmers' market* hebben de biologische boeren hun winterwaren uitgestald: grote wortels, allerlei knollen, rodekool, groene kool, heel veel pompoenen. Stevige, ouderwetse groenten waarmee je de eindeloze, donkere maanden door kunt komen totdat het nieuwe licht en het jonge groen weer verschijnen. Vroeger at iedereen zo, toen had je in november geen tomaten en aardbeien.

'Die man die laatst bij je was,' zegt Dorothee.

Ik pak een paarse knol op en houd die omhoog. 'Wat is dit?'

'Een *turnip*.' Ze kijkt me met een zijwaartse blik aan. 'Nou?'

'O, dat wordt niets.'

'Mmm. Jammer.' Dorothee kiest een middelgrote pompoen en weegt hem op haar hand. 'Deze graag,' zegt ze tegen de oudere man die bij het groentestalletje hoort.

'In dat geval – voel je soms voor een blind date vanavond?'

Ik draai me naar haar toe. 'Hoezo? Met wie?'

'Ha, het heet niet voor niets een blind date, *madame*. Een afspraak met iemand die je niet kent – en die ik in dit geval ook niet ken. Het gaat om een vriend van Jeff. Die is hier dit weekend op bezoek, hij woont in New York en hij is schrijver. Het leek me leuk om met ons vieren uit te gaan.'

Jeff is een van haar twee minnaars, de jonge student die in de keuken van het restaurant werkt.

'Een vriend van Jeff? Dan is hij vast niet ouder dan een jaar of twintig. Daar heb ik geen zin in, hoor, een date met een kind.'

'Kom, niet zo kritisch.' Dorothee rekent af en pakt me bij mijn elleboog. Ze trekt me mee naar een tafel vol potjes zelfgemaakte jam. 'Kijk eens wat lekker,' roept ze. 'Zwarte bessen met honing!'

Terwijl ze de etiketten bekijkt zegt ze: 'Deze jongen – Burt – is iets ouder, een jaar of vijfentwintig, zesentwintig. Vast een volwassen type, hij heeft een boek gepubliceerd. En bovendien, *who cares* hoe oud hij is? Het is maar een blind date, je hoeft niet met hem te trouwen.'

De jamverkoopster, een meisje met blonde vlechten en een hippe grijze jas, luistert mee. 'Ik wil me er niet mee bemoeien,' zegt ze vrolijk, 'maar ik heb mijn man ook via een blind date leren kennen.'

Ik vraag me af waarom zoveel mensen die zich in andermans zaken mengen van tevoren aankondigen dat ze heus geen bemoeial willen zijn. Een soort aflaat, zodat niemand ze ergens van kan beschuldigen.

Dorothee lacht het meisje vriendelijk toe. '*Exacte*. Je moet het geluk bij zijn lurven grijpen als het langskomt.'

'Wat een gezwam.' Ik negeer de nervositeit die rondfladdert in mijn borst. Hier kom ik niet onderuit.

'Wat denk je?' zegt Dorothee.

Die oude angsten moet ik nu maar eens loslaten. Dit wordt leuk – ik leer een nieuwe man kennen, Dorothee is erbij.

Burt – ik proef de naam en hij heeft geen enkele smaak. 'Oké,' zeg ik.

Dorothee en het meisje met de vlechten knikken tevreden.

Burt lijkt op Ken, het vriendje van Barbie. Vierkante kin, wilskrachtige kaken en een scheiding in zijn keurig geknipte haar.

Hij heeft nog niet eens mijn hand geschud in een te krachtige greep en *enchanted* gezegd, een woord dat ik nooit eerder in een alledaagse situatie heb horen gebruiken, als ik hem al niet mag. Hij vindt mij ook niet sympathiek, we verbijten onze tegenzin.

'Woon je hier al lang?' vraagt hij en luistert niet naar mijn antwoord. Zijn aandacht is bij Jeff, die informeert wat hij wil drinken.

Ik maak mijn verhaal niet af, hij merkt het niet.

Dan herinnert hij zich dat wij een date hebben en dat hij voorkomend en charmant moet zijn – ook al ben ik ouder en saaier dan hij zich had voorgesteld. 'Heb ik je al verteld over mijn boek?'

Van Jeff heb ik gehoord dat zijn roman een succes is. Ik heb geen interesse in de schrijfsels van een jongen die de puberleeftijd nog maar net is ontgroeid. Maar ik zeg: 'Het is net uit, hoor ik. Waar gaat het over?'

Dat is de magische vraag, Burt is niet meer stil te krijgen. Hij begint over plots en subplots en postmodernistische structuren en noemt een lange lijst personages. Dat boek moet wel een epische reikwijdte hebben. Toch lijkt het verhaal niet bijzonder gecompliceerd. Het gaat over een jongen die gepest wordt op school en die wraak neemt zodra hij kan.

'Een *coming-of-age*-roman,' knik ik begrijpend.

Ik ben te aardig.

'Aardige mensen worden maar heel even aardig gevonden,' zei Carina eens tegen mij. 'Hun aardigheid is ongeveer zo duurzaam als een laagje condens – zodra ze de kamer uit zijn, ben je ze vergeten.'

'Nee, geen coming-of-age-roman.' Burt slaat met zijn platte hand op tafel. Ik heb de indruk dat ik hem heb beledigd. 'Mijn boek is veel meer dan dat, het is een filosofisch experiment, een onderzoek naar goed en kwaad.'

We zitten in een intiem verlichte alkoof naast de dansvloer. Dorothee en Jeff leunen verliefd tegen elkaar aan. Ik zucht en draai mijn wijnglas tussen mijn vingers rond.

Later vertelt Dorothee over haar eerste avond als kok in een chic restaurant in Los Angeles, hoe ze zout in plaats van suiker over de aardbeiencompote had gesprenkeld. Jeff proeft haar woorden alsof het delicatessen zijn. Hij is prachtig, met zijn donkere krullen en zijn hoge jukbeenderen, en zo jong. Wat een verantwoordelijkheid.

'Ik werd naar binnen geroepen en daar zat Robert De Niro. Hij probeerde incognito te zijn en had een donkere bril op die hem alleen maar meer herkenbaar maakte. Mijn aardbeientoetje had hij voor zich staan. De Niro glimlachte die vileine glimlach van hem, en ik dacht: nu is het gedaan met mijn kookcarrière. Waarop hij zei: "Wat een buitengewoon heerlijk dessert heeft u gecreëerd, een exquise mix van verschillende smaken."'

Op deze ontknoping – die ik al eerder heb gehoord – reageren Jeff en Burt met enthousiast gelach.

Ik vermoed dat Dorothee het voorval hier en daar iets heeft opgepoetst. Zo gaat dat immers: steeds als een favoriete geschiedenis opnieuw wordt verteld, worden meer oneffenheden en doffe plekjes weggelaten en worden nieuwe fonkelende dingetjes toegevoegd. Totdat het verhaal glad en rond is en glimt als een gouden bal.

Ik glimlach naar Dorothee. Ze is *overdressed* in een rode jurk met diep decolleté en met lange glitteroorhangers. Haar knipoog laat me weten dat ze heel goed in de gaten heeft dat mijn date me niet bevalt.

Het café heeft een dansvloer met daarachter een klein podium. Ik heb nergens posters zien hangen, het is een verrassing wat we vanavond te horen krijgen. Ik hoop op snoeiharde muziek.

Twee blonde jongens met baardjes zetten krukjes en muziekinstrumenten neer en sluiten een versterker aan – dat worden vast Simon & Garfunkelachtige lieve liedjes. Een van de twee pakt de microfoon en vraagt onze aandacht voor 'El Cid, oriental music and dance'. Iemand joelt.

Een golf van ritmische muziek maakt verdere reacties onhoorbaar. De twee jongens bespelen een hoge, smalle trommel en een vreemd, trapezevormig snaarinstrument, en er is blijkbaar een geluidsband. Van het ene op het andere moment heerst er een sfeer van Duizend-en-een-nacht. Mensen beginnen te klappen.

Een danseres wervelt van achter in de zaal naar het podium, ze schudt met haar heupen en laat belletjes rinkelen. De cafébezoekers wijken uiteen om haar door te laten. Ze glinstert als een gouden sieraad met haar lichtblonde, lange haar en de gele sluiers die haar blote armen en schouders meer benadrukken dan verhullen. Ze heeft haar ogen halfdicht en lijkt volkomen op haar gemak in haar voluptueuze lichaam. Haar voeten in gouden muiltjes bewegen snel over de vloer en met haar buik en armen onderstreept ze het sensuele, rollende ritme van de muziek.

Dorothee staat enthousiast met hoog opgeheven handen te klappen. Dan grijpt ze haar tas en haalt er een paar dollarbiljetten uit. Ze springt op de dansvloer en elleboogt zich door de menigte, terwijl ze zwaait met het geld. De vrouw begrijpt onmiddellijk wat ze wil en buigt zich naar haar toe. Dorothee stopt de dollars in haar gouden met kwastjes behangen bh. De buikdanseres schenkt haar een brede glimlach.

Jeff kijkt met stralende ogen en open mond toe. Burt zegt iets, ik versta alleen maar 'schandalig'.

Het hele café is één grote dansvloer, iedereen staat te swingen en te klappen, de gouden buikdanseres is het fonkelende, vibrerende middelpunt.

Ik wil meedansen, maar zit klem tussen de muur en een onbeweeglijke Burt. Als ik hem een por geef, springt hij op en is in een paar lange passen bij het podium. Daar grist hij een microfoon van de standaard. Een van de twee muzikanten doet vanaf zijn lage krukje een poging hem tegen te houden, maar grijpt in de lucht. Burt posteert zich midden op het toneel en schreeuwt iets naar de zaal. Eerst houdt hij zijn mond te dicht bij de microfoon.

'Schande,' hoor ik dan.' Schande!' De geluidsinstallatie piept en de muziek valt stil. Een paar mensen klappen nog even door, stoppen dan alsof ze ergens op betrapt zijn.

'Schande!' schreeuwt Burt nog een keer. Zijn gezicht heeft een hoogrode kleur, zijn mond vertoont een verbeten trek. 'Arabische dans en muziek. De muziek van onze vijand, van Osama bin Laden! Jullie moeten je allemaal schamen! En niemand die hier vraagtekens bij zet.' Hij laat een dreigende stilte vallen. 'Niemand!'

Ik overweeg te vertrekken, maar kan me niet losrukken van dit tafereel. In de zaal staat Dorothee als verstijfd naast de buikdanseres.

'Nine eleven is nog maar zo kortgeleden, en jullie zijn al vergeten wat er is gebeurd! *Shame on you*!' buldert hij als een ouderwetse prediker van hel en verdoemenis.

De twee muzikanten, die aanvankelijk verbijsterd zitten te luisteren, komen in beweging. 'Hé, *idiot*,' roept de een, hij duwt zijn trommel aan de kant. De andere jongen probeert Burt de microfoon af te pakken en incasseert een vuistslag. De percussionist grijpt Burt van achter bij zijn schouders. Als hij zich omdraait geeft de muzikant hem een kopstoot.

Een oudere man springt op het podium en neemt de percussionist onder handen. In no time ontstaat een massale vechtpartij.

Ik grijp mijn jas en tas en die van Dorothee en ren naar haar toe. Naast haar trekken twee krijsende tieners aan elkaars haar.

'De buikdanseres!' roept Dorothee, 'we moeten haar in veiligheid brengen.' De vrouw is nergens meer te zien.

'Die kan wel voor zichzelf zorgen,' schreeuw ik boven het lawaai uit en duw haar naar de uitgang.

Buiten is het onwaarschijnlijk stil, zelfs de langsrijdende

auto's klinken gedempt. Jeff komt hijgend het café uit. In de verte zijn de eerste sirenes te horen.

'Die vriend van jou is gestoord,' zegt Dorothee ijzig. Jeff helpt haar in haar jas alsof er niets aan de hand is. 'En als jij dezelfde ideeën hebt, kun je beter gelijk vertrekken.'

'Nee,' stamelt hij, 'nee, dat zijn helemaal niet mijn ideeën. Ik wil niks meer met Burt te maken hebben nu ik weet dat hij zo denkt.'

Ik kan niet besluiten of de jongen romantisch en dapper is, of alleen maar naïef. Misschien heeft hij nog niet in de gaten dat hij zijn vriend, die hij al jaren kent, heeft verloochend voor een vrouw die hem aanhoudt zolang de seks de moeite waard is en langer niet.

Terwijl ik achter hen door de koude straten loop, denk ik over de heiligheid van nine eleven. Twee cijfers, uitgesproken met van eerbied overslaande stem, voor altijd gereserveerd voor een gebeurtenis die benoemd is tot de opperste manifestatie van het heldendom van het Amerikaanse volk. Niemand mag daar iets op afdingen. Een onbenullige kanttekening is al een aanval op het vaderland.

Die datum is een scheidslijn tussen wij en zij – de anderen. Vanavond is het heel duidelijk. Dorothee en wij horen bij de anderen.

Burt doolt de hele nacht hinderlijk door mijn gedachten. Hoe hij achter ons aan was komen rennen. 'Lafbekken! Lekker aan de kant blijven staan, hè! Trutten!' Hoe ik steeds harder was gaan lopen.

Ik sta op om te kijken of de deur echt op slot is. Na de episode met Owen sliep ik net weer iets beter. Pas als ik in mijn donkere slaapkamer hardop zeg dat ik die Burt nooit meer wil zien, verdwijnt mijn driftige date uit mijn hoofd.

Het is zondag, ik hoef niet vroeg op, en ben toch al voor negen uur wakker. Mijn eerste gedachte is dat Burt nu op weg is naar het vliegveld. Over een paar uur is hij ver van hier, in New York.

Als ik opsta heb ik bezoek. 'Hoe ben je binnengekomen?' vraag ik.

De engel heeft de open haard aangestoken, iets wat ik zelf nog nooit heb gedaan. Voorzichtig legt hij nog een tak op het vuur en keert zich naar me toe. 'Als jij me toegang geeft, kan ik naar binnen.'

Halverwege de ochtend begint het hard te sneeuwen. Er valt zoveel sneeuw dat de vlokken samengebald in één grote witte bezem de lange ochtendschemering helemaal wegvegen. Het is donker en licht tegelijk. Een menigte vlokken, meer heb je niet nodig. Alles is anders.

Ik zit met een boek op schoot en kijk naar de engel bij de open haard. Huiselijkheid met een schurende rand. Hij staart naar de vlammen.

Ik zou hem willen vertellen over de vechtpartij gisteravond, maar weet niet wat ik moet zeggen over de blind date. Met moeite lees ik een paar regels, de betekenis dringt nauwelijks tot me door. Iets over een tragische liefde. Met een zucht sla ik het boek dicht. De engel reageert niet.

'Hé,' zeg ik, 'ben je er nog wel?'

De engel kijkt op. Zijn ogen zijn feller van kleur dan ooit, alsof er een vochtige glans overheen ligt.

Mijn adem stokt.

'Natuurlijk,' zegt hij, 'ik ben hier.'

'Waar denk je aan?' vraag ik.

Hij kijkt me peinzend aan en glimlacht dan een beetje. 'Dat gaat je niets aan.'

Ik laat me niet uit het veld slaan. 'Mag dat eigenlijk wel?'

Hij zegt niets.

'Een relatie beginnen met een mens?'

Daar – ik heb iets onherroepelijks gezegd, iets dat al langer in de lucht hing te trillen, iets dat – eenmaal uitgesproken – nooit meer ongezegd kan worden.

Hij draait zich met stoel en al naar me toe, zijn rug naar het vuur. 'Een liefdesrelatie?' zegt hij. 'Zo'n relatie hebben wij niet.'

'Nee. Maar stel dat het wel zo was, stel dat we geliefden waren. Zou dat tegen de regels zijn?'

Hij knijpt zijn ogen een beetje samen, alsof hij iets wil verbergen. 'Daar zijn geen regels over, want zoiets komt nooit voor.'

'Er zijn toch régels? Dat heb je me tenminste verteld.'

'Ja, wij hebben regels. En één regel staat boven alles.'

Ik wacht.

'Iedereen heeft de vrijheid om goed te doen.'

'Of om slecht te doen?' Het is eerder een opmerking dan een vraag. 'Niet alle engelen zijn toch heilig? Er is bij jullie toch strijd geweest tussen het goede en het kwade?' De engel irriteert me met zijn vertoon van ongrijpbaarheid, ik wil hem in een hoek drijven.

Abrupt staat hij op, schuift de stoel naar achteren, tot vlak bij het vuur.

'Geen enkele engel is heilig. En ja, als je voor het kwade kiest, overtreed je de regels. Dan plaats je jezelf onherroepelijk buiten onze gemeenschap.'

Mijn mond is droog. 'Een liefdesrelatie met een mens, valt dat onder het kwade?'

Hij maakt een geïrriteerd gebaar. Wil hij mij de mond snoeren? 'Nee, natuurlijk niet.'

'Dus is een relatie niet tegen de regels?' Het is onmogelijk nu nog te stoppen, ik haal het bloed onder zijn nagels vandaan.

'Een relatie met een geliefde heeft niets te maken met het kwaad, maar dat wil niet zeggen dat zoiets voor ons – voor míj – in de categorie van het goede valt. Het gaat om de nuances. Er zijn gradaties in goed en kwaad.'

'Als het zo subtiel is, hoe kun je dan zeker zijn van je keuze?'

Hij zwijgt.

'Zie je,' zeg ik, 'dat weet je niet. Niemand weet hoe een beslissing uitpakt, een slechte beslissing kan goede consequenties hebben, en andersom.'

Hij zegt nog steeds niets.

'Waarom niet? Voor mij zou het goed zijn. Je zou het goede doen, echt.' Nu pas voel ik dat er de hele ochtend al iets aan het schuiven is, een balans die zachtjes over het dode punt wordt geduwd.

Ik haal diep adem. Niet bang zijn, gewoon zeggen. 'Ik verlang zo naar je.' Mijn stem is schor. 'Hou van me. Vrij met me. Blijf bij me.'

De engel staat heel stil. De wind vliegt door de schoorsteen naar binnen, het vuur laait fel op.

De wereld vertraagt en vertraagt nog verder onder de vallende sneeuw.

Hij aan de ene kant van de kamer, ik aan de andere.

Verderop in de straat is beweging en rumoer. Ik loop het trapje van de veranda af. Om deze tijd hoort de buurt zo stil te zijn als op een autoloze zondag.

Midden op de weg staat een groepje mensen druk te gebaren. Een ambulance is op de stoep geparkeerd, in de haast is de bestuurder vergeten het blauwe zwaailicht uit te zetten.

Ik ben eerder geïrriteerd dan nieuwsgierig – het lijkt hier wel een circus. Vanochtend heb ik een afspraak met Manning over het writer-in-residenceprogramma. Ongetwijfeld begint hij weer over de budgetkwestie. Misschien wil hij wel dat ik sommige onderdelen van het project uitstel of beëindig. Ik ben van plan de bespreking nog even voor te bereiden, wat stukken door te nemen.

Toch ga ik vanzelf langzamer lopen als ik dichter bij de ambulance kom. Gina Rissini is in gesprek met een politieagent. Aan de rand van het groepje omstanders kijken de oude man en zijn invalide vrouw zwijgend toe. Ik herken zo snel geen andere mensen, behalve de mishandelende overbuurman, die door een ambulancebroeder overeind wordt gehesen van zijn zitplaats op de stoep. Hij lijkt in orde: geen wonden, geen bloed. Alleen zijn gezicht valt op – dat is zo lijkbleek alsof hij zojuist een vooruitblik heeft gekregen op zijn verdiende plek in de hel.

Ik negeer hem en wring me tussen de toeschouwers door. Midden op de straat steekt de neus van een donkerblauwe Ford nog net boven het asfalt uit. De rest van de wagen is weggezakt in een diep, breed gat in de weg.

Het duurt even voordat ik registreer wat hier aan de hand is. Een gat in de weg – zonder dat er ergens wegwerkers of een graafmachine te bekennen zijn.

'Wat is er gebeurd?' Ik draai me naar Gina, die vlak bij me staat. Ze lijkt vanochtend meer op Sophia Loren dan ooit, alleen de legitimatiekaart aan een touwtje om haar nek detoneert met haar filmsterrenuiterlijk.

'*This is horrible*!' Ze legt haar hand op mijn schouder alsof wij zusters in nood zijn. 'Die arme man, heb je hem gezien? Hij is in shock.' Ze gebaart naar de overbuurman die aan de arm van en broeder naar de ambulance strompelt. 'Hij reed hier rustig door de straat, op weg naar kantoor, toen de grond inzakte en zijn auto in dat gat verdween. *A nightmare*!'

Ik kijk naar de kunstig aangebrachte eyeliner die haar kattenogen benadrukt. Jarenvijftigstijl. Elke ochtend staat ze voor de spiegel, eerst het ene oog en dan het andere, haar mond in een ronde 'o' van concentratie. Hoe zou ze eruitzien als ze niet opgemaakt is? Kwetsbaar, waarschijnlijk. Er zijn maar weinig vrouwen die zonder make-up net zo sterk zijn als mét.

'*Terrible*,' stem ik in. 'Hoe kan zoiets gebeuren?'

'Dat weten we nog niet.' Ze hoort bij de insiders, de rode letters op haar legitimatiekaart zijn het bewijs: '*Neighborhood Watch, Dewey District*'.

'Is hij gewond?' Ik hoop dat hij gewond is, dat hij zijn verdiende loon heeft gekregen.

'Een paar schrammen, meer niet. Een wonder, het had veel erger kunnen zijn. Ze nemen hem mee voor observatie.' Gina vertrekt haar mooie gezicht in sympathie. 'Mogelijk is er een bom in het spel,' fluistert ze. 'Maar dat mag nog niet naar buiten – mondje dicht.' Ze legt een vinger tegen haar roodgeverfde lippen.

'Natuurlijk, van mij horen ze niets.'

Ik wil doorlopen. Ze houdt me nog even tegen. 'Trouwens, we zijn heel actief. We patrouilleren 's avonds in ploegen in de wijk. De serieverkrachter krijgt hier geen kans.'

Ik glimlach een onechte glimlach. 'Fantastisch. *Keep up the good work.*'

Het is niet erg dat ik te laat ben. De afspraak met professor Manning kan niet doorgaan, meldt Lara. Hij is bij de dean geroepen. 'Problemen,' voegt ze eraan toe.

Het kan me niets schelen – er stroomt een brede, ijskoude rivier tussen mij en de vakgroep – ik sta op de ene oever en mijn collega's met hun beslommeringen lopen heen en weer aan de overkant.

'Dank je,' zeg ik, 'ik hoor het wel als hij weer tijd heeft.'

Onderweg naar mijn kamer houd ik mijn aandacht bij mijn voeten op de donkere tegels. Zo vaak heb ik deze route al gelopen. De pas geboende vloer is glad onder mijn zolen. Twee keer in de week dweilen Mexicaanse schoonmaaksters de gangen in het hele gebouw. Ik kom ze weleens tegen als ik laat werk – stevige vrouwen die hun taak heel serieus nemen. Elke vlek wordt weggepoetst, het zweet staat op hun voorhoofd. 'Morgen is het weer vuil, waarom al die moeite?' heb ik weleens gevraagd, maar ze begrepen me niet, of wilden me niet begrijpen.

Daar kan ik wel in komen. Als je je als vreemdeling eenmaal begint af te vragen 'Wat doe ik hier eigenlijk?' of nog erger 'Waarom ben ik hier?' ga je vanzelf hevig terugverlangen naar je oude land, en dan is het einde zoek – in een unheimisch en onbetrouwbaar nieuw vaderland.

Een paar voeten naderen de mijne. Ik kijk op en zie Owen. Hij is te dichtbij, ik kan hem nu niet negeren. Ik ben niet bang voor je, zeg ik geluidloos.

Hij heeft mijn gedachte beslist gevoeld. 'Heb je het al gehoord?' zegt hij zonder me recht aan te kijken. Zijn blik is gericht op een punt een paar centimeter naast mijn hoofd. Er staat een betonnen muur tussen ons in en hij kan niet goed bepalen wat mijn exacte locatie is, daar achter die muur.

Mijn gezicht laat een minuscule hoeveelheid spanning los. 'Nee, wat is er aan de hand?'

'De dean heeft Manning op het matje geroepen. Het schijnt dat hij onze boss kwijt wil, omdat die zo langzamerhand niet meer te hanteren is. Er wordt gezegd dat er al een nieuwe kandidaat in de coulissen wacht.'

Ik kijk hem onderzoekend aan. 'Hoe weet jij dat?'

'O,' zegt hij nonchalant, 'contacten, hè. Ik hoor nog weleens wat in de wandelgangen.' Even koestert hij zich in zijn positie als insider. Dan vervolgt hij op dringende toon: 'Dat kan gevolgen hebben voor onze positie, *you see*. Mijn vaste aanstelling is geen garantie en jij zit hier op een tijdelijk contract. Het zal niet de eerste keer zijn dat zo'n nieuwe man een eigen hofhouding meeneemt.'

Als mijn baan niet wordt bedreigd door de een, dan doet de ander wel een poging om me eruit te werken.

Ik zucht en loop weg. 'Houd me op de hoogte,' roep ik over mijn schouder.

Ik had bij het haardvuur gezeten, dat nog nauwelijks de naam van vuur verdiende. Een paar gloeiende stukjes hout hadden amechtig hun best gedaan om nog wat warmte af te geven. De engel was al een tijdje weg, in haast vertrokken met zijn jas over zijn arm. Ik had geen idee hoe ik een vuur moest onderhouden.

Misschien was ik gaan geloven dat de engel echt een engel was. Ik testte mezelf, tikte met een stemvork tegen mijn binnenste. Het geluid dat terugkwam kon ik niet interpreteren.

Ik had de engel uitgenodigd in mijn bed. Mannen houden er niet van als vrouwen het initiatief nemen, en engelen waarschijnlijk ook niet.

'Als je een leuke jongen ziet, blijf dan niet als een verlegen miepje wachten. Ga er gewoon op af.' Mijn moeder was duidelijk geweest, verdoe geen kostbare levenstijd.

Toen ik haar advies opvolgde en aanbelde bij de mooiste jongen van de klas, had hij met een rood hoofd geweigerd om met mij naar het popfestival te gaan. Op school werd later gefluisterd dat ik mijn voet tussen de deur had gezet.

De engel had niet veel anders gereageerd. Ik had beter moeten weten.

De priemende, vrieskoude regen verandert in zwart ijs zodra het water de grond raakt. Met stijve benen glibber ik over straat.

Als ik eenmaal de vaste grond van mijn huis onder mijn voeten heb, ga ik voor het raam zitten. Het is al bijna donker, buiten gebeurt niets. Onderweg heb ik gezien dat de straat voor het verkeer is afgezet. Bij het gat in de weg staan hekken en lantaarns, even had ik de indruk dat er een wake werd gehouden.

Zou de engel zich laten afschrikken door de ijzel? Het is waarschijnlijker dat ik hem heb afgeschrikt met mijn avances.

Daar ben ik weer, op dezelfde plek waar ik al een paar keer ben geweest. Het is een plek die vertrouwd is, maar niet comfortabel. Helemaal niet comfortabel – verkrampt, bedompt, beklemmend. Ik ben bang dat ik hem heb verjaagd, dat hij niet meer terug zal komen.

Mijn vertrouwen is zo klein. *O ye faithless*, een tekst die ik ken van vroeger, uit een lied, of een boek, de Bijbel misschien. *O ye faithless*. Het ritme van die woorden resoneert met mijn hartslag. *O ye faithless*, telkens opnieuw.

Buiten klinkt wat gestommel. Ik buig me dichter naar het raam toe en zie iemand op de veranda staan. Ik vergeet bang te zijn. Afwezig loop ik naar de gang, knip het buitenlicht aan en doe de deur halfopen.

Alice heeft haar handen in haar zakken en maakt een door en doorverkleumde indruk – hoewel het toch maar een klein stukje is van haar huis naar mijn huis.

'Hi,' zegt ze. 'Mag ik even binnenkomen?'

'Ja, natuurlijk.' Ik moet denken aan het meisje met de zwavelstokjes in het sprookje. Met haar loopt het niet goed af. Alice heeft dikke wollen sokken over haar schoenen gedaan – hetzelfde antislipmiddel dat mijn oma vroeger gebruikte als het glad was.

Ze wil niet gaan zitten en ze wil ook haar jas niet uitdoen. Haar armen heeft ze beschermend om zich heen geslagen – misschien houdt ze zichzelf zo overeind. In haar grijze winterjas staat ze kaarsrecht midden in mijn warme kamer. Haar haar hangt slap langs haar gezicht, haar rechterslaap vertoont een vervaagde blauwe plek.

'*Thank you*,' zegt ze.

Ik trek mijn wenkbrauwen op. Ik heb niets gedaan.

'Omdat je laatst met bloemen langskwam en omdat je me wilde helpen,' vervolgt ze voordat ik iets kan zeggen. 'Ik kon je rozen niet aannemen vanwege hem,' ze maakt een hoofdgebaar naar buiten. 'Hij zou denken dat ik ze van een minnaar had gekregen.'

'Ja.' Ik slik. 'Natuurlijk, daar had ik niet aan gedacht.'

'Het helpt als er iemand is die je ziet, die ziet hoe je jezelf in leven houdt,' zegt ze.

O ja. Ja.

'Maar ik heb niets voor je gedaan.'

'Jawel,' zegt ze bezwerend, zwijgt, gaat dan door: 'Ik kreeg de indruk dat jij weet –'

'Nee.' Ik zeg het kortaf, ik ben niet aardig. Ze snapt het.

'Kan ik nu wel iets voor je doen?' vraag ik dan.

'Nee. Of ja, misschien toch wel. Ik wil je iets vragen.'

Nu zie ik pas dat ze haar armen niet alleen uit een veiligheidsgevoel om haar bovenlichaam heen houdt. Met haar linkerarm ondersteunt ze haar rechterelleboog.

'Ben je gewond?' vraag ik.

Ze schudt haar hoofd. 'Dat doet er niet toe. Maar dit is belangrijk: vanochtend, toen mijn man de deur uit ging, heb ik hem vervloekt. Met al mijn kracht heb ik gedacht: "Ik wil dat Peter een ongeluk krijgt, of dat zijn hart zomaar stil blijft staan. Ik wil dat hij vanavond niet thuiskomt." Vlak daarna reed hij met zijn auto in dat gat.'

'Hij is niet gewond,' zeg ik, alsof dat iets uitmaakt.

'Er zijn inwendige kneuzingen. Hij mag nog niet naar huis.' Even is ze stil. 'Mij zal hij in dat ziekenhuis niet zien.'

'Je hebt hem dood gewenst,' zeg ik langzaam.

Ze kijkt me afwachtend aan.

'Dat is menselijk. In jouw situatie heb je drie *options*: je kunt weggaan naar een plek waar hij je niet vindt, je kunt hem uitschakelen, of je kunt hem dood wensen. Dat laatste lijkt het makkelijkst, maar dat is het echt niet. Je hoeft je niet schuldig te voelen, je doet wat je kunt.'

Ik overweeg haar te wijzen op het bureau tegen huiselijk geweld. Zelf zou ik liever ver weg blijven van zo'n hulpverlenerscircus.

'Dat ongeluk was toeval,' zeg ik dan. 'Dat kan niet anders. Hoe dringend je zijn dood ook wenst, er verandert pas echt iets als je zelf in actie komt.' Ik strek mijn hand naar haar uit, maar raak haar niet aan. 'Kun je bij hem weggaan? Als je hem zo haat –'

'Nee.'

'Nu niet? Of nooit?'

Ze glimlacht. 'Nu niet.'

'Goed, dat is tenminste iets.'

Bij de deur geeft ze me een lichte kus op mijn wang. '*Thank you – again.*'

Daar gaat ze op haar sokken, voorzichtig over de ijzige straat, het trapje op naar haar eigen huis.

Toen Kathelijne beneden kwam, stond er een boeket rode rozen in de groene geglazuurde vaas, midden op de keukentafel.

Ze boog zich eroverheen en rook niets. De bloemen hielden zich krampachtig gesloten. 'Zo gemakkelijk kom je er niet van af,' mompelde ze. Met voorzichtige stappen liep ze naar het aanrecht.

In huis was het stil. Buiten klonken de doordeweekse geluiden – auto's die langsreden, een krijsend kind, de schuurmachine in het huis aan de overkant dat al maandenlang werd verbouwd.

Kathelijne dekte de tafel met een rode placemat en zilveren bestek dat nog van haar moeder was geweest, haalde potten jam en honing uit de kast en deed de oven aan. Ze schepte koffie in de cafetière, zette die op het fornuis. De oven was nog niet helemaal op temperatuur, maar ze legde er toch twee voorgebakken croissants in. Daarna schilde ze een peer en ging aan tafel zitten, tegenover de rozen. 'Mooi uitzicht,' zei ze en stak een schijfje fruit in haar mond. De geur van de croissants en koffie trok door de keuken. Ze dacht aan het meisje dat ze was geweest.

De cafetière pruttelde. Kathelijne kwam overeind, ze staarde naar de tafel met daarop de vaas met rozen, een stapel oude kranten, reclamebladjes, haar placemat met het kommetje – het grootste deel van het fruit er nog in –, een schaal met opgebrande waxinelichtjes, Bas' leesbril, een geruite pannenlap en een doosje lucifers. Ze legde haar hand op haar buik.

Genoeg.

Ze pakte een lege vuilniszak en veegde de kranten, de folders, de placemat, de zilveren lepel en het mes, het kommetje met fruit, de pannenlap, de lucifers, de pot frambozenjam en de lavendelhoning, de schaal, de waxinelichtjes er met een brede zwaai in. Trapte de vuilniszak in een hoek. Tilde de rozen uit de vaas en gooide de druipende bos in de pedaalemmer. Een bloem bleef tussen de rand en de deksel steken en hing met ongelukkig geknakte knop naar buiten.

Kathelijne legde de bril van Bas – een duur exemplaar van Armani – voorzichtig op de grond. Haar linkervoet bleef er even boven zweven, stampte toen boven op het glas. Krak. Dat was niet bevredigend genoeg. Ze trok haar zachte pantoffels uit. Met blote voeten vermorzelde ze het ding, draaide haar hielen over het montuur tot de poten afbraken, sprong boven op de scherven glas. De resten bril en de bloedvlekken ruimde ze niet op.

Klaar.

Ze haalde de warme croissants uit de oven, schonk haar koffie in en ging aan de opgeruimde tafel zitten.

IJzelen is een prachtig woord dat helemaal niet past bij het strenge weerfenomeen dat het beschrijft. Ik associeer het met een wild ballet van wervelende, prikkende kristallen, niet met neerstriemende naalden van ijs.

Tegen middernacht hoor ik Dorothee buiten vloeken. '*Holy shit*!'

Ik heb het etymologisch woordenboek op schoot en kies de mooiste M-woorden. Moefti, moloch, moonboots.

Ze staat al in de gang. '*Damn*, wat is het glad.'

'Kom je nog iets drinken?' vraag ik.

'Graag. Vanavond geen enkele klant gezien. We hebben maar wat rondgehangen in de keuken – pannen geschuurd, de kasten schoongemaakt. Nog geen salade heb ik klaargemaakt.'

Ze laat zich op mijn bank vallen en legt haar kousenvoeten op tafel. Haar moonboots staan in de gang uit te druipen.

Ik haal een fles Californische chardonnay en twee glazen uit de keuken terwijl ze me achternaroept: 'Helemaal niets verdiend vanavond – *rien du tout*!'

Dorothee werkt volgens een ingewikkeld systeem waarbij haar kleine salaris wordt aangevuld met een percentage van de omzet van die maand.

'Heb je dat gat in de straat gezien?' Ik reik haar een glas aan.

'Natuurlijk, vanochtend al, toen ik boodschappen ging doen. Er staat nog steeds een auto met twee *cops* erin de boel in de gaten te houden. Ze vertrouwen het niet.' Ze neemt een grote slok. 'En die gestoorde lui van de neighborhood watch lopen met zaklantaarns als schijnwerpers door de wijk te glibberen. Spiegelglad of niet, zij waken over ons.'

We lachen. 'Wat als ze een misdadiger moeten achtervolgen!' Ik zie het al voor me.

'Ik hoop dat hun ziektekostenverzekering ook botbreuken dekt,' zegt Dorothee vilein. Dan vervolgt ze op serieuze toon: 'Ach *chérie*, ik word zo moedeloos van die anti-Arabische stemming. Het wordt steeds erger.'

'Hoezo?'

'Vanochtend bij de Food Co-op zei iemand dat er misschien een bom is ontploft in dat gat in de straat. De jongen achter de kassa, je weet wel, die ouwe hippie met dat paardenstaartje, vertelde me in alle ernst dat er een cel van Al Qaida in deze wijk is geïnfiltreerd.' Ze zucht diep. 'Zelfs die alternativo's geloven in een Arabisch complot. En dan natuurlijk dat gedoe met die buikdanseres en die vreselijke Burt. Ik zou er om moeten lachen, maar het wordt zo langzamerhand echt verontrustend.'

'Ik hoorde ook al geruchten over een bom,' zeg ik. 'Misschien is er werkelijk iets ontploft onder die auto.'

Dorothee gaat rechtop zitten. 'Of niet! Deze stad heeft nogal wat achterstallig onderhoud, het kan best dat de grond daar was verzakt. En als het wel een bom is geweest, hoeft dat niet automatisch een Arabische bom te zijn! Wie weet heeft die vent van de overkant banden met de maffia, of heeft zijn vrouw het gedaan, uit wraak voor al die klappen die ze krijgt.'

Ik protesteer, maar Dorothee onderbreekt me.

'En het toppunt is wat me vanmiddag overkwam. Het begon net te ijzelen en ik keek op de veranda of het erg glad was. Die vrouw die altijd en eeuwig dat rode jasje aanheeft kwam naar me toe. Ze had zo'n legitimatie om haar nek hangen, van de neighborhood watch. Het ging natuurlijk over dat gat in de weg. Toen zei ze opeens, zonder aanleiding: "Jij hebt toch ook een Arabische achtergrond, hè?" Ik was zo geschokt dat ik ontkende. "Nee," zei ik, "ik ben hier geboren en getogen, ik weet niet waar je het over hebt."' Dorothee is even stil.

'Dit land heeft een judas van me gemaakt,' zegt ze dan.

Ik leg mijn hand op haar arm. 'Kom, je overdrijft. Dat zijn allemaal domme mensen. Daar moet je je niets van aantrekken.'

Een verlangen naar Nederland overvalt me. Mijn eigen bed, mijn eigen kamer, mijn eigen huis in mijn eigen stad, met mijn eigen mensen – aan de andere kant van de oceaan.

Ik voel me net Roodkapje die met een mand vol lekkernijen op bezoek gaat bij haar zieke grootmoeder. Dat gevoel verdwijnt onmiddellijk als Craig het slot opendraait en met felle ogen voor me staat.

'Ik ben eenzaam,' zeg ik. 'Wil je een maaltijd met me delen?'

Hij knikt nauwelijks waarneembaar en laat me binnen. Pas aan tafel, in de keuken, durf ik te vragen hoe het met hem gaat.

'Goed,' zegt hij. Hij liegt. Zijn naar binnen gekeerde blik verraadt hem.

Ik schep wat pastasalade van de delicatessenwinkel op mijn bord en geef Craig een stuk Italiaans brood.

'Oké,' zegt hij. 'Jij je zin. Het gaat niet goed.' Afwezig scheurt hij het brood in tweeën.

'Neem je pijnstillers?'

'Nee.' Hij kijkt me aan alsof ik dom ben. 'Pijnstillers zijn alleen voor de allerergste noodgevallen. Pijn hoor je gewoon te verdragen.'

Hij verandert van onderwerp. 'Zie je die *lover* van je nog weleens?'

Ik slik een hap pasta met tomaat door. 'Hij is mijn *lover* niet.'

'Oké. Die man die steeds verdwijnt, die man die je in een koffiebar hebt opgepikt.'

Ik glimlach. 'Dat klinkt wel erg dubieus. Ja, ik heb hem nog een paar keer gezien. Ik denk dat hij niet meer terugkomt – ik heb hem bang gemaakt.'

'Een bange man, daar heb je niks aan. Waarom is ie bang?'

'Ik heb hem gezegd dat ik met 'm naar bed wil.' Ai – dat is directer dan ik bedoelde. Mijn ongemak is vast ontstellend zichtbaar. Ik leg mijn handen op mijn wangen. Craig vertrekt geen spier.

'Ja, daar zou ik ook bang van worden. Je moet het initiatief ook aan de man laten, squaw.' Hij schudt zijn hoofd. 'Veel van die meiden van tegenwoordig snappen niet hoe het moet. Er zijn niet voor niks eeuwenoude regels – houd je daar dan ook aan!'

Ik duw met mijn vork de pastaschelpjes op een hoopje. 'Denk je dat hij nog terugkomt?'

'*How should I know*? Wil hij ook met jou vrijen?'

Ik aarzel en zeg dan: 'Ik geloof van wel.'

'Dan komt ie wel terug. Geen paniek, hij komt wel terug.'

Craig zet koffie terwijl ik de afwas doe. Ik vertel over het gat in de straat.

'Ja,' zegt hij. 'Een paar klanten hadden het erover. Vreemde geschiedenis. Ze vertelden me dat de vent die in de auto zat bij het ministerie van Defensie werkt. 't Kan best een aanslag zijn geweest.'

Ik draai me om, de afwasborstel in mijn hand. 'Bij Defensie? Hij is mijn overbuurman – daar weet ik niks van.'

'Het kan best dat hij connecties heeft die niet deugen,' vervolgt Craig peinzend.

'Bij ons in de straat zeggen ze dat het een bom was.'

Craig lacht. 'Een bom? Kom nou. Als iemand een explosief op de weg of in die auto had gelegd, was er niets meer van die wagen over geweest, en van je buurman ook niet. Dit was geen conventionele bom, geloof mij maar.'

Ik kijk hem vragend aan.

'Geef me nou niet zo'n FBI-blik, juf. Ik weet echt niks, ik tel alleen één en één bij elkaar op, meer niet.' De koffie begint te pruttelen en hij draait de elektrische brander uit. 'Er zijn twee mogelijkheden. Of de grond is onder zijn voeten ingezakt, zoals dat nou eenmaal af en toe gebeurt met grond. Of het was een constructie onder het wegdek die van een afstand is geactiveerd. Daar zet ik mijn kaarten op. *Very smart*, op die manier is het moeilijk te achterhalen wat er precies is gebeurd.'

'Maar niet effectief,' zeg ik. 'De buurman leeft nog.'

'Wie zegt er dat hij dood moest? De meeste aanslagen zijn alleen maar bedoeld om angst aan te jagen.'

Ik blijf lang in bed liggen en sta ten slotte met tegenzin op. De chaotische dromen van de afgelopen nacht walsen nog door mijn hoofd. Explosies, achtervolgingen op zwart ijs, witte kunstschaatsen en de engel die op water liep.

Mijn lichaam is zo vermoeid alsof ik de hele nacht van de ene plek naar de andere heb gerend. Toch mag ik blij zijn dat ik 's nachts überhaupt weer slaap.

De pikzwarte koffie brengt me met kleine slokjes in deze dag. Ik heb tot elf uur vrij omdat beveiligingsbeambten op dit moment het hele gebouw aan een *security check* onderwerpen.

'*Fuck them*,' mompel ik, zonder te weten wie die '*them*' eigenlijk zijn.

Iemand drukt heel hard en lang op de bel. Dat kan ik niet negeren, ik loop naar de deur.

Daar staat een man die een legitimatiebewijs in een leren hoesje onder mijn neus houdt. Het gaat zo snel dat ik het niet goed kan bekijken.

'Ik ben Dave Carowski, FBI,' zegt hij.

Hij ziet er heel gewoon uit in zijn beige winterjack en spijkerbroek, met daaronder cowboylaarzen. Zijn korte haar heeft een onbestemde kleur en hij wordt al een beetje kaal. Begin dertig, schat ik. Ik neem zijn gezicht in me op. Scherpe jukbeenderen, smalle mond. Blauwe ogen.

Niets bijzonders. Geen man uit een tv-serie, geen man naar wie je op straat nog een keer omkijkt.

Hij wacht op mijn reactie, maar als ik niets zeg, vervolgt hij: 'We doen een buurtonderzoek.'

'Het gat in de weg?' vraag ik.

'Onder andere. Er spelen ook andere zaken. De mensen van de neighborhood watch die hier opereert, hebben een verdacht individu gezien. Wij hebben reden om aan te nemen dat het om deze persoon gaat.'

Hij haalt een foto uit zijn binnenzak. 'Kent u deze man?'

Ik doe een stapje naar voren. Het is een zwart-witfoto van een redelijk jonge man met een vriendelijke uitstraling. Zijn haar draagt hij heel kort met een ouderwetse scheiding in het midden, dat is het enige opvallende aan de foto. De ogen van de man zijn niet duidelijk te zien, er valt een schaduw over zijn gezicht. Om zijn lippen speelt een vage glimlach.

Een portret voor zijn liefje, gemaakt door een fotograaf met zijn hoofd onder het zwarte doek van het fototoestel.

Mijn geheugen scant alle gezichten die ik ooit heb gezien – als een duim die langs een pak kaarten gaat. De man komt me niet bekend voor, en tegelijkertijd ook weer wel.

'Dat lijkt een foto uit een andere tijd, of een ander land,' zeg ik.

'Kent u hem?' De fbi-agent houdt de foto dichter bij mijn gezicht.

Ik kijk nog eens. 'Nee, ik heb geen idee wie dat is.'

'Iemand van de neighborhood watch zegt dat hij deze persoon op uw veranda heeft gezien.'

Ik heb het gevoel dat ik achteruitdeins, maar mijn voeten blijven stevig op de grond. 'Daar weet ik niets van – wat heeft die man gedaan?'

'*No worries, miss.*' De fbi-man bergt de foto weer op. 'Daar is geen reden voor. Maar als u die kerel ziet, bel me dan direct.' Hij geeft me zijn kaartje.

Het kaartje ligt voor me op tafel. Ik weet niet hoe lang ik al in de keuken zit.

Het FBI-logo, de naam Dave Carowski, een telefoonnummer en een postbus in Washington. Meer niet. Als ik Dave wil opzoeken, kan dat niet – waar zijn kantoor is mag ik niet weten.

Ik schuif de stoel naar achteren en sta op. Van het aanrecht loop ik naar het raam en van het raam naar het aanrecht en weer naar het raam. De tuin ligt er kalm bij. Een heel dun laagje sneeuw glinstert in een onverwacht moment van zon. Aan de takken van de hulststruik hangen ijspegels van ongelijke grootte, net kristallen kerstversieringen.

Six shopping days left till Christmas! Overal kerstbomen, kerstverlichting, kersttaart, kerstkoekjes, kerstballen, kerstboeken, kerstchocola, kerstondergoed, kerstlippenstift, kerstjurken, kerstcake, kerstcomputerspelletjes en kerstengelen.

Elke dag zie ik het kerstenthousiasme stijgen, als hete melk in een steelpan. Hoger en hoger tot aan het kookpunt, en straks bruist het onhoudbaar over de rand.

Kerstmis is hier samengebald in één enkele dag – in vierentwintig uur moet alles gevoeld en gevierd zijn: vrede op aarde en in de mensen een welbehagen. Want 26 december gaat het werk weer door – behalve op de universiteit. De studenten en de *staff* hebben vakantie tot begin januari. Als ik voor die tijd niet ontslagen ben, is dat mijn kerstcadeau: even vrij van Owen, van Manning, van mijn bedreigde programma.

De kaarsen en waxinelichtjes doen een poging om de duisternis te ontkennen. Dorothee heeft de eettafel naar het midden van de kamer geschoven. Daar staat hij mooi te zijn met een rood tafelkleed, wit servies en goudkleurige servetten.

Ik zit in de stoel bij het raam. Beneden op straat lopen drie mensen langs in dikke jassen. Hun zaklantaarns werpen lange lichtbanen over de sneeuw.

'Ik heb nog nooit een witte kerst meegemaakt,' zeg ik. Vroeger was Kerstmis gelijk aan druilerig en grijs weer, aan verplichte middagwandelingen door lichtloze straten – raar hoe die herinnering me heimwee bezorgt.

Xenia, die in een voddige grijze jurk op de bank hangt, geeft me een vernietigende blik – ik heb iets belachelijks gezegd. Dorothee hoort niets, het geluid van de staafmixer overstemt alles.

Dorothees minnaars zijn elders: Jeff zit bij zijn ouders onder de kerstboom en Eric pakt cadeautjes uit met zijn vrouw en kinderen. Xenia heeft blijkbaar geen vriendje met wie ze de kerst door kan brengen. Mijn engel is spoorloos.

Diner voor drie vrouwen.

Dorothee komt binnen met een schaal zoute koekjes in de ene en een fles rode wijn in de andere hand. '*Merry Christmas!*' roept ze en zet de schaal op tafel. 'Dat dit maar het begin mag zijn van een periode met heel veel geluk.'

Ik schenk wijn in, Dorothee en ik drinken elkaar toe. Xenia komt niet van de bank.

'Weet je wel dat Kerstmis de christelijke versie is van een heidens feest?' zegt Dorothee terwijl ze Xenia haar glas aanreikt. 'De kerk heeft er een glanzend gekerstend laagje over geplakt, maar eigenlijk werd in deze periode de dood van het oude, vermoeide licht en de geboorte van het nieuwe licht gevierd.'

'Mmm,' zegt Xenia alleen maar. Ze zet het glas op een tafeltje zonder een slok genomen te hebben.

Dorothee wijst op de schaal. 'Griekse kaaskoekjes. Vroeger hield je daar zo van.' Haar glimlach lijkt uit rood karton geknipt en voor de gelegenheid op haar gezicht geplakt.

'Nee, dank je.' Xenia kijkt haar niet eens aan. 'Ik heb geen trek.'

Ik voel de kramp tussen mijn schouderbladen en neem snel een kaaskoekje. De vlammetjes van de kaarsen zijn levendiger dan de sfeer in de kamer. Ik denk aan de engel.

'Wat ben je stil,' zegt Dorothee.

Xenia springt op. 'Ik breng wat koekjes naar die agenten. Die zitten op kerstavond in zo'n koude auto de wacht te houden bij dat belachelijke gat in de weg. Alsof iemand het in zijn hoofd zou halen om het weer dicht te gooien.'

Ze verdwijnt naar de keuken en komt terug met een tupperwaredoos waar ze zeker de helft van de koekjes in gooit. Dorothee zegt niets, ze roept haar alleen achterna: 'Kom je snel terug?'

'Ze maakt me gek,' zegt ze als de voordeur dichtslaat.

'Ze blijft ook steeds maar zo kwaad,' zeg ik.

'Ach, er zijn zoveel dingen – dat ze haar vader nooit meer ziet, hoe ik haar heb opgevoed.' Dorothee neemt een grote slok wijn en zegt niets meer.

'Hoe dan?'

Ze overweegt haar antwoord. 'Ik was heel streng, misschien te streng – soms gaf ik haar een pak slaag – zo ben ik zelf ook opgevoed: ik kreeg straf als ik me niet aan de regels hield. En bovendien, ik was een alleenstaande moeder, ze was lastig en ik had niemand die me steunde.'

'Is dat wat ze je verwijt?' vraag ik voorzichtig.

'Ik weet niet of dat het enige is. Ze heeft me pas nog naar mijn hoofd geslingerd dat ik haar geestelijk en lichamelijk heb mishandeld. Boos is het woord niet. Wóédend. Ze is woedend geboren, denk ik weleens.'

'En toch komt ze nog steeds naar huis.'

Er krult een wrange glimlach om haar mond. 'Ja, bij gebrek aan beter.'

'Misschien raak ik mijn baan kwijt,' zeg ik zomaar, zonder nadenken.

'Wat!' roept Dorothee.

'Nou, het is nog helemaal niet zeker wat er gebeurt,' zwak ik mijn mededeling af. De tafel staat vol schalen met gerechten, te veel voor drie mensen.

Ik vertel over de ontwikkelingen bij de vakgroep. 'Eergisteren is Manning ontslagen.' Wat een genoegen om dat te kunnen zeggen.

Owen had gelijk gehad, er stond inderdaad al iemand in de

coulissen te wachten. Manning was direct opgevolgd door een befaamd historicus met een groot netwerk in Nederland en Scandinavië en veel geruchtmakende publicaties op zijn naam. Na de kerstvakantie zou de nieuwe professor beginnen.

'Fijne timing zo vlak voor de feestdagen,' zegt Dorothee. Haar oorbellen met grote namaakparels fonkelen in het kaarslicht. 'Ben je bang dat je werkloos wordt?'

'Nee,' zeg ik langzaam. 'Ik ben niet bang.'

Xenia, die ruim een uur weg is geweest, speelt wat met haar wortelsalade. Het is het enige gerecht op haar bord. De rozijnen en amandelen heeft ze opzijgeschoven en af en toe prikt ze een paar sliertjes wortel aan haar vork, die ze naar haar mond brengt alsof die beweging haar extreem veel moeite kost.

Dan zegt ze opeens: 'Je mag wel oppassen voor die man die laatst bij je was.'

'Wie?' vraag ik. Ik weet precies wie ze bedoelt.

Xenia glimlacht. 'Die lange man met dat donkere haar. *Gorgeous-looking guy*, hij was op de avond van Halloween bij je, en later heb ik hem nog een keer gezien.'

'Ja?'

Dorothee trekt haar wenkbrauwen op.

'Volgens mij spoort hij niet. Hij heeft een foute uitstraling,' zegt Xenia. Ze maakt een klein bergje van de wortelreepjes en staart me met een donkere blik aan.

Ze voert een act op als helderziend wonderkind, speciaal voor kerstavond. Ik moet mezelf inhouden om mijn glas wijn niet boven haar hoofd te legen.

Kerstmis is het feest van de vrede, de dag waarop alle mensen zich met hun lot en met elkaar verzoenen. Een wapenstilstand van één dag – een nutteloze exercitie, want na die ene dag slaan vijanden elkaar gewoon de hersens weer in.

'Ik zie hem niet meer.' Ik hoor zelf hoe kortaf mijn toon is.

'Die agenten in de straat zeiden dat ze speciaal opdracht hebben om uit te kijken naar een verdacht individu.'

'Ik zie hem niet meer,' herhaal ik. Ik breng mijn wijnglas zo onbeheerst naar mijn mond dat ik rode wijn mors – op mijn witte satijnen jurk met de omhelzende handschoenen. 'O, nee!' De wijn maakt een spoor van bloedrode vlekken in mijn schoot.

Dorothee komt onmiddellijk met een grote pot zout.

'Die vlekken gaan er niet meer uit,' zeg ik, terwijl ze lepels vol zout op het satijn strooit. Ik verbeeld me dat de satijnen armen me troostend vasthouden.

'Niet erg,' zegt Xenia op droge toon. 'Ik vond het toch al een belachelijke jurk. Het lijkt wel alsof je de bruid bent.'

Een engel met vlammend zwaard joeg Adam en Eva op de vlucht. De Bijbel spreekt over legioenen van engelen. In grote aantallen jakkerden ze over het geboorteland van Jezus: een hemelse schare waar stervelingen geen verweer tegen hadden.

En dan Lucifer – een opstandeling die met een militie van medestanders het gezag omver wilde werpen. Oorlog waar het altijd vrede zou moeten zijn. Michaël die met zijn machtige zwaard zijn rebellerende mede-engelen de hemel uit ranselde. Gabriël, engel der wrake.

Bepaald geen lieverdjes, die engelenschare. Als engelen in de wereld verschenen was dat in Bijbelse tijden net zo goed een gruwel als een wonder.

Ik kan me mijn engel niet met een zwaard voorstellen. Dan denk ik aan zijn gespierde armen en zijn sterke handen. Daarmee kan hij gemakkelijk iemand knock-out slaan, of vastgrijpen en tegen de grond duwen, de keel dichtknijpen, of –

Ik leg de rug van mijn hand tegen mijn voorhoofd, zoals mijn moeder deed als ik me niet lekker voelde. De huid gloeit, ik heb vast en zeker koorts.

De wekker geeft kwart over twaalf aan. Het oude jaar is voorbij, de deur uit geslopen zonder dat ik het heb gemerkt. Vuurwerk is dit jaar blijkbaar niet populair en niemand heeft mij voor een feest uitgenodigd. *Who cares*, ik voel me toch niet erg feestelijk.

Dorothee is bij een van haar minnaars, of misschien bij weer een nieuwe minnaar. De vakgroep is gesloten. De engel is – God mag weten waar de engel is. De stad is leeg, en ik ben ziek.

Vroeger hingen Carine en ik alle kerstkaarten aan een rood lint, dwars door de kamer heen. Ik heb al een tijd niets van haar gehoord. Waarschijnlijk is ze kwaad omdat ik niet reageer op haar brieven. Ze zou toch moeten weten dat ik aan haar denk.

Mijn post voor de feestdagen bestaat uit twee brieven. Een officieel schrijven van de notaris – het huis en de inboedel zijn verkocht, het geld is op mijn Nederlandse rekening gestort. En de gebruikelijke mededeling van mijn vroegere geliefde. Precies zoals al die andere brieven. 'Ik haat je.' Hij is nooit een groot schrijver geweest.

Lezen helpt altijd. Aangezien het kersttijd is, pak ik de bijbel van de stapel boeken naast mijn bed – in een opwelling uit Nederland meegenomen – en sla het Lucasevangelie op.

Daar waakten de herders in de nacht bij hun schapen toen er een stralende engel verscheen. Ze schrokken zich dood, wat voor iedereen zou gelden die met een buitenaardse aanwezigheid wordt geconfronteerd. Maar de engel zei 'Vreest niet', en beloofde hun grote blijdschap.

Vreest niet, mompel ik. Vreest niet – dat is nog eens een andere boodschap dan die van de engel der wrake.

Er staat een glas sinaasappelsap op mijn nachtkastje. Ik neem er een klein slokje van. Mijn keel brandt.

Ik schrik al voordat ik wakker ben. In mijn slaap hoorde ik iets – een zacht, slepend geluid, of een doffe stomp – iets waardoor ik plotseling mijn ogen wijd open heb. Eerst zie ik niets, dan is er een beweging: de schaduw van de esdoorn op het plafond. Ik lig op mijn rug, buiten waait het. De boom in de achtertuin trilt en schudt. Al mijn spieren zijn gespannen, mijn lijf is tegelijk bevroren en klaar om weg te rennen. Ik luister, het geluid dat me uit mijn slaap heeft gerukt laat zich niet meer horen.

Er loopt een stalen kabel van mijn kruin naar mijn stuitje die steeds verder wordt aangedraaid, zodat mijn ruggengraat, van stijf en recht, langzaam zo kromtrekt als een hoepel.

Ik moet opstaan. Controleren of alles veilig is. Opstaan, vooruit, kom in beweging...

Mijn ledematen zijn roerloos.

Een tijdlang dobber ik net boven het oppervlak van een zee van slaap. Mijn rubberen warmwaterkruik ligt als een vreemd klein lichaam tegen mijn zij. Af en toe zak ik naar de diepte. Dan daalt het plafond tot vlak boven mijn hoofd. Heel kort duurt dat, of heel lang – dat weet ik niet. Telkens schiet het weer omhoog, waar het hoort.

Ik krijg het zo warm alsof er brand is gesticht in mijn buik. Het zweet breekt me uit, ik schiet overeind, gooi het dekbed van me af.

Toch heb ik iets gehoord – verdómme – dat geluid waarvan ik wakker ben geworden – wat wás dat? Ik zwaai mijn benen over de rand, ga staan. Voorzichtig – de spieren in mijn rug willen me nog steeds kromtrekken. De lucht voelt koud tegen mijn verhitte lichaam, ik grijp een oud vest van de stoel, trek het aan.

In een lichtloos huis maak ik een ronde langs alle kamers. Hier en daar kraakt de plankenvloer onder mijn voeten, maakt een scheur in de stilte. Ik woon hier al zo lang, en nog steeds weet ik niet welke plekken ik moet mijden om geen lawaai te maken. Dorothee vraagt zich waarschijnlijk af wat ik 's nachts toch steeds aan het doen ben.

Keuken, badkamer, wc, huiskamer – niemand. Alles is gerust.

Wat had ik dan verwacht? Owen durft hier echt niet meer te komen. Ik zie een hand voor me met een baksteen die het raam van de keuken in slaat – een nachtmerrie, geen realiteit.

Een blik op straat. Dit is het meest nachtelijke uur van de nacht: geen verkeer, geen lichten in de huizen. Ik laat het rolgordijn weer op z'n plaats vallen. Mijn armen jeuken. Zonder erbij na te denken haal ik mijn nagels over de huid. De wondjes van een eerdere episode zijn nog niet genezen.

Ik ben wakker. Klaarwakker. Klaar om te werken, klaar om af te wassen, klaar om te huilen, klaar om te vrijen, klaar om weg te gaan. Een nutteloos klaar-zijn, want het is nacht, de tijd van rust en vooral van vergeten.

Behalve voor mij. De herinneringen wervelen als opgedirkte dansmeisjes door mijn hoofd.

Ik wil ze niet. Het enige wat ik wil is slaap.

Ik ga in de leunstoel zitten en voel mijn hart met loodgietershanden tegen mijn ribbenkast stompen. Vroeger wist ik niet wat hartkloppingen betekenden. Een onschuldig woord voor zoiets angstigs.

Ik laat mijn hoofd op de rand van de rugleuning rusten en leg mijn handen op mijn buik. *Vreest niet.* Ik tel mijn ademhalingen en verwonder me erover dat dat allemaal maar dóórgaat – die longen, dat hart, dat bloed, al die verborgen functies die het leven steeds opnieuw bevestigen.

Op de tafel ligt mijn woordenboek. Ik pak het op – de zwaarte ervan is geruststellend. Vreest niet. Ik leg mijn vinger tussen de bladzijden en sla het boek open op zomaar een plek.

Sneeuwjacht, sneeuwstorm, sneeuwvlok, sneeuwwolk – die mooie langgerekte klank van sneeeeeeuw, als een uitroep van verwondering.

Die sneeuwdag, toen de engel het haardvuur had aangestoken. De engel aan de ene kant van de kamer, ik aan de andere. In de open haard was een tak geknapt. De vlammen waren opgelaaid.

'Ik zou je verdriet doen,' had hij gezegd. 'Als ik deed wat jij wilt – zoiets is onomkeerbaar. Je zou alleen achterblijven.'

Ik zag een schaduw in zijn gezicht. 'Jij bent zelf bang voor pijn,' zei ik.

Hij wil naar me toe komen, dacht ik. Maar de engel verroerde zich niet.

'Ik ken geen pijn,' zei hij.

Ik word wakker in de leunstoel. Mijn rug is stijf en mijn rechterarm tintelt. Het is licht – niet het verse licht van de vroege ochtend, maar het wat vermoeide licht van midden op de dag.

'Gelukkig nieuwjaar,' zeg ik.

In Nederland is het vandaag de dag van overgebleven oliebollen en van schansspringen op tv.

Ik ben misselijk – mijn keel is dik en rauw, ik heb het gevoel dat ik nooit meer iets zal kunnen eten, al helemaal geen oliebollen. Voorzichtig sta ik op om de verwarming hoger te zetten en thee te maken. Alles is breekbaar – ik zou willen dat iemand me vasthield en in bed legde.

Met een beker thee ga ik in de stoel zitten waarin ik ook heb geslapen, vlak bij de verwarming en met uitzicht op de doodstille straat.

Misschien moet ik terug.

Ik stel me voor hoe het zou zijn, zo'n terugkeer – hier alles leeg en opgeruimd, mijn koffers gepakt. Het wezenloze wachten op het vliegveld en dan de reis dwars door de tijdzones. De douanebeambte die me in mijn eigen taal aanspreekt, met een taxi naar mijn oude huis – en als ik daar dan aankom, wordt dat bewoond door vreemden.

Hoe kan ik dat vergeten, mijn huis is niet meer van mij. Het staat er nog wel, in dezelfde straat als altijd, maar het is een kijkdoos geworden met een uit karton geknipte inhoud. Door een klein rond gaatje tuur ik naar binnen, moet zelf buiten blijven.

De koorts raast van het ene lichaamsdeel naar het andere, mijn linkerooglid begint te trillen.

Uit alle macht concentreer ik me. Buiten duwt de oude man zijn vrouw in haar rolstoel over de stoep. Aan de overkant, in het huis van Alice, zijn de gordijnen halfopen. Een vogel landt met een hese kreet op de rand van onze veranda. Brutaal kijkt hij naar binnen en toont een roodoranje vlek op zijn borst – ik heb nog nooit eerder zo'n vogel gezien.

Het nieuwe jaar strekt zich schraal voor me uit, als een verlaten snelweg op een regenachtige dag. Ik denk aan boete en schuld.

Aan de zijkant van haar huis komt Alice met de vuilnisbak over het tuinpad. Ze wankelt even en het lijkt alsof ze gaat struikelen. Dan verschijnt haar man bij de voordeur. Ik wist niet dat hij al terug was uit het ziekenhuis. Hij loopt de veranda op en buigt zich over de balustrade naar Alice. Haar hoofd is binnen zijn bereik. Hij zegt iets, leunt nog verder naar voren en brengt twee vuisten als een hamer naar beneden. Alice springt opzij. Ze kijkt naar haar voeten en blijft doodstil staan.

Ik sta op. Onmiddellijk vliegen mijn gedachten alle kanten op alsof er een zweefmolen in mijn hersens ronddraait. De vloer helt naar voren en er komt een bittere smaak in mijn mond. Ik laat me weer op de stoel zakken, onderworpen aan mijn zieke lichaam.

Alice verroert zich niet. Ze wacht tot hij haar raakt.

Ik heb het mis.

Want dan recht ze haar rug en kijkt hem strak aan, terwijl ze de deksel van de vuilnisbak schuift en daar het eerste grijpt dat haar voorhanden komt: een leeg conservenblik. Met een grote zwaai gooit ze het blik naar de veranda. Hij is daar niet op verdacht en het ding treft hem vol in zijn gezicht.

Zelfs vanachter mijn raam kan ik hem horen brullen. Ik herinner me opeens hoe hij heet. Peter, zo'n saaie naam.

Alice wacht niet op zijn reactie, smijt een leeg pak frisdrank naar zijn hoofd, en nog een, en een plastic melkcontainer, en nog een blik, en nog een. Een vieze derrie van zuivel, saus en allerlei andere rotzooi druipt van zijn voorhoofd en wangen naar zijn schouders.

'*Go girl*!' roep ik.

Peter kan niet geloven wat hem overkomt. Hij maakt geen aanstalten om van de veranda de tuin in te stormen en Alice aan te pakken. De lege verpakkingen liggen aan zijn voeten, klaar om teruggesmeten te worden. Hij raakt ze niet aan.

Alice staat met de handen in haar zij naar haar man te kijken. Dan draait ze zich om en loopt in haar trainingspak, op haar slippers naar haar auto. Ze opent het portier en gaat achter het stuur zitten. Op het moment dat Peter eindelijk van de veranda komt, geeft ze gas en rijdt met volle snelheid achteruit de straat in. Hij moet opzij springen om niet door de woede van Alice te worden geplet. Ze scheurt weg als een cowgirl die de vrijheid tegemoet gaat. Ik zwaai haar na, ook al kan ze me niet zien.

Peter staat haar midden op de weg na te kijken, veegt ten slotte wat troep van zijn gezicht en sjokt naar zijn huis terug.

Ik ben ongelooflijk moe, ik zou wel de hele dag hier in deze stoel kunnen blijven zitten.

Het duurt lang voordat ik erin slaag om mijn benen sterk te maken, mijn rug te rechten en naar de slaapkamer te lopen. Ik heb een marathon volbracht en laat me op bed vallen. Zonder mijn dikke vest of mijn sokken uit te doen trek ik het dekbed over me heen.

'Nu wordt alles anders,' had Kathelijne gedacht. Ze snapte niet hoe ze dat kon weten, maar ze wist het toch. Ze draaide haar hoofd opzij.

Bas had zijn ogen open, hij lag naar haar te kijken. Kathelijne trok met haar wijsvinger de lijn van zijn mond na. Hij kuste haar vingertopje, en de binnenkant van haar pols.

Er was maanlicht, er waren gesteven, dikke lakens van hotelkatoen, er was een vloeibare warmte waar je traag in kon drijven, zoals ze die thuis nooit meemaakten.

En morgen zou er weer blauwe lucht en wit zand zijn – hier was niets om over te twijfelen. Niets om bezorgd over te zijn. Niets om boos over te worden.

Kathelijne had gezucht en had haar twee handen als een dakje boven op haar buik gevouwen.

Ik ben nog nooit zo ziek geweest. Dorothee zegt dat ik wartaal sprak – soms in het Nederlands – en dat ik niet wist waar ik was. Ik was afwisselend bang en euforisch, en weigerde me te laten onderzoeken door de dokter die ze had gebeld. Ze liet me bouillon en water met citroensap en gember drinken, hield vochtige doekjes tegen mijn voorhoofd.

Toen ik weer terugkwam in de wereld, trof ik een leegte aan waar herinneringen zouden moeten zijn.

Ik herinner me niets – of beter gezegd, bijna niets. Het enige wat me is bijgebleven zijn de lichten. Ik verkeerde in een donkerte die ondoordringbaar, alles doordringend donker was. Af en toe schoten er lichtflitsen door de duisternis, die mijn kamer en het binnenste van mijn hoofd verlichtten. Dan landde ik weer even op aarde.

In een van die verlichte momenten was ik uit mijn bed gestapt en naar het raam gewankeld. Het was nacht, de straatlantaarn voor het huis brandde. In het schijnsel stond de engel. Hij verborg zijn handen in de zakken van zijn jas en hield zijn gezicht naar mijn venster. Het leek me dat niemand hem van die plek weg zou kunnen krijgen.

Ik weet niet meer of ik heb gezwaaid, of dat ik het raam een stukje heb geopend en hem heb geroepen.

Misschien was het een koortsdroom.

Dorothee zit naast mijn bed en glimlacht als ik zeg dat ik honger heb.

'*At last*,' zegt ze. 'Ik dacht al dat ik je naar het ziekenhuis zou moeten brengen – de koorts werd maar niet minder.'

Ze helpt me rechtop te gaan zitten, schikt de kussens in mijn rug en geeft me een kopje slappe thee en een geschilde appel in partjes. De appel smaakt fris en gloednieuw.

'Ben je al die tijd bij me geweest?' vraag ik.

Ze knikt. Ik zie donkere kringen onder haar ogen.

'En je werk dan?'

'Ik heb het restaurant gebeld dat ik niet kon komen omdat ik een goede vriendin moest verplegen,' zegt ze.

'Dat kan toch niet! Dan verdien je niets – al die tijd die je aan mij hebt besteed –' Ik verslik me haast.

Dorothee reikt me een glas water aan en pakt het bordje met appel uit mijn handen. 'Rustig maar, *chérie*. Ik kon je toch niet hier alleen laten liggen? En bovendien, ik heb mijn tijd goed besteed: terwijl ik naast je bed zat te waken heb ik mijn manuscript bewerkt. Ik heb de laptop meegenomen naar beneden en heb hier rustig zitten typen. Mijn kookboek is bijna helemaal herschreven – minder Arabische levenswijsheden en meer Scandinavische folklore – ik ga het naar een andere uitgever sturen. Bovendien was ik blij dat ik de deur niet uit hoefde. Het is zo gruwelijk koud geweest in de tijd dat jij hier lag te ijlen. Een kwartier, langer was het buiten niet uit te houden. Ik heb over mensen gehoord bij wie het slijmvlies in de neus is bevroren.'

Dorothee zegt dat ik weer op krachten moet komen en dat het nu tijd is om te slapen.

Gehoorzaam ga ik weer liggen – ik zit in een vertraagd afgedraaide film en heb niet meer dan een vermoeden van de wereld die in versneld tempo voortraast.

Die de wereld anders maakt

'Waarom ik?'

'Hmmm.' De engel staat op en loopt naar het raam. Ik zie dat het is gaan sneeuwen. De vlokken vallen gestaag, als een gordijn van aan elkaar geregen katoenbolletjes.

Hij doet het raam een stukje open. De kou stormt naar binnen, ik trek de kraag van mijn trui dichter om mijn hals. 'Luister,' zegt hij. De vlokken maken een zacht, suizend geluid.

'Waarom ik?' herhaal ik.

'Ik verlang naar je,' zegt de engel.

'Weet jij wat verlangen is? Jij hebt alles al.'

'Ik heb jou niet,' zegt de engel. 'En ik leef. Alles wat leeft, kent verlangen. Dat verlangen is wat ons voortdrijft, het is de enige reden waarom we doorgaan met leven.'

'En de regels?'

Hij haalt zijn schouders op en sluit het raam weer. 'De regels kunnen me gestolen worden.'

Nu ik geen koorts meer heb, worden mijn dromen ongelooflijk. De engel die de regels overtreedt – dat zal nooit gebeuren.

De winter blijft altijd duren – andere seizoenen zijn alleen nog denkbaar met het allergrootste, blinde vertrouwen. Het is al zo lang koud.

De bloembollen in mijn tuin zijn ingemetseld in de keihard

bevroren aarde. Ik kan niet geloven dat daar in die donkere kou iets aan het groeien is en nog minder kan ik geloven dat zich ooit kleine groene puntjes boven de grond uit zullen wagen.

Alles is zoals tevoren. Alsof Dorothee nooit bij mijn bed heeft zitten waken en alsof ik nooit ben meegenomen door de koorts. Alleen mijn kleren, die zijn te wijd. Vroeger woonde er een grotere vrouw in mij.

Ik kan alles weer – zitten, staan, lopen, eten, drinken, lezen. Meer heeft een mens niet nodig. Dus heb ik Lara gebeld dat ik weer kom werken. Ze reageerde niet erg enthousiast.

Voor het eerst weer buiten: de ijspegels hangen als venijnige priemen aan de dakrand. De stoep is nog bedekt met aangekoekte oude sneeuw en het gras voor de huizen is wit.

De kou maakt me duizelig. Ik trek mijn sjaal over mijn neus en zet mijn ene voet voor de andere. Ik vraag me af of ik te haastig ben.

Broos, broos, broos – zing ik binnensmonds, een liedje om op te lopen. Bij elk 'broos' een stap. Broos betekent kwetsbaar. Kwetsbaar betekent zonder bescherming.

Waar is mijn engel?

Die vraag is niet relevant. Weg ermee. Als ik ooit een engel heb gehad, dan is hij nu verdwenen.

Aan het eind van de straat staat een groepje mannen in dikke blauwe parka's bij het gat in de weg. Ze dragen allemaal een wollen muts, ieder zijn eigen kleur en model, er is er zelfs een met een rode pompon erop. Ik stel me voor hoe hun vrouwen 's avonds voor de tv hebben zitten breien en hoe de mannen zich eigenlijk schamen om zo'n gehandwerkt ding op hun hoofd te zetten. Maar dat ze hun stoerheid opzij hebben gezet om hun vrouw te plezieren.

De bestuurder van een shovel stort grote happen aarde in het gat, zonder dat dat veel verschil maakt. Er blijft een gapende diepte midden in het wegdek.

Nieuwsgierig loop ik op ze af. 'Is de politie hier klaar?' vraag ik aan een middelbare bodybuilder die zijn handen warmt aan een grote thermosbeker.

'De politie?' zegt hij. 'De politie heeft hier niks mee te maken. De gemeente wil dat deze kuil wordt gedicht, en wel zo snel mogelijk.'

'O? Een koud klusje voor jullie,' zeg ik meelevend.

'Nou en of. Wachten tot het niet meer vriest, dat is er niet bij. *No way.* Ze wilden zelfs dat we gelijk zouden gaan asfalteren. Maar die lui daar –' hij maakt een hoofdbeweging in de richting van het centrum – 'hebben echt geen spatje verstand. Je vraagt je af wat ze daar achter hun mooie bureaus in hun warme kantoren de hele dag zitten te doen. Asfalt kun je alleen maar uitrollen als het niet te koud is.' Hij neemt een slok uit zijn thermosbeker.

'Maar in één ding hebben ze gelijk. *Ma'am*, je wilt niet weten hoe *fucking* gevaarlijk zo'n gat in de weg is. Een automobilist kan er zomaar in verdwijnen. En dan bedoel ik echt verdwíjnen, want de grond is heel los op die plek en voor je het weet verschuift de bodem nog verder en raakt zo'n sukkel bedolven onder een dikke laag aarde. En dan is het einde oefening, dat snap je wel.' Hij maakt een gebaar alsof hij zijn keel doorsnijdt.

Ik knik. 'Maar de politie dacht toch dat er hier een bom ontploft was? Moet dat niet verder onderzocht worden?'

De bodybuilder haalt met zoveel kracht zijn schouders op dat zijn muts een stukje naar voren zakt. Hij schuift het ding weer naar achteren. 'Daar weet ik niks van. Ik weet alleen maar dat we hier een *landslide* hebben, en dat dit zo snel mogelijk gefikst moet worden.'

Ik wens hem succes en loop langzaam verder.

Voor ik de hoek om ga, kijk ik nog een keer om. De shovel rijdt energiek heen en weer, de mannen lijken bezig met doodnormale wegwerkzaamheden.

Het is mogelijk dat hier iets dat zwart en verontrustend is in de doofpot wordt gestopt. Maar het kan evengoed dat we onszelf in het donker bang hebben gemaakt met een eng verhaal dat bij daglicht nergens op gebaseerd blijkt te zijn.

'Hé, ben je daar weer?'

Patrick blijft midden in de gang staan. Een van de lampen in het plafond is kapot, waardoor zijn huid nog zwarter lijkt dan anders. Hij draagt een kartonnen doos die zo te zien helemaal vol zit met boeken. Het ding glipt langzaam uit zijn greep, en als reactie buigt hij zich naar voren, dichter naar de grond toe.

Ik ben verbaasd dat hij mij überhaupt nog kent, hij heeft me nooit eerder aangesproken. 'Kijk uit voor je rug,' reageer ik minzaam. 'Ja, ik ben er weer, zoals je ziet.'

Verderop in de gang lopen een man en een vrouw die ik niet ken. Ze maken een vreemd onechte indruk, onberispelijke barbiepoppen met chique kleren en glanzende haren.

'Niemand wist waar je was,' zegt Patrick met een zweem van verwijt in zijn stem. 'Owen zocht je. Je hebt heel wat gemist.'

'O?' Ik heb absoluut geen zin om me te verdedigen tegenover een student-assistent. Bovendien heeft Dorothee mij wel degelijk officieel afgemeld. 'Ik heb gezegd dat je doodziek was, toch heeft in al die dagen niemand gebeld om te horen hoe het met je was,' vertelde ze toen ik me weer iets beter begon te voelen.

Ik wil verder lopen, maar Patrick laat zich niet ontmoedigen. 'De nieuwe prof is al begonnen. Inspirerende vent. Hij heeft zoveel goede ideeën, hij wil de hele vakgroep reorganiseren.'

'Een reorganisatie – is dat een van zijn goede ideeën?' vraag ik.

'Ja, fantastisch. We gaan als een projectorganisatie verder, samen met mensen van andere vakgroepen. De docenten en researchers gaan veel meer samenwerken, en de student-assistenten krijgen een gemeenschappelijk kantoor. Kunnen we elkaar inspireren, zegt professor Eccles.'

Ik heb genoeg gehoord. Als ik bijna bij mijn kamer ben, hoor ik Patrick vloeken. Ik kijk om. De bodem is uit de doos gezakt en alle boeken liggen verspreid over de vloer.

Voor ik naar binnen kan gaan, komt Owen op me af. 'Hé, goed je te zien. Ben je weer beter?' Zijn toon is zo joviaal alsof we vage bekenden zijn tussen wie alleen maar oppervlakkigheden hebben plaatsgevonden.

Hij wacht niet op mijn antwoord, pakt mijn elleboog om me ervan te weerhouden mijn deur te openen. 'Kom even mee.'

Ik schud zijn hand van mijn arm en volg hem naar de deur van het trappenhuis aan het einde van de gang. Daarnaast is een breed raam dat uitzicht biedt op de lage heuvels aan de rand van de stad. Het is een plek die vaak wordt gebruikt voor ongestoorde gesprekken.

Ik voel me kalm – nu besef ik pas goed hoe versleten mijn betrokkenheid bij de vakgroep is: de gaten zijn erin gevallen zodat je er dwars doorheen kunt kijken naar de wereld die daarachter ligt.

'Professor Eccles heeft al een beleidsplan gemaakt,' is Owens openingszet.

Wat ben je toch een naar mannetje, denk ik.

'Manning is met stille trom vertrokken, hij heeft niet eens officieel afscheid genomen,' vervolgt hij. 'Good for us. Eccles is fantastisch – het beste wat de vakgroep kon overkomen.'

'O,' zeg ik, 'ik had het idee dat je daar eerst toch wel anders over dacht.'

Owen knippert met zijn ogen. 'Eccles is a real hotshot, heeft een enorm breed netwerk. Wist je dat hij de Rembrandt Chair heeft vervuld? Hij is een expert op het gebied van de Gouden Eeuw, en dan vooral van de economische betekenis daarvan.'

Zijn woorden dringen nauwelijks tot me door. Ik ben gefascineerd door de mateloze bewondering in zijn ogen. Ooit keek hij zo naar mij – arme professor Eccles.

Owen praat maar door. 'Eccles heeft bij zijn aanstelling een zak met geld meegebracht, hij heeft een aantal mecenassen gevonden die denken dat deze vakgroep met de juiste programma's en de juiste mensen een toonaangevende rol kan spelen.'

'Dus alles verandert.'

'Ja, we gaan het helemaal anders aanpakken. Zoveel nieuwe kansen. Ik wil me daar voor honderd procent voor inzetten.' Hij zwijgt even en vervolgt dan op iets minder opgewonden toon: 'Eccles wil de focus van onze bibliotheek verleggen. Hij wil dat we ons specialiseren in de zestiende en zeventiende eeuw – niet alleen in Nederland, maar ook in Duitsland en Noord-Europa.'

Ik zie al waar dit naartoe gaat.

'En omdat die periode goed bij mijn specialisme aansluit,' zegt Owen zonder me aan te kijken, 'heb ik jouw bibliotheekproject overgenomen. Ik ben nu projectleider. Jouw *involvement* blijft uiteraard bestaan.'

'Hoe blijf ik dan betrokken?'

Owen ontwijkt nog steeds mijn blik. 'Jij wordt mijn assistent.'

Ah.

Mijn woede bewaar ik voor later. 'En het writer-in-residenceprogramma?'

'Dat laten we nog even doorlopen, maar Eccles vindt het te weinig ambitieus. Hij wil op termijn meer beroemde namen, dan gaan we uitbreiden met door de zakenwereld gefinancierde leerstoelen, lezingen door spraakmakende politici, academische toppers – *the finest and the brightest.*'

'Dus uiteindelijk word ik aan de kant gezet?' vraag ik. De ijskoningin op haar best.

'Nee, nee – zo moet je dat niet zien. Eccles wil dat ik ook bij dat project betrokken ben. Dan kan ik samen met jou aan een hoger ambitieniveau werken.'

Hij aarzelt, zegt dan. 'Luister, Kay. Het is weer goed tussen ons, toch? Het is nooit mijn bedoeling geweest om je te schaden, dat weet je toch?'

Ik zwijg.

'Ik probeer je plek hier veilig te stellen. Ik doe alles voor je wat ik kan.' Hij wil zijn hand op mijn arm leggen, maar bedenkt zich. 'Ik ga ervan uit dat die geschiedenis onder ons blijft. Dat er een dikke streep onder staat. Kan ik daarop vertrouwen?'

Voor wat hoort wat. Ik staar door het raam naar de heuvels in de verte. Toen ik pas op de universiteit werkte, ging ik hier vaak even kijken. Een groene, golvende rand van bossen langs de horizon – een verre belofte.

Nu is al het groen verdwenen onder de sneeuw – de heuvels steken nauwelijks af tegen de vlakke witte lucht.

'Ja, hoor,' zeg ik.

Ik wil me verschansen in mijn kantoor, de deur dichttrekken en voor niemand opendoen. Ik loop naar mijn werkplek.

Vanachter mijn bureau neem ik mijn kamer in me op. Alles is nog hetzelfde – de posters van Nederlandse toneelvoorstellingen en de kalender van vorig jaar, de stapels papier in mijn postbakje, de stoel met de kale zitting, het uitzicht op de bomen voor het raam.

Mijn hoofd is te zwaar voor mijn nek, mijn handen zijn te zwaar voor mijn armen, mijn voeten te zwaar voor mijn benen. Het is een wonder dat de stoel mijn gewicht kan torsen.

Mijn computer zet ik niet aan, het idee van de mailtjes die zich tijdens mijn ziekte in mijn mailbox hebben opgehoopt maakt me draaierig.

En bovendien – het doet er toch niet toe of ik die mails beantwoord. Mijn programma's worden opgeheven en de kans is groot dat ik mijn baan kwijtraak, wat Owen ook beweert.

Iemand klopt op de deur. Lara komt binnen.

'Hé, ik kom even hallo zeggen – fijn dat je er weer bent.' Hoewel ik naar de bezoekersstoel gebaar, blijft ze met haar armen over elkaar in de deuropening staan.

Ze heeft zich vandaag zo conservatief gekleed dat ze bijna een gewone secretaresse lijkt. Een groen tweed mantelpakje en

zwarte pumps met verstandige lage hakken – alleen het plati-
nablonde haar en de maskerachtige make-up horen bij de vertrouwde, rebelse Lara.

'Hoe is het met je?' vraagt ze.

'Hmm.'

'Je ziet er rot uit.'

'Dank je,' zeg ik.

'Ik kom je waarschuwen, Alles wordt hier anders.'

Ik haal mijn schouders op. 'Ja, dat heb ik begrepen.'

'Je staat op een *black list*.'

Ik zwijg.

'Jij staat op die lijst, Sanny staat erop, en ook alle student-
assistenten. De studenten kunnen ze zonder veel gedoe op
straat zetten. En Sanny is een *push-over* – die gaat zich echt
niet verzetten.' Lara werpt me een blik toe die net zo goed medelijdend als minachtend bedoeld kan zijn. 'Jij bent makkelijk
te ontslaan omdat je ongeoorloofd afwezig bent geweest.'

Ik wil haar in de rede vallen. Ze maakt een bezwerend gebaar. 'Ik heb het allemaal bijgehouden, dat is mijn werk. Je
hebt je verschillende keren niet afgemeld, en je bent veel meer
dan tien dagen ziek geweest in het lopende academisch jaar.'

Een zwarte lijst – niet als ironische grap, maar een echt document met namen en data – dat is bijna surrealistisch. Iets
voor Cuba, of Oost-Duitsland achter de Muur, niet voor de
Vrije Wereld.

'Het spijt me,' zegt Lara.

'Worden er naast het ziekteverzuim nog andere dingen geregistreerd?' vraag ik. Hoewel het er allemaal niets meer toe
doet, laait de woede toch door mijn vermoeidheid heen.

'O ja. Van alles,' glimlacht ze. 'Er zijn hele lijsten met gegevens over alle buitenlanders. De boeken die jullie lenen. De
e-mailadressen waar je contact mee hebt.'

Ik zie voor me hoe ik Lara in haar nekvel grijp en door elkaar schud. Hoe ik de kamer van Eccles binnen storm en hem
voor de rechter daag.

Lara zucht. 'Ik vind het zelf ook nogal een inbreuk op de privacy, maar na nine eleven is dat de standaardprocedure. We kunnen niet voorzichtig genoeg zijn.'

Stoïcijns blijven is onmogelijk. 'Ik ben onderdaan van een bevriende mogendheid, hoor. Het is niet alsof ik in een Arabisch land ben opgegroeid.'

Maar ik hoor bij 'zij', de anderen, de niet-Amerikanen.

'Het maakt niets uit waar je bent geboren, zolang dat niet in Amerika is,' zegt Lara rustig. 'Trek het je maar niet persoonlijk aan.'

'Oké,' zeg ik, 'dat is duidelijk, dank je. Wanneer besluiten ze of ik word ontslagen?'

Lara vertrekt haar bloedrood geverfde mond alsof ze op een onoplosbare vraag bij een moeilijk kruiswoordraadsel is gestuit.

'Ik weet het niet,' zegt ze.

Mijn handen zijn rood en pijnlijk, ook al heb ik ze de hele weg naar huis diep in mijn zakken gehouden. Handschoenen vergeten. Zodra ik binnen ben, in de warmte van mijn huiskamer, begint het bloed in mijn vingers te prikken en te schuren, alsof een wreed leger van binnenuit een aanval doet. Kreunend loop ik door het huis, mijn handen in een warme sjaal gewikkeld.

'Kay!' Dorothee heeft de deur al opengeduwd voordat ik haar binnen kan laten. Ze loopt regelrecht door naar mijn keuken en blijft daar staan. Haar huid is bleek en vlekkerig en haar haar zit plat alsof ze na het opstaan niet de moeite heeft genomen om het in model te borstelen.

Als ze niets zegt, vraag ik: 'Wat is er?' Ik stop mijn handen onder mijn oksels.

Ze begint te huilen.

De sterkste, de meest onverzettelijke vrouw die ik ken in tranen. 'Wat is er?' herhaal ik en duw haar zachtjes op een keukenstoel. Mijn vingers voelen nu bijna normaal, op een enkele prikkende schok na. Ik hurk naast haar, zodat ik haar op ooghoogte aan kan kijken.

'Xenia,' brengt ze uit en huilt nog harder.

Ik kom weer overeind en vind in een keukenla een keurig gestreken en opgevouwen zakdoek. Wit met een borduurwerkje erop – een troostzakdoek zoals mijn oma die vroeger had. Toen Carina en ik nog heel klein waren, droogde ze met zo'n zakdoek onze tranen als we te wild waren geweest tijdens het spelen en met een kapotte knie thuiskwamen. Ik was vergeten dat ik dit exemplaar uit Nederland had meegenomen.

Ik buig me over Dorothee en veeg haar tranen weg – een zinloze handeling. Dan zet ik een glas water voor haar neer en ga bij haar aan tafel zitten.

Ik wacht en denk aan de vakgroep, waar niemand het zou merken als ik mijn verdwijntruc uitvoer. Als ik wil, kan ik zo mijn koffers pakken en op het vliegtuig stappen.

Uiteindelijk kalmeert Dorothee enigszins. 'Xenia is weg,' zegt ze op droge toon, alsof we voor een voldongen feit zijn geplaatst.

Het verhaal komt met horten en stoten: Xenia's besluit om met haar studie te stoppen. De nachtelijke ruzie, waarvan ik niets heb gemerkt, hoewel het huis daverde. De dichtslaande voordeur in de vroege ochtend, toen Dorothee net sliep. Het briefje op tafel – 'Ik zoek het zelf wel uit, ik heb jou niet nodig.'

Het puntje van Dorothees neus is rood, haar ogen zijn dik. Ik leun over de tafel heen en pak haar handen, vouw ze open als een boek. Zonder na te denken, druk ik eerst een kus op de ene handpalm en dan op de andere, en leg dan de handen weer tegen elkaar, mijn eigen handen eromheen.

'Het komt goed,' zeg ik met een vertrouwen dat ik niet herken.

De maan hangt als een in verbazing geopende ronde mond boven het huis. In haar blauwe licht is de wereld onschuldig en nieuw. De engel staat bij de achterdeur in het koude licht, zijn adem komt in onregelmatige wolkjes uit zijn mond.

Er is een besluit genomen. Iemand heeft een dikke streep getrokken, en daar zijn we nu met ons tweeën overheen gestapt. Achteloos, zonder grote emoties.

Ik steek mijn hand naar hem uit. Zijn pols onder de mouw van zijn dikke jas hoort bij een echt mens, verkleumd in een Arctische winternacht.

Ik houd de deur voor hem open terwijl hij de sneeuw van zijn voeten stampt. Ook nu draagt hij geen sokken, zijn blote enkels zien rood.

Ik zeg: 'Weet je dat er in Siberië een streek is waar het kouder wordt dan waar dan ook? Zo koud, dat als twee mensen elkaar op straat ontmoeten en een paar woorden wisselen, hun adem onmiddellijk bevriest en in een vlaag van kleine ijskristallen op de grond valt.'

Woorden die tinkelend uit je mond neerwaarts glijden, die knisperen als je je voet erop zet.

'Dat is mooi.' Hij legt zijn jas op een stoel. 'Ik vraag me af of verschillende woorden ook verschillende vormen krijgen. Of "ik hou van je" een ragfijne ster is en "ik haat je" een opeengepakte klomp ijs.'

'Kom,' zeg ik, ' in de kamer is het warmer.'

Hij gaat voor de verwarming staan en beweegt zijn schouders alsof hij vleugels heeft om uit te schudden.

'Ik ben ziek geweest,' zeg ik. Dat is voor hem vast geen nieuws.

Hij knikt.

'Ik heb je gemist,' zeg ik.

'Ja.'

Ik weet niet wat hij bedoelt: dat hij beseft dat ik hem heb gemist, of dat hij mij ook heeft gemist.

Hij ziet bleek en heeft donkere vegen onder zijn ogen – het lijkt alsof hij nachtenlang niet heeft geslapen. Ik vraag me af of engelen eigenlijk wel slapen, en áls ze slapen, wáár ze dan slapen: al vliegend, met uitgespreide vleugels, als zwaluwen. Of ergens in een vergeten hoekje, onder een brug of in een leegstaand huis.

Als hij er niets over zegt, zal ik ook zwijgen over de gênante vraag die ik hem bij onze vorige ontmoeting heb gesteld.

Ik ga zitten, onder de oranje lamp. Mijn gevouwen handen op het tafelblad. 'Wil *je truth or dare* met me spelen?'

'Truth or dare?'

Natuurlijk kent hij dat spel niet. Ik kan me niet voorstellen dat engelen spelletjes spelen en al helemaal geen verbale variant van strippoker. Toen ik nog studeerde was het een favoriet sluitstuk van rumoerige, dronken feestjes geweest. Lang geleden.

'Het is een spel waarbij de spelers elkaar om de beurt een vraag stellen waarop de ander als antwoord alleen maar de waarheid mag zeggen. *The truth and nothing but the truth.* Als je geen antwoord kunt of wilt geven, moet je in plaats daarvan een uitdaging aangaan, zoals een kledingstuk uittrekken of op je handen staan.'

De engel trekt zijn linkerwenkbrauw op. 'Het is voor mij niet moeilijk om op mijn handen te staan.'

Ik zucht. 'Daar gaat het niet om. Het belangrijkste is dat je bloed- en bloedeerlijk naar elkaar bent, ook al betekent de waarheid zeggen dat er iets instort, losscheurt, of verpulvert. Alleen als het werkelijk onmogelijk is om te antwoorden, mag je losgeld betalen door een eis van de ander in te willigen.'

Hij kiest een stoel aan de andere kant van de tafel.

'Ga je akkoord met de regels?' Ik probeer er een grapje van te maken, maar mijn stem klinkt niet zo licht als ik zou willen.

'Wat gebeurt er als ik me niet aan de regels houd?' wil hij weten.

Ik kijk hem recht aan. 'Niets, er gebeurt niets. Alleen vertrouw ik je dan niet meer.'

Om zijn mond verschijnt een bijna onzichtbare glimlach. 'Jij begint. Korte vragen, korte antwoorden.'

Het is alsof hij met een duw van zijn wijsvinger een kleine ronde bol over de tafel naar mij toe rolt. Ik vang de denkbeeldige bol in mijn handen en weet niet meer wat ik wilde vragen. Om me te concentreren moet ik mijn ogen sluiten tegen zijn groene blik.

Ik rol de bol terug. 'Ben je een crimineel, een terrorist?'

Hij vertrekt geen spier. 'Sommige mensen zouden zeggen dat dat twee verschillende dingen zijn. Tweemaal nee.'

'"Nee" is niet genoeg,' protesteer ik.

'Korte antwoorden,' zegt hij, 'dit is een kort antwoord. Mijn beurt. Waarom ben je weggegaan uit je eigen land?' De bol komt weer mijn kant op.

Daar hoef ik niet over na te denken. 'Ik was toe aan iets nieuws.'

'Dat is niet de waarheid!' zegt hij.

Waarom speelt hij eigenlijk mee? Een beetje engel kan gedachten lezen.

Hij trekt zijn wenkbrauwen op. 'Nou?'

Blijkbaar toch niet zo alwetend.

'Het is een stukje van de waarheid.' Ik verheug me over de macht die ik heb. Vertellen of verzwijgen. 'Nu mag ik jou weer een vraag stellen: Ben je een engel der wrake?'

'Nee,' antwoordt hij, de bol opvangend. Ik zie dat hij eerst niet van plan is om meer te zeggen, dan wordt zijn blik zachter. 'Wraak is nodeloos en nutteloos, het bestaan van een engel die zich daaraan overgeeft is leeg als een boek zonder bladzijden.' Hij draait de bol in beide handen om en om. 'Nog een stukje van jouw waarheid. Waarom ben je weggegaan uit je eigen land?'

De bol glijdt naar mijn kant van de tafel. Eerst zwijg ik. Maar liever dan uitgedaagd te worden, geef ik antwoord: 'Ik was bang.'

'Bang waarvoor?'

'Hé, jij gaat voor je beurt!' roep ik. 'Ik mag eerst weer een vraag stellen.' Nu komen we pas echt op snelheid. 'Als je geen engel der wrake bent, wie ben je dan wel?'

'Dat weet je al. Ik ben een beschermengel. En jij? Waarvoor was jij bang?'

'Ik was bang voor de dood. Zoals de meeste mensen – alles wat leeft vreest het einde.' Ik denk even na. 'Je ziet er niet uit als een engel. Heb je wel een engelengedaante?'

'Ja. Ben je nog steeds bang voor de dood?'

'Nee. Ja.'

'Ja of nee?' vraagt hij streng.

'Ja,' kies ik. 'Wat is dan je ware gedaante?'

'Jij wilt een man. Ik ben een man.'

'Dat is niet je ware gedaante –' begin ik.

Hij onderbreekt me. 'Laat mij eerst mijn vraag stellen. 'De dood is overal, ook hier. Waarom ben je je land ontvlucht?'

'Omdat ik een vluchteling wilde zijn. Omdat ik de persoon die ik was wilde vernietigen. Omdat ik nooit meer zo ongelukkig wilde zijn, nooit meer zo kwetsbaar.'

De bol ligt stil onder mijn vingers. De engel wacht.

Ik zie het in zijn ogen. Ik hoef hem niet te vertellen waarom ik de deur van vroeger zo hard achter me heb dichtgesmeten en waarom ik hier volhard in dit karige leven. Er zijn dus gedachten die hij wel kan lezen.

'Jij bent geen man,' zeg ik ten slotte. 'Wat is je ware gedaante?'

De engel ademt diep in en zegt dan: 'Daar heb ik geen antwoord op.'

We zijn schaakmat. Het spel stokt, de bol ligt stil.

'In dat geval heb ik een uitdaging voor je.' Ik ben kalm – ik bepaal hoe het nu verder gaat.

Zelfs een simpele ziel kan bedenken wat ik ga vragen. Hij heft afwerend zijn handen.

'Als je het niet in woorden kunt zeggen, laat me dan zien wie je bent,' zeg ik.

In de kamer is het stil, op straat is het stil, het is stil in de rest van de stad, op de velden om de stad heen, in het land om de velden heen, in de hemel boven het land.

Kathelijne bekeek de foto's nog een keer. Ze huiverde, hoewel er niets meer te voelen viel.

Goed. Ze pakte de prints van de brief die ze net had geschreven. Drie stuks: een voor de fractievoorzitter, een voor het partijbestuur en een voor de burgemeester. Ze vouwde ze zorgvuldig op en stopte ze een voor een met een set foto's in de geadresseerde enveloppen. Een vierde, andere brief met dezelfde foto's lag al klaar voor Carina.

Ze wilde geen moment langer wachten, ze moesten nu direct op de bus. Bas was een week fietsen met zijn vrienden, afzien in de Pyreneeën. Voor hem hoefde ze niet bang te zijn.

Jammer dat ze zijn gezicht niet zou kunnen zien als hij ontdekte wat ze had gedaan. Dan zou ze allang vertrokken zijn.

Ze huiverde weer, er zat een gat in haar middenrif waar de wind doorheen waaide. Hoewel het buiten niet koud was, haalde ze haar wollen jas tevoorschijn die boven in een van de gepakte koffers lag. Rode laarzen aan, klaar.

Vlak bij haar huis was een brievenbus. Toen ze ervoor stond, liep ze door. Bij de vierde brievenbus postte ze haar brieven.

Onderweg naar huis zwijgt Dorothee en ik denk aan de engel. We zijn samen naar het politiebureau geweest om aangifte te doen van de vermissing van Xenia. Ik geloof niet dat de dienstdoende rechercheur ons serieus nam, maar Dorothee lijkt enigszins gerustgesteld.

'Je doet wat je kunt,' zeg ik.

'Ja.' Ze heeft ook de neighborhood watch ingelicht en heeft ze een foto van Xenia gegeven. De hele nacht heb ik mensen met zaklantaarns door de straat zien lopen – de lichtbundels wezen als beschuldigende vingers van de ene naar de andere tuin.

Ik verwonder me zoals zo vaak over de wereld waarin de Amerikanen leven – hun dagelijks bestaan een kopie van wat ze op tv en in de bioscoop zien.

De huizen zijn de huizen die ook in detectiveseries voorkomen, de auto's zijn de auto's waarin agenten boeven achtervolgen, de mensen met hun glanzende haar en hagelwitte tanden zijn de dubbelgangers van de acteurs.

Het is de vraag of de tv-series en films de werkelijkheid imiteren of andersom. Waarschijnlijk kan geen van de twee nog zonder de ander. De meest succesvolle soaps worden geprezen omdat ze zo levensecht zijn, met echte mensen met echte zorgen en echt geluk. De kijkers nemen die televisiewereld dan vervolgens weer als norm voor hun eigen leven. En zo gaat dat maar door.

Twee spiegelbeelden die elkaar als een Drosteblikje eindeloos reflecteren, totdat de werkelijkheid er helemaal uit verdwijnt. Alleen nog maar die twee flakkerende weerspiegelingen, zonder een solide, afgebakend ijkpunt dat alles weer in het gareel trekt.

Iedereen in dit land is zowel zichzelf als een Hollywood-archetype. Dorothee, de flamboyante sterke vrouw, Xenia, de rebellerende dochter, Craig, de ongelukkige *native American*, Lara, de selfmade onaantastbare prinses. Ik, vrouw op de vlucht. De engel – hier stok ik.

De engel past niet in de mal die ik zojuist heb gecreëerd. Ik overweeg de mogelijkheid dat hij nergens in past. Dat hij alleen maar engel is, niet de reflectie van het een of andere fictieve personage.

Het gat in de weg is volgestort met zand, over het ongelijke oppervlak ligt een dun laagje sneeuw. Te oordelen naar de sporen van autobanden heeft een aantal automobilisten de gok al gewaagd.

De oude man van verderop in de straat beent heen en weer langs de rand van het vroegere gat. De rolstoel met zijn vrouw staat een stukje verder naar achteren. Voor alle zekerheid. Ze heeft een dikke rode deken over haar benen en draagt felblauwe oorwarmers. Als ze naar me zwaait zie ik dat ze bijpassende blauwe wanten aanheeft. Haar man is gekleed in zijn geruite tweed colbertje – een wollen sjaal is zijn enige concessie aan de sneeuw die zachtjes op ons neer dwarrelt.

'Dat is toch geen gezicht, hier,' roept hij ons toe. 'Het lijkt wel een derdewereldland – erger dan Afrika of Irak. We zijn hier tot hun niveau afgezakt: ze nemen in deze stad verdorie niet eens meer de moeite om de boel te bestraten.'

Ik loop naar hem toe – vastbesloten om me niet door die zure kleinzieligheid te laten opfokken. 'Ik hoorde dat dat later gaat gebeuren, als het niet meer vriest.'

Hij trekt een nors gezicht. 'Dat soort smoesjes hebben we al zo vaak gehoord. Wat jij, Bess?' Zijn vrouw geeft me een verontschuldigende glimlach.

Dorothee heeft geen geduld, ze is al bijna bij ons huis. 'Ik moet gaan,' zeg ik haastig.

'Hebben jullie die posters al gezien?' vraagt de oude man, zodat ik wel moet blijven staan.

'Welke posters?'

'Nou, die hier overal aan de lantaarnpalen hangen. Ik durf te wedden dat de hele stad vol geplakt is.' Zijn toon suggereert dat de posters iets verwerpelijks onder de aandacht brengen.

Ik kijk naar Dorothee, die stilstaat bij een lantaarnpaal waar inderdaad een wit vel papier aan bevestigd is.

Ze begint hard te vloeken, met woorden die ik zelf niet zomaar in het openbaar zou gebruiken. Wild rukt ze het papier los en scheurt het in stukken.

De oude man trekt een gezicht alsof hij in iets smerigs heeft getrapt. 'Ik weet genoeg.' Hij loopt naar zijn vrouw en duwt de rolstoel in de richting van hun huis.

Dorothee is naar de volgende lantaarnpaal gerend, waar eenzelfde vel papier net zo'n behandeling ondergaat als het eerste.

'Hé, wat is er aan de hand?' Het lijkt alsof de hysterie nu toch is losgebarsten.

'Kijk dan!' Ze steekt me de poster toe die ze van een derde lantaarnpaal heeft getrokken.

'Vermist' staat er in grote zwarte letters, met daaronder een bijzonder onflatteuze foto van Xenia met wijduitstaand haar en zwaar opgemaakte felle ogen. '20 jaar en zonder bescherming op straat', met de datum van twee dagen geleden erbij.

Helemaal onderaan volgt in cursief de uitsmijter: '*We miss her*! Heeft u haar gezien? Wees een goed Amerikaans staatsburger en bel de neighborhood watch.' Het telefoonnummer is er met rode stift bij geschreven.

'Alsof ze een weggelopen kat is!' briest Dorothee. '"Wij missen haar". Die lui hebben er niks mee te maken – ze is míjn dochter!' De wanhoop is verdwenen, de neighborhood watch is effectiever dan zakdoeken en een sterke borrel.

We halen alle posters in onze buurt weg.

Als we na die klus naar binnen gaan, zie ik de groene Ford op de oprit bij de overburen. Alice is weer thuis.

Ik word wakker. Aan mijn voeteneinde staat in de schaduw een figuur.

Ik ben niet bang. Als ik mijn handen naar hem uitsteek, gebaart hij dat ik mee moet komen.

Zonder iets te zeggen laat ik me uit bed glijden. Mijn voeten raken de koude vloer, het komt niet bij me op om sokken of sloffen aan te trekken. De engel grijpt een dikke trui van de stapel kleren op de stoel en legt die om mijn schouders. Ik voel zijn handen langs mijn achterhoofd en nek.

Geruisloos lopen we door het huis, de plankenvloer kraakt niet, op straat is geen auto te horen. Het komt me voor dat de hele wereld is uitgeschakeld. Alleen wij tweeën zijn hier.

De engel leidt me door de gang, naar de keuken. Hij opent de deur, gaat naar buiten. In het oosten hangt een verre, spierwitte maan.

De bevroren grond knispert onder mijn blote voeten. Mijn adem heeft in het maanlicht een blauwe glans. Als de engel stilstaat, duw ik mezelf in zijn warmte. De tuin is zwart op wit, een met een scherpe schaar uitgeknipt silhouet.

Wat doen we hier? wil ik vragen. De engel gebaart dat ik moet zwijgen.

De maan is nu loodrecht boven ons, zo fel dat ik mijn blik moet neerslaan. De engel meet een paar passen af tot in het midden van de tuin.

Ga niet weg, denk ik. Hij draait zich om. Dan slaat hij zijn armen stijf om zichzelf heen. Als hij ze spreidt, is er alleen maar licht. Dat is wat ik zie: alleen maar licht, overal, een vibrerend en pulserend licht en dan is daar de engel, midden in dat licht.

In de stilte ruist iets, een intiem, geruststellend geluid. De engel strekt zijn armen omhoog, het licht wordt feller, een wind steekt op.

Ik sta alleen in de tuin. De maan schijnt met een zachte glans op mijn huid. In de stad loeit ergens de sirene van een ziekenwagen. Mijn voeten bestaan niet meer uit vlees en botten en bloed, zijn alleen nog maar kou.

Ik trek de trui aan die over mijn schouders hangt en schuifel naar binnen.

Als ik 's ochtend wakker word, is alles zonnig en helder. Het licht valt in een ijskoude baan mijn slaapkamer binnen en in de tuin tjilpen vogels alsof het al lente is. Ik heb gedroomd, denk ik, en weet elk detail nog alsof ik het uit mijn hoofd heb geleerd. Als ik het nu niet weet, weet ik het nooit.

Het kan niet waar zijn.

Ik zit op de rand van het bed, grijp mijn pantoffels. Vuile vegen op mijn voeten. Ik laat me weer languit op het bed vallen. *O ye faithless.*

Waar verlang ik in vredesnaam naar?

Op het nieuws laten ze beelden zien van hightech bombardementen in Afghanistan.

Ik kijk tv bij Dorothee, die extra vroeg naar het restaurant is gegaan. Afleiding: 'Ik ga met een scherp mes alle groenten aan stukken hakken.'

Ik vermoed dat behalve de groenten, ook Eric een doelwit is. Hij heeft niet gereageerd op alle berichten die ze op zijn voicemail heeft ingesproken. Aan zo'n minnaar heb je dus niets.

Een militair expert geeft bewonderend commentaar op de precisie van de dodelijke apparatuur. '*The best of the best.*'

Dit is een computerspelletje waar ik naar zit te kijken, niets meer. Die bommen zijn geen reden voor verontwaardiging, voor compassie. Geen reden voor angst.

Explosies, aanslagen – beter om er niet te veel over na te denken, wat ze betekenen. Beter om niet te denken aan de nabijheid van de dood. Ik kan me niet veroorloven om mee te voelen met de mensen die getroffen worden door dit geweld. Als ik dat toesta, komt er een grote storm die mij als een dor blaadje van de boom rukt.

Ik zet de tv uit en ga naar mijn eigen appartement. Ik ben net beneden als er hard wordt aangebeld. Er staat een man voor de deur. Misschien iemand met nieuws over Xenia, denk ik eerst. Als ik zie dat het Dave Carowski is, ben ik niet verbaasd.

'*Good afternoon, miss,*' zegt hij beleefd. 'Mag ik even binnenkomen?'

'Maar natuurlijk,' antwoord ik even beleefd, alsof ik een welopgevoede jonge dame ben, Scarlett O'Hara bijvoorbeeld, en hij een aanbidder – Rhett Butler – die me een boeket rozen komt brengen.

Eenmaal binnen blijft hij midden in de huiskamer staan, hoewel ik hem naar de keuken probeer te dirigeren. Hij kijkt met een röntgenblik om zich heen.

'Ik zal eerlijk tegen u zijn, miss,' zegt hij. 'Ik heb geen huiszoekingsbevel, maar ik zou toch graag even het huis bekijken. Gewoon, alleen met mijn ogen, ik zal niets aanraken. Als u daar nu toestemming voor geeft, bespaart u ons allebei een hoop gedoe.'

Hij laat in het midden wat dat 'gedoe' inhoudt.

Ik gebaar dat hij zijn gang kan gaan.

Hij loopt langzaam de kamer rond, met een alert lichaam, alsof er elk moment ergens iets kan ontploffen. Hij raakt niets aan, precies zoals hij heeft beloofd, en af en toe vraagt hij mij iets op te tillen: een boek – Nescio –, een kussen. Zonder dat hij iets hoeft te zeggen, open ik het lage kastje waarin ik alle rotzooi stop die nergens anders terechtkan: krantenknipsels, bankafschriften, een bol blauwe wol, een speldenkussen, plakband, punaises, een zakje verjaardagsconfetti, een zaklantaarn die het niet meer doet, een envelop met foto's die hun nut hebben gehad en die ik nooit meer wil zien.

'Moet ik alles eruit halen?' vraag ik.

'Nee, dat hoeft niet.' Hij hurkt naast het kastje, zodat hij de inhoud met een scherpe blik kan scannen.

Mijn pistooltje in de la van de keukentafel.

De keuken bekijkt hij net zo uitgebreid als de huiskamer. Ik laat niets merken.

Hij geneert zich nergens voor – waarom zou hij, dit is zijn dagelijks werk – en vraagt me een stapel pannen opzij te schuiven.

Dat nu net vandaag de vaat van twee dagen zomaar schaamteloos op het aanrecht wacht tot ik een keer tijd heb.

'*What are you looking for?*' vraag ik. Waarop hij geen antwoord geeft.

Dave Carowski ziet het laatje in de keukentafel over het hoofd, en laat mij voorgaan naar de slaapkamer.

Daar is het een chaos. Mijn onopgemaakte bed, het groezelige linnengoed, de stapel gedragen kleren, een van de lades van de commode wijd open met een werveling van ondergoed en T-shirts. De verzameling potjes en flesjes boven op de ladekast, sommige zonder dopje, de lege tissuedoos op de grond, midden tussen schoenen en laarsjes.

Op mijn nachtkastje staat de sneeuwbol met de dolfijnen. Ik kijk er uit alle macht niet naar – die bol moet onzichtbaar blijven, niet aangeraakt worden door de ogen van FBI-agent Carowski.

Met moeite bedwing ik de neiging om een grapje te maken en te vragen of zijn vrouw ook zo'n sloddervos is. Ik ben deze man niets verschuldigd, er is geen enkele reden om hem mild te stemmen.

Na een blik in mijn minuscule badkamer en de wc, is de tour in mijn huis voltooid. We zijn weer in de huiskamer. Met over elkaar geslagen armen wacht ik op het eindoordeel. Wat het ook is dat hij zoekt, hij heeft het niet gevonden. Nu zal hij mij toch zeker verder met rust laten.

'Ik zou graag nog even met u willen praten, *if you don't mind*,' zegt hij even beleefd als eerst. Alsof ik de vrijheid heb om hem af te wijzen.

Ik wil het toch weten: 'Waarover wilt u dan praten?' Ik aarzel of ik hem 'sir' moet noemen. Hij is van mijn leeftijd – misschien zelfs iets jonger.

'Als u zo vriendelijk wilt zijn om mee te gaan naar het politiebureau? Daar heb ik mijn papieren bij de hand, en kunnen we rustig zitten.'

Voor de tweede keer in twee dagen ben ik op het politiebureau. Ik overweeg om Dave Carowski daarvan op de hoogte te stellen, maar besluit mijn mond te houden. Laat ik eerst horen of ik ergens van word beschuldigd.

We lopen door de hal waar ik ook met Dorothee ben geweest, en in plaats van verder te gaan naar de recherche, nemen we de lift naar de tweede verdieping – het domein van de FBI.

Mijn hakken tikken op de tegels terwijl Dave Carowski op zijn rubberen zolen voor me uit sluipt. Ik herinner me hoe ik vroeger soms pumps met hoge hakken leende van Carina.

De rug van Dave Carowski is ongelooflijk recht. Zijn passen zijn soepel, bijna swingend, als die van een danser. De FBI-agent verbergt zeker meer kwaliteiten onder zijn onopvallende uiterlijk dan je op het eerste gezicht zou zeggen.

Hij blijft staan en doet een deur open. 'Hier is het.'

Een kleine ruimte zonder ramen, met een tafel met formica

blad en drie stoelen met plastic zitting. Heeft de Amerikaanse politie echt zo weinig geld? Of gaat alles op aan het gevecht tegen de terroristen?

Dave Carowski laat mij alleen om koffie te halen. Ik ga aan de tafel zitten, sla mijn armen over elkaar. Te defensief. Ik leg mijn handen in mijn schoot. Te lief. Ik leg mijn handen op het tafelblad. Mijn huid jeukt, op de vertrouwde plek in de buiging van mijn onderarm. Ik bijt op mijn lip, krabben is nu verboden.

Hij komt terug met twee *styrofoam* bekers met zwarte koffie. Ik breng snel de beker naar mijn lippen en verslik me haast in de mierzoete hete drank. Ik heb om koffie zonder suiker gevraagd, maar durf er niets over te zeggen. Waarschijnlijk heeft hij mijn zwarte, bittere koffie en ik de zijne. Hij neemt een slok en vertrekt zijn gezicht.

'Kathelijne,' zegt hij, 'mag ik je Kathelijne noemen?'

Even ben ik van mijn stuk gebracht. Dan bedenk ik dat ik in alle officiële documenten geregistreerd sta met mijn Nederlandse naam.

'Mijn naam is moeilijk uit te spreken. Noem me maar Kay,' zeg ik.

Ik kijk naar de stoppeltjes op zijn kaken. Hij heeft zich die ochtend niet geschoren.

'Oké,' zegt hij. 'Ik heet dus Dave.'

Ik krijg het verontrustende gevoel dat ik een soort blind date heb, net als toen met Burt: een man die ik niet ken en die me niets doet, maar in wie ik uit beleefdheid toch geïnteresseerd moet zijn.

Dave lijkt van plan een intieme sfeer te creëren, want zijn volgende vraag kan onmogelijk iets te maken hebben met welk onderzoek dan ook: 'Heb je het naar je zin in Amerika, Kay?'

Zo gemakkelijk laat ik me niet inpalmen. 'Moet ik een advocaat bellen?' vraag ik.

Dave knippert even met zijn ogen, alsof hij teleurgesteld in me is. 'Nee,' zegt hij. '*Of course not.* Je wordt nergens van beschuldigd. Ik wil gewoon even met je praten.'

Opnieuw suggereert hij dat hij een oprechte, misschien zelfs romantische interesse in mij heeft en dat dit gesprek niets te maken heeft met achterdocht en misdaad.

Ik schuif mijn stoel een stukje naar achteren. Wie weet heb ik de situatie verkeerd ingeschat en zit ik hier toch voor een verkapt afspraakje.

'Kay,' zegt Dave dan. 'Je bent hier op een tijdelijk visum. Ik weet dat er grote kans is dat je je baan kwijtraakt.'

Hij zwijgt.

De FBI waakt over ons. Er zitten naalden met venijnige punten in mijn handen en armen, overal prikt het.

'Dat visum is verbonden met je functie aan de universiteit.'

Stilte.

'In sommige gevallen assisteert de FBI de visumdienst.'

Hij is vast heel goed in pokeren.

'Maar daar wil ik het nu niet over hebben. Ik heb je hier uitgenodigd om over iets anders te praten.' Hij pakt een zwart-witfoto van de stapel papier die voor hem op tafel ligt, en schuift die naar mij toe.

Het is een andere foto dan die hij mij bij zijn eerste bezoek heeft laten zien. Deze foto is veel duidelijker. Het is een portret van de engel. Alleen zijn hoofd en schouders zijn zichtbaar, met op de achtergrond een stukje van een gebouw en van een boom. Waarschijnlijk is de foto met een telelens genomen. De engel draagt zijn warme duffel en kijkt opzij, recht in de lens van de fotograaf. Zelfs in zwart-wit trekken zijn ogen alle aandacht. Hij heeft de vage glimlach om zijn mond waarvan ik altijd moet terugglimlachen. Ik trek mijn lippen strak.

Ik bekijk mezelf kritisch, van een afstand. Geschokt? Nee. Verbaasd? Nee. Bang? Misschien.

'Dat is dezelfde man van wie ik je al eerder een foto heb laten zien,' zegt Dave. 'Deze foto is recenter. Herken je hem nu wel?'

Kijk mij eens diep nadenken. Ik blaas op de koffie die niet meer heet is en die ik niet lust.

Langzaam zeg ik: 'Ja, het is mogelijk dat ik hem weleens heb gezien. *Possibly.*'

Dave zucht. Hij zou vast willen dat hij mij bij mijn nekvel kon grijpen en de waarheid uit mij kon schudden. Zíjn waarheid. 'Ik wéét dat je hem kent.' Hij buigt zich over de tafel naar me toe. 'Je bent met deze man gesignaleerd. Meerdere malen.'

'Gesignaleerd? Door wie?' Mijn hart bonkt, ik hoop dat Dave niets merkt.

'Dat doet er niet toe.'

Fuck de neighborhood watch!

Dave kijkt me met een meelevende blik aan. Vertrouw mij, zegt die blik. 'We verdenken die man.'

'Waarvan?'

Hij negeert mijn vraag. 'Het is belangrijk dat je meewerkt, voor jezelf, en voor heel veel andere mensen.'

'Waarom? Wat heeft hij gedaan?' Alles is mogelijk, maar op dit moment geloof ik niets.

'Daar kan ik nu niet op ingaan.'

'O! Dus je verwacht dat ik alles wat je zegt zomaar geloof!' Het valt me nu pas op hoe muf de ruimte ruikt, alsof alle woorden die hier worden gesproken oudbakken zijn, al duizenden keren hergebruikt.

'Ja.'

Een man uit één stuk, een rots in de branding. Ik stel me voor dat hij speciaal is getraind in onverzettelijkheid. Ik geloof hem niet.

'*Listen*,' zegt hij. 'Ik wil dat je me alles vertelt. Welke naam hij gebruikt, zijn verblijfplaats, zijn auto, zijn vrienden, het nummer van zijn mobiele telefoon. Wat zijn lievelingseten is. Welke creditcards hij heeft. Kay, alles wat je weet. Zijn gewoontes – *everything*.'

'Wat heeft je op het idee gebracht dat ik dat allemaal zou weten?'

'Jij hebt een relatie met deze man. We weten dat hij regelmatig bij je komt en dat jullie dan seks hebben.'

'Jij weet helemaal niks!' Ik wil opstaan, maar Dave legt zijn hand op mijn pols.

'Luister,' zegt hij opnieuw. 'Als je meewerkt, maken we het je verder niet moeilijk. Als je niet meewerkt...'

Ah. Chantage. Daar ligt het tussen ons in, dat lelijke machtsmiddel.

Ik kijk ernaar, weeg mijn kansen, en veeg het van tafel. Ik laat me niet chanteren.

Het gaat niet over mijn visum, het gaat over twee mannen, ieder aan een kant en ik daartussenin. De engel en de smeris. Allebei zeggen ze dat ik hen op hun woord moet geloven, maar allebéí geloven kan niet. Ik moet kiezen.

Dave neemt een slok lauwe koffie en wacht.

Ik kijk naar hem en ik kijk naar de foto van de engel.

Mijn besluit ligt al klaar, glanzend en volmaakt – ik hoef alleen mijn hand maar uit te strekken en het te pakken. 'Ik zal je vertellen wat ik weet,' zeg ik.

Dave glimlacht en haalt een onverwacht duur uitziende vulpen uit zijn binnenzak. Ik vraag me af of hij ook een pistool bij zich draagt.

'De man die jij zoekt is geen man,' zeg ik bedachtzaam. Ik heb het gevoel dat ik heel rustig en gewichtloos in een zee van olieachtig water drijf. 'Hij is een engel. Mijn beschermengel: een paar maanden geleden is hij aan mij verschenen, toen het slecht met me ging. Ik weet niet waar hij woont. Hij komt en hij gaat. Soms houdt hij me vast, meer niet – hij is immers een engel en ik ben een mens.'

In gedachten zie ik mijn engel. Hij kijkt naar me met zijn groene blik en heeft een uitdrukking op zijn gezicht die ik niet kan lezen.

Dave staart me aan, zijn pen zweeft boven een leeg vel papier.

'Een engel?' Hij legt zijn pen neer. 'Dat is zeker een grap?'

'Nee,' zeg ik. 'Het is geen grap en ik ben niet gek.' Er is nog veel meer dat ik zou kunnen zeggen, over zijn blote, magere voeten in winterschoenen, zijn handen die mijn cadeautje uit-pakten, zijn felle ogen, of zelfs over het licht in de tuin – maar FBI-agent Carowski gelooft niet in engelen.

Dave is in de war. Deze situatie valt buiten alles wat hij heeft geleerd over ondervragingstechniek.

'Oké.' Hij schuift zijn stoel naar achteren en staat op. 'Je kunt gaan. Als je nog iets zinvols te melden hebt, weet je mijn telefoonnummer.'

Er schiet me iets te binnen. 'Kan ik bij jou aangifte doen van huiselijk geweld?'

Hij trekt zijn wenkbrauwen op.

'Het gaat om iemand die ik ken, niet om mijzelf,' zeg ik snel.

Hij scant mijn gezicht. 'Nee,' zegt hij dan. 'Daarvoor moet je beneden zijn. Of bij het bureau tegen huiselijk geweld. Ken je dat?'

Ik knik. Voor ik mijn jas kan pakken, houdt Dave die al galant omhoog – eerst de ene en dan de andere mouw. Trekt hij werkelijk mijn kraag recht, of verbeeld ik me dat?

We zijn ongeveer even lang, ik kijk hem recht in zijn ogen. Blauw, met een donkere iris en donkere wimpers – onverwacht mooi in dat alledaagse gezicht.

'Jammer,' zegt hij en schudt me de hand.

'Ja, jammer.'

'Je handen zijn ijskoud.' Hij houdt mijn vingers iets te lang in de zijne.

Tijd om te gaan.

Als ik het politiebureau uit loop, voel ik me net de vrouw van Lot. Ik moet me inhouden om niet steeds om te kijken. List en bedrog – dat klinkt als een boektitel, die nu onverwacht, ongelooflijk op mijn leven van toepassing is.

Aan het einde van de straat kijk ik toch achterom. Niets opvallends: een paar mensen op weg naar een afspraak of naar hun werk. De FBI zet uiteraard alleen maar professionals in van wie je nooit zou vermoeden dat ze jou achternazitten. List en bedrog – de vraag is wie de listen beraamt en wie de bedrieger is. Hoe stellig ik ook ben geweest tegenover Dave – nu is de vertrouwde twijfel weer terug. Dat houdt nooit op.

List en bedrog – ook ik ben een bedrieger – en ik bedrieg niet alleen Dave, maar ook de engel, Dorothee, mijn collega's, iedereen. Mijzelf.

Aan het einde van het truth-or-dare-spel waren er nog zoveel vragen geweest, maar de weigering van de engel zette ons klem.

Hij had geen wonderen willen verrichten.

Oké, dat snapte ik. Wonderen hadden immers iets goedkoops, de eerste de beste goochelaar in Las Vegas kon wel beter dan een simpele transformatie van water in wijn.

Daar zaten we tegenover elkaar.

Truth or dare. Waarheid of uitdaging – dat betekent: waarheid of moed. Alsof dat tegengestelde begrippen zijn. In werkelijkheid bestaat er geen waarheid zonder moed, en geen moed zonder waarheid.

Ik had over de tafel gereikt en mijn hand op zijn hand gelegd. Mijn palm tegen zijn handpalm, mijn wijsvinger langs de binnenkant van zijn wijsvinger, mijn duim tegen zijn duim. Ik had zijn hand omvat, zag de levenslijn – de lotslijn. Als ik wist hoe, zou ik zijn toekomst kunnen lezen. Blauwe adertjes vlak onder zijn huid, een randje vuil onder de nagel van zijn middelvinger. Mijn lippen tegen de muis van zijn hand.

Er was niets dat mij liet weten dat hij niet menselijk was.

Met grote passen loop ik door de straten. Ik wil mezelf uitputten, word met elke stap juist alerter.

Ik kom langs een delicatessenhandel met taarten en heerlijke broodjes, een winkel met jeans, sweaters en sneakers, een chique zaak met glimmende cocktailjurken, hippe winkels met kleren voor vrouwen veel jonger dan ikzelf. Ik ga verder, naar de wijk die populair is onder studenten zonder rijke ouders en zonder goedbetaald bijbaantje: de *vintage store* met mini-jurk-jes uit de jaren zeventig, de tweedehands-cd-winkel, een Seven Eleven met naast de deur een groot bord dat iets meldt over minderjarigen en sterkedrank. Ik staar naar de etalages, ga nergens naar binnen. Ik kijk naar de mensen, niemand spreekt mij aan.

Mijn voeten zijn koud. Ik had niet zo ijdel moeten zijn en laarzen in plaats van schoenen aan moeten trekken toen Dave Carowski mij meenam. Ik heb nog niet genoeg gelopen, dus sla ik de hoek om naar een rustige woonwijk. Houten huizen in wit en grijs die wel wat verf kunnen gebruiken, veranda's met schommelbanken, fietsen en gekleurd speelgoed op de gras-veldjes voor de huizen – en overal plakken pokdalige, oude sneeuw. In deze straat is niemand thuis. Een postbode met een kaalgeschoren hoofd slentert met zijn karretje met brieven over de stoep.

Ik loop door – langs een studentenhuis waar harde rock uit een openstaand raam knalt en waar een meisje met vuurrood haar en een mottige bontjas op het trapje zit, haar hoofd in haar handen. Langs de methodistenkerk, langs een park met een staalgrijze vijver en een enkele witte gans in een wak, langs de lagere school, langs nog een school, langs de huizen van de professoren in brede lanen met veel bomen, langs half in elkaar gezakte fabriekjes waarin junks en daklozen onderdak vinden, langs verlaten halfpipes, langs muren met mysterieuze graffiti, langs een berg stinkend afval in de berm bij een doorgaande weg, door nog meer straten waar ik een vreemdeling ben, en ten slotte weer terug naar huis.

Dit is mijn zelfverkozen wereld – zonder de engel is die be-tekenisloos. Zonder de engel vervagen de contouren van de gebouwen alsof ze uitgegumd worden, zonder de engel hebben de mensen gezichten die ik niet herken.

Het was al lang geleden dat Kathelijne haar zus voor het laatst had zien optreden. Carina had gestraald, maar de band was ongeïnspireerd en het publiek ongeïnteresseerd. De mensen hadden dwars door de liedjes heen staan praten in afwachting van de hoofdact, een populaire rocker. Waarom doe je dit jezelf aan? had Kathelijne gedacht.

Maar Carina liet zich door niets van haar pad afbrengen en stond nu, drie jaar later, met een eigen show op een niet heel drukbezocht maar wel prestigieus festival.

Kathelijne keek met vreemde ogen naar haar kleine zusje daar op dat podium. Een femme fatale in haar hoge paarse laarzen, een fantasie voor honderden gulzige blikken.

Ze vonkte, het licht spatte van haar af. De band – 'deze keer heb ik de allerbeste muzikanten' – adoreerde haar en het publiek was gefascineerd door haar ongrijpbaarheid. Het ene moment zong ze in een gebloemd jurkje een reeks zelfgeschreven ballads, het volgende moment had ze zich verkleed in een groene hotpants voor een stel eigenzinnige covers.

Kathelijne vond het bijna niet te bevatten dat ze na de dood van hun moeder elkaar zo na waren geweest. Twee meisjes alleen op de wereld.

Carina liep naar de rand van het podium en keek doordringend de zaal in. Kathelijne bedwong de neiging om te zwaaien. Haar zus begon zonder begeleiding te zingen, zachtjes en spookachtig: 'You keep saying you got something for me, Something you call love but confess – You've been a'messin' where you shouldn't 've been a'messin'.' De band viel in bij het refrein en 'These boots are made for walkin' donderde over het podium.

Het applaus kwam als een aanstormende regenbui, er stonden mensen boven op de stoelen te juichen. Kathelijne bleef stil zitten.

Ik word wakker van een onbekend geluid. Een nat geluid – een gestaag, rustig druppelen. Het lekt ergens – ik spring uit bed.

Als ik de gordijnen openschuif, schijnt de zon recht in mijn gezicht. Ik doe het raam open en leun naar buiten. De ijspegels aan de rand van het dak en aan de overkapping van de veranda zijn aan het smelten. In de hard bevroren sneeuw op het grasveldje verschijnen deukjes waardoorheen de onverslaanbare grassprietjes zich oprichten.

Ik observeer het huis van de overburen. De gordijnen zijn dicht, de auto staat op de oprit. Geen leven te zien. Misschien heeft hij haar wel doodgeslagen.

Nee. Nee, het is lente. Ik ben niet de hoeder van mijn buurvrouw. Ik wil er niets mee te maken hebben.

De buitenlucht is scherp aan mijn gezicht. Ik trek het raam weer dicht.

Gisteravond heb ik met Dorothee anderhalve fles zware rode wijn gedronken. We hebben niet over Xenia gesproken. En niet over Eric, die haar na een ordinaire, krijsende ruzie in een vol restaurant dreigde te ontslaan. En niet over het uitblijven van de vaste maandelijkse brief van mijn ex.

Het was een avond vol taboes, want de FBI mocht ook niet aan de orde komen en de engel al helemaal niet. Ik verlang ernaar om hem met mijn woorden dichterbij te halen, aanraakbaar te maken. Tegelijk ben ik bang dat hij zal verdwijnen als ik hem met anderen deel.

Een engel? Alsjeblieft zeg, wat ben jij naïef.

Mijn hoofd is topzwaar, alsof de alcohol delen van mijn hersenen heeft versteend. Vandaag ga ik horen of ik nog werk heb.

Buiten is het wonderbaarlijk: ik knipper met mijn ogen tegen al dat licht, dat in brede, brutale banen over de stoep en de weg gutst. Het licht heeft een muziekje bij zich dat overal in de stad te horen is: een vrolijk ruisen dat ik eerst niet kan plaatsen. Maar als ik op de iets hellende weg naar de campus loop, zie ik hoe langs de stoep het smeltwater van de weken oude grijze sneeuw als een kleine waterval naar beneden stroomt.

Opluchten: dat betekent letterlijk verse lucht toevoegen, oude lucht laten ontsnappen. De stad ruikt opgelucht en schoon. Allerlei onverkwikkelijks dat eerder zo vanzelfsprekend aanwezig was dat je het niet eens meer opmerkte, is in één nacht weggepoetst.

Op een bankje zit een oudere man met een petje met achterstevoren gedraaide klep in de zon, zijn ogen gesloten. Ik begrijp hem: het is van levensbelang om een voorraad licht aan te leggen voor donkere dagen. Een groepje studenten loopt in begrafenispas langs. Ze dragen sandwichborden: *Spring in Wintertime: Stop Climate Change!*

Ik krijg het warm, doe mijn handschoenen uit en mijn muts af, knoop mijn sjaal los, rits ten slotte mijn jack halfopen. Het voelt vreemd kwetsbaar om mijn laagjes af te pellen en de buitenlucht toe te laten.

Voor het Humanities-gebouw blijf ik even staan. Ik denk aan de eerste dag dat ik hier de trap op liep. Dat was toen een opening naar een nieuw leven. Nu sta ik hier opnieuw en heb ik geen idee hoe ik verder zal gaan als ik straks weer naar buiten kom. Sommige mensen zouden dat 'vrijheid' noemen.

Niet zeuren. Ik recht mijn rug en ga naar binnen.

Boven lijkt alles zoals het altijd was: de meeste deuren zijn dicht, de tegels op de vloer glimmen en aan de muren hangen affiches van evenementen die de docenten educatief vinden, maar waar geen enkele student ooit naartoe gaat.

Blij dat ik geen collega's zie, ga ik direct door naar mijn kamer. Daar is iemand aan het werk – een jonge vrouw met lang, goudblond haar. Ze zit op mijn stoel, achter mijn bureau, ze is aan het typen op het toetsenbord van mijn computer.

Ik blijf in de deuropening staan. De muren zijn kaal, mijn posters en kalender zijn verdwenen.

De vrouw kijkt me vragend aan. 'Wat kan ik voor je doen?'

Dan weet ik het al. 'Ik ben Kay,' zeg ik, 'ik werk hier.'

Ze staat op. 'Hallo Kay. Ik ben Rosie Miller, je opvolgster. Wat leuk dat je even langskomt.'

Ik schud haar hand, die opvallend koud is. 'Wanneer ben je begonnen?' vraag ik.

'Eergisteren, alles is nog nieuw voor me.' Haar strakke lippen suggereren dat ze al heel lang aan een stuk door aan het glimlachen is.

'Heb je hulp nodig?'

'Nee, dank je. Je hebt fantastisch werk gedaan, maar we gaan het nu heel anders aanpakken. Professor Eccles heeft een ambitieus beleidsplan voor het komende jaar opgesteld, ik ben nu aan het uitwerken hoe we dat voor de bibliotheek kunnen invullen.'

Ik knik. Even staan we ongemakkelijk tegenover elkaar. Er is hier niets meer voor mij. 'Oké, dan ga ik maar. *Good luck.*'

Ik ben al bijna aan het einde van de gang als ze me achternakomt. 'Je spullen heb ik in dozen gedaan. Lara weet wel waar ze staan.'

Lara balanceert op haar naaldhakken op de bureaustoel om een ingelijste poster van haar naamgenote van de muur te halen. Zonder om te kijken zegt ze: 'De ijskappen zijn aan het smelten. We hebben nog nooit zo'n vroeg voorjaar gehad, de wereld is niet meer te redden.'

'Wat is er aan de hand?' vraag ik.

Ze blikt van bovenaf minzaam op me neer. 'Je bent ontslagen. De brief volgt nog, de prof heeft nog geen tijd gehad om die te ondertekenen.'

De stoel wiebelt gevaarlijk, dus houd ik de leuning vast terwijl ze weer naar beneden stapt.

'Ik heb je gewaarschuwd,' zegt ze.

'Ja.'

'Ik ga zelf ook weg. Ik heb er geen zin meer in zoals dat hier gaat. En altijd het domme blondje spelen, daar heb ik ook genoeg van.'

'Wat ga je dan doen?' vraag ik.

Ze glimlacht. Het saaie mantelpakje van de vorige keer is verdwenen. In plaats daarvan draagt ze een fluorescerende roze skibroek in jarenvijftigstijl met een strakke witte coltrui

waarin haar borsten puntig vooruitsteken. '*I met somebody.*'
Ze aarzelt, en vervolgt dan: 'Irina – ze is Russisch en heeft hier
een massagepraktijk. Ze wil terug naar Rusland en ik ga in
ieder geval een paar maanden met haar mee.'

'Gefeliciteerd, wat fijn voor je.' Ze stelt me niet teleur. Lara
volgt haar eigen weg, zonder zich iets van iemand aan te trekken.

Ik spreek met haar af dat ik mijn dozen met boeken en persoonlijke spullen op kom halen zodra ik Dorothees auto kan
lenen.

Geen omhelzing, geen handdruk, en al helemaal geen tranen.

Hoewel de zon nog even fel is als eerder, heeft de stad in het
lentelicht inmiddels de verbleekte kleuren van een oude, te lang
bewaarde foto.

Mijn leven is een puinhoop, zeg ik tegen mezelf, een constatering die ook al flets is. Ik zou wel op de grond willen gaan
liggen – midden op de stoep, zodat de mensen die op weg zijn
naar interessante afspraken en belangrijke vergaderingen over
me heen moeten stappen.

In plaats daarvan ga ik op een bankje aan de rand van een
grasveld zitten en draai mijn hoofd naar de zon. Ik sluit mijn
ogen, maar het licht laat zich niet buitensluiten. Er rennen
zwarte silhouetten langs de binnenkant van mijn oogleden. Ik
denk aan de engel.

Een bulderend geluid scheurt de zonnestralen aan stukken.
Een vliegtuig raast langs de hemel, slechts enkele meters van
een flatgebouw. Het logo van de luchtvaartmaatschappij is
zichtbaar, wie goed kijkt kan de piloot zien. Alles in de wijde
omtrek davert, zodat niemand meer weet wat onder is en wat
boven, wat lucht is en wat aarde. Ik duw mijn handen tegen
mijn oren. Dubbelgevouwen wacht ik op de explosie.

Het vliegtuig vliegt verder. De atmosfeer trilt nog even na,
dan spreidt een rust zich loom over de campus.

'Dat scheelde niet veel.' Een zwarte man laat zich naast mij op het bankje zakken. Hij draagt heel veel gerafelde kleren in vervaagde kleuren over elkaar, wat hem de aanblik geeft van een vogelverschrikker.

'We zullen nooit meer gewoon een vliegtuig laag over kunnen zien vliegen zonder aan Ground Zero te denken,' vervolgt hij peinzend.

Zijn stem en kleren komen me bekend voor.

'Ja, kijk het mooie er maar af,' zegt hij, en dan weet ik het weer. Hij is de bedelaar die me een paar weken geleden op straat zijn zegen meegaf.

'Zo'n vliegtuig – we zijn zo kwetsbaar,' zeg ik ten slotte.

'Ja, ja, ja,' hij knikt, begint te zingen: 'Dust in the wind, all we are is dust in the wind...' Hij heeft een mooie, heldere stem. 'Maar dat vliegtuig hier is niet wat ons kwetsbaar maakt en die vliegtuigen toen in New York ook niet. We zijn broos als gesponnen suiker, altijd al geweest.'

Brittle, zegt hij. Het knappen van glas bij een te harde druk van duim en wijsvinger.

'Dit is een valse lente,' vervolgt hij.

'Vals?'

'Ja, vertrouw haar maar niet.'

Abrupt staat hij op en slaat zijn overjas en al de jassen daaronder als een cape om zich heen. Uit een van de zakken haalt hij een koffiebeker en houdt die onder mijn neus. 'Ik ben dakloos geen dak boven m'n hoofd heb ik – geef me een dubbeltje of een kwartje alsjeblief.'

Ik haal een briefje van vijf dollar uit mijn tas en laat dat in zijn koffiebeker vallen.

'*God bless you, miss*,' zingt hij en loopt weg.

Ik heb behoefte aan de norse vriendelijkheid van Craig White.

Vanuit de verte zie ik al dat er iets aan de hand is. De winkeldeur staat wijd open, een politieauto is dwars over de stoep geparkeerd en binnen lopen verschillende mensen heen en weer.

Ik blijf staan aan de overkant van de straat. Twee agenten en een man in een leren jack komen naar buiten. Een van hen roept over zijn schouder: 'Vergeet de formulieren niet in te vullen.' Blijkbaar heeft hij het tegen Craig, die in zijn eentje in de winkel is achtergebleven.

De agenten stappen in de politieauto en de man in het jack loopt naar een grijze Chrysler. Ze rijden vlak achter elkaar weg.

Ik kom in beweging. 'Craig!'

Hij staat met neerhangende schouders midden in een zee van scherven.

'Wat is er in godsnaam gebeurd?'

'Ach.' Hij recht zijn rug en trekt zijn mondhoeken op tot een glimlach. 'Kay, *good to see you*. Geen zorgen – er is alleen maar ingebroken. Niets aan te doen.'

'Ingebroken? Het lijkt wel alsof er hier een tornado doorheen is getrokken. Was je thuis toen het gebeurde?' Craig staat zo dapper in de chaos die vroeger zijn winkel was dat de tranen in mijn ogen prikken.

'Nee, toen ik vanochtend naar de zaak kwam, trof ik dit aan.'

Ik durf hem niet te vragen waar hij vannacht is geweest. Ik heb het recht niet. Toch vertelt hij me wat ik wil weten. 'Ik was bij een kameraad, we hadden flink gedronken en ik ben daar blijven slapen. Misschien een geluk bij een ongeluk: als ik thuis was geweest, had het slechter kunnen aflopen.'

Ik neem de ravage in me op. Het glas van de toonbank is aan diggelen, net als de vitrines waar de ammunitie en de kleine wapens lagen. De kast met jachtgeweren achter de toonbank is opengebroken, het grote hangslot is op de vloer gesmeten, vlak bij de deur. Overal ligt glas, grote stukken en duizenden scherpe splinters, alsof een waanzinnige met een enorme hamer tekeer is gegaan. Er is nergens meer een wapen te zien. Op de grond slingeren alleen nog een paar doosjes patronen.

Craig volgt mijn blik. 'Zelfs de kluis hebben ze open gekregen,' zegt hij.

'Ben je verzekerd?'.

Hij glimlacht. 'Niet hiervoor.'

'O, nee! Dus je hebt niets meer?'

'Ik heb niet véél meer. De inrichting van de winkel is verzekerd, en het glas. Straks komt er iemand van de *insurance* kijken. Maar mijn kapitaal, de wapens, ben ik kwijt.'

Hij lijkt er zo rustig onder. Misschien is hij in shock. Als ik iets wil zeggen, wuift hij mijn bezorgdheid weg. 'Het zijn maar spullen. Ik wilde allang stoppen, ik voelde me niet goed meer bij dat wapentuig. Nu is er vóór mij gestopt. En dat is mooi.'

Door de openstaande deur komt een koude wind naar binnen. Buiten is het zonlicht niet meer dan een wazige gloed.

'Het enige wat me echt zorgen baart, zijn die gestolen wapens,' vervolgt hij. 'Wat gaat daarmee gebeuren? Welke schade wordt ermee aangericht?'

'De politie start toch zeker een onderzoek,' zeg ik.

'Hmm.' Hij staart voor zich uit, schijnbaar zonder de scherven en de rotzooi te zien. Dan zegt hij ernstig: 'Door deze wapenwinkel heb ik meegeholpen kwade krachten sterker te maken.'

'Uiteindelijk overwint het goede,' zeg ik. Zodra ik ze uitspreek krijgen de woorden een zoetige smaak, alsof ze met krullende letters op een Delfts blauw tegeltje zijn geschilderd.

Craig merkt die weeïgheid ook op. Hij geeft me een onechte glimlach. 'Ja, dat is wat we geloven, hè? De Bijbel, de boeddhisten, kindersprookjes, Hollywoodfilms: allemaal zingen ze hetzelfde liedje: de strijd tegen het kwaad wordt gevoerd met grote offers, buitengewone ontberingen, maar uiteindelijk is het eind-goed-al-goed. Ze leven *happily ever after*, nadat het kwaad in een afgrond is gestort, of verbrand, of verdronken.'

Hij pakt de bezem die tegen de vitrine staat en begint de scherven bij elkaar te vegen. 'Maar ik vraag me weleens af of we onszelf niet voor de gek houden. Of op het einde het kwaad niet toch het sterkste is.'

Het glas krast over de stenen vloer.

Ik wil protesteren, maar hij laat me niet aan het woord.

'Het slechte zit nu eenmaal in de mens, en het moet eruit, op een dag moet het eruit. Dan kun je wel knielen en bidden, of liefdadigheid in de rondte strooien, maar is dat genoeg?' Hij stopt met vegen en kijkt me aan: 'Is dat genoeg? Het goede is meestal zo klein en zwak – hoe kun je dat serieus nemen?'

'Dat geloof je niet! Ik geloof niet dat je dat echt gelooft.'

Craig glimlacht naar me, maar nu echt. 'Waarom zou ik dat niet geloven?'

'Omdat niemand kan leven in een wereld die zo zwart is, omdat je mijn vriend bent –' De tranen schieten in mijn ogen. Ik haat het gevoel sentimenteel en naïef te zijn, snel veeg ik ze weg.

'Oké,' zegt hij, leunend op de bezemsteel alsof het een wandelstok is. Zijn gezicht is zachter. 'Nee, ik geloof inderdaad niet dat het kwaad oppermachtig is. Maar soms twijfel ik. Net als jij leef ik liever met de hoop op verbetering. Maar ik denk werkelijk –' hij legt zijn hand op mijn arm – 'ik denk werkelijk dat we de mogelijkheid open moeten houden dat het ánders is dan we vermoeden. Dat het niet zo vanzelfsprekend is dat het goede overwint. Dat liefde en compassie, en alle zachte krachten, veel harder en verbetener moeten strijden dan we ooit voor mogelijk hebben gehouden.'

Hij knijpt zachtjes in mijn pols en laat me weer los. Dan doet hij op nonchalante toon een mededeling als een kaakslag: 'Als ik hier klaar ben met de verzekering, ga ik weg. Waarschijnlijk al aan het einde van de week.'

'Wat?' Er zit een gat midden in mijn lijf, een kale holte zo groot als een ei. 'Ga je dan terug naar Dakota?'

Hij lacht en duwt zijn vlecht over zijn schouder. 'Ja, er is geen ontkomen aan, ben ik bang.'

Ik leg mijn hand tegen mijn maag. Alles gaat verder, niets blijft.

Craig monstert me met een doordringende blik. 'Zodra je je ergens aan vast gaat klampen, komt de pijn.'

Ik bijt op mijn lip en zeg dan: '*I'm happy for you*. Een nieuw begin, nadat al het oude zo grondig aan stukken is geslagen, iemand heeft je lei letterlijk schoongeveegd.'

Een opwelling spiraalt zich als een slang van mijn voeten naar mijn buik, verwarmt mijn hele lichaam. Mijn hals wordt rood, mijn wangen en voorhoofd worden rood. Ik draai me om en raap een paar achtergebleven doosjes patronen op.

Craig loopt naar achteren en roept vanuit het keukentje of ik thee wil.

Ik antwoord niet. Nu zou ik zo de deur uit kunnen rennen, thuis mijn koffer pakken en het eerste het beste vliegtuig nemen, naar zomaar een stad in zomaar een land. Opnieuw beginnen – alles opgeven, als een acrobaat die de trapeze loslaat en zonder houvast, zonder vleugels door de lucht vliegt.

De verleiding is zo groot dat mijn voeten al naar de deur lopen. Ik dwing mezelf stil te staan en sla mijn armen om mijn bovenlichaam.

De vorige keer heeft dat nieuwe begin me ook niet gebaat.

Ik denk aan de engel. Wat hij betekent.

Iedereen heeft maar één leven, en dat leven kun je niet afdanken, wegstoppen in een kast ergens achterin op een stoffige plank. Je kunt niet een fris, glanzend leven van een andere plank pakken en dat aantrekken.

Craig komt terug met twee koppen thee. 'Blijf nog even.' Het is geen verzoek, eerder een bevel.

'Oké,' zeg ik.

Tegenover mijn huis wacht een politieauto. Het begint al te schemeren, maar de blauw-witte wagen, zo lang en laag als een schip, is duidelijk herkenbaar. Ik voel de contouren van een bizar complot. Voortaan zal de politie mij overal volgen om mij aan mijn gesprek met Dave Carowski te herinneren. Om mij zo bang te maken dat ik de FBI-agent vertel waar hij de engel kan vinden.

Terwijl ik nog aarzel over doorlopen of omkeren, komen twee agenten uit het huis van de overburen. Ze hebben de man van Alice tussen hen in, zijn handen op zijn rug. Het portier van de politieauto gaat open en hij wordt met harde hand op de achterbank geduwd. De agenten stappen snel in, zetten de sirene aan en rijden weg. Iemand heeft gedaan wat ik allang had moeten doen, iemand heeft het bureau tegen huiselijk geweld gewaarschuwd.

Alice is nergens te zien, maar in haar woonkamer brandt licht.

'Wat een ontknoping, hè?' Gina Rissini, vandaag in een bijzonder elegante witte mantel, komt naar me toe lopen.

'Weet jij wat er aan de hand is?' vraag ik.

Ze lacht triomfantelijk. Het is best mogelijk dat zij de politie heeft gewaarschuwd.

'*This is so great.* Hij is de serieverkrachter, of in ieder geval, hij wordt ervan verdacht dat te zijn. Ik hoorde dat een van zijn slachtoffers in het ziekenhuis was toen hij daar ook werd behandeld, na dat ongeluk. Ze herkende hem onmiddellijk, maar durfde dat pas vanochtend aan de politie te vertellen.'

De wereld wankelt even, iemand heeft er een onbehouwen ruk aan gegeven.

'Hij slaat zijn vrouw,' zeg ik.

Gina zucht. 'Ja, dat hebben wij als neighborhood watch ook geconstateerd. *Poor kid.* Maar we konden niets doen.'

'Waarom niet?'

Ze doet een stap achteruit. 'Wat hadden we kunnen doen? Privézaken zijn nou eenmaal privé. Achter de eigen voordeur is iedereen autonoom. En bovendien, jij wist het blijkbaar ook.'

Ze kijkt me aan met een blik die duidelijk maakt dat we geen vriendinnen zijn.

Zo gaat dat, ze heeft gelijk. Laf, dom of laks – het is ook zoveel gemakkelijker om te doen of er niets aan de hand is en veilig op de bank te blijven zitten.

'Sorry,' mompel ik. 'De neighborhood watch doet goed werk.'

'Dank je,' zegt Gina. Ze knoopt de bovenste knoop van haar jas dicht. 'Hoe dan ook, ik ben blij dat we die vreselijke crimineel te pakken hebben.'

'Stoppen jullie nu met de neighborhood watch?'

'O, nee! Er is nog zoveel misdaad in deze stad, we zijn hard nodig.' Met die woorden beent ze weg.

Ik steek over en bel bij Alice aan.

Ze doet niet open.

Dorothee is in haar eentje aan het tieren, of ze maakt ruzie met iemand die niet terugschreeuwt. Ik blijf onder aan de trap staan luisteren, maar kan niet bepalen wat er aan de hand is. Voordat ik heb bedacht wat ik zal doen, wordt boven de deur dichtgesmeten.

Een zwarte schim die haar zwarte rokken bij elkaar houdt om niet van de treden af te donderen, een vleug van een zwaar parfum. Ze is de voordeur uit voor ik haar kan roepen.

Vandaag is een dag van ontknopingen.

Dorothee komt naar beneden.'Ik heb een borrel nodig,' roept ze al voordat ze binnen is.

Met een glas whisky gaan we op de bank zitten. 'Proost,' zegt ze en heft haar glas.

'Is er reden tot vreugde?' vraag ik voorzichtig.

'Mmm. Dat weet ik niet. Xenia is terug, zoals je hebt gezien, en ze is ook meteen weer vertrokken.' Dorothees fluwelen, bordeauxrode jurk vormt een vreemd contrast met haar in zwarte strepen uitgelopen mascara en haar half weggeveegde, asymmetrische lippenstift.

Ze vertelt hoe Xenia vanmiddag binnen was komen wandelen, heel nonchalant. 'Alsof de hele politiemacht niet naar haar op zoek is, alsof ik geen nachten wakker heb gelegen – ik was furieus!'

Natuurlijk was er een enorme ruzie gevolgd, die was geëindigd in Xenia's abrupte vertrek. 'Ik heb haar gezegd dat ze voorlopig niet meer terug hoeft te komen, dat ze maar bij dat vriendje moet gaan wonen waar ze de afgelopen dagen en nachten is geweest. Nu is het echt genoeg – ook al is ze nog zo kwaad op mij, ik ben nog kwader op haar.'

'En haar spullen?' vraag ik.

'Die stuur ik wel op naar Indiana – voor zover ik weet heeft ze daar nog steeds een kamer. En anders geef ik ze aan het Leger des Heils. Al die zwarte dramagewaden – *I don't give a shit*.'

Hier wordt met houtskool een dikke streep getrokken. Tot hier en niet verder.

'Hoe voel je je?

'Opgelucht.' Dorothee drinkt haar glas leeg. 'Ik begin opnieuw. Geen tranen meer voor Xenia.'

Ze zwijgt even alsof ze iets weg wil duwen. 'Eric kan me niet ontslaan, ik ben per slot van rekening de reden waarom mensen avond aan avond naar het restaurant komen, en dat weet hij heel goed. Ik heb hem natuurlijk wel mijn bed uit gegooid, die slappe lul. Jeff houd ik nog even, hij is een schatje. Van nu af aan bepaal ik zelf weer hoe mijn leven eruitziet.'

Ik verbleek naast al die power.

Dorothee schenkt zichzelf nog een shot whisky in. 'O ja, de FBI is vandaag langs geweest. Een agent Caprinksi, of Caprowski.'

'Carowski,' zeg ik.

'Juist. Aardige vent. Vroeg naar je. Ik kon niet helemaal duidelijk krijgen of hij een bewonderaar is of dat hij je beroepshalve wil spreken.' Ze neemt een slok.

'Allebei denk ik,' zeg ik. Mijn bewegingen worden in slow motion afgedraaid.

'Zit je in de problemen?' Dorothee kijkt me scherp aan.

'Ja. Nee.' Ik schenk ook nog wat whisky in en zeg ten slotte: 'Ik heb werkelijk geen idee. Laten we het er maar niet over hebben.'

Ik slaap niet, de hele nacht niet. Mijn kamer is gevuld met grijs, waterig licht. Met de gordijnen open en het raam op een kier lig ik te luisteren naar het smelten van ijs en sneeuw. Af en toe klinkt er een gorgelend geluid, alsof iemand met een schok uit zijn winterslaap ontwaakt. Ik stel me voor hoe kleine dieren zich uitrekken en uit hun hol kruipen.

In de vroege ochtend sta ik op.

'Ik ben werkloos,' zeg ik hardop terwijl ik mezelf in de spiegel bestudeer. Mijn gezicht is bleek, ik heb donkere kringen onder mijn ogen. Ik ga met mijn hand langs mijn hals, mijn kin, mijn wangen, mijn voorhoofd – alles voelt nog stevig genoeg.

Dorothee heeft mijn post, die ik gisteren niet uit de brievenbus heb gehaald, onder de deur door geschoven. Wat reclamefolders en een brief uit Nederland. Het postbusadres van de vakgroep is met een viltstift doorgestreept en iemand heeft mijn huisadres eronder gezet. '*Please notify sender of your current address*' staat er in kleine letters bij.

Ik neem niet de moeite te gaan zitten, scheur de envelop direct open. Carina schrijft een lang verhaal. Dat ze een nieuwe vriend heeft. Dat haar cd boven verwachting goed verkoopt, dat ze een optreden heeft in een populaire tv-show. Dat ze 'These Boots Are Made for Walking' zal zingen. 'Wanneer kom je nou eens terug?' eindigt ze.

Vandaag moet ik beslissen: ga ik weg, of blijf ik hier - bij Dorothee, bij agent Carowski. Bij de engel.

Als ik thuiskom, zit de engel aan de keukentafel. Ik zet de boodschappen op tafel, gooi mijn jas op een stoel en wikkel mijn wollen sjaal los. De engel kijkt niet op.

Het is nog steeds wonderbaarlijk: zijn aanwezigheid, in vlees en bloed, aanraakbaar.

'Hallo,' zeg ik en onderdruk de neiging om hem een kus op zijn wang te geven, alsof we een jarenlange huiselijke vanzelf-sprekendheid hebben.

'Hallo,' zegt hij. Hij klinkt verstrooid, ik buig me over zijn schouder om te zien waar zijn aandacht is.

De engel houdt mijn pistooltje in zijn ene hand en streelt de loop met zijn andere hand. Een doosje patronen ligt op tafel.

'Waar heb je dat gevonden?'

Hij glimlacht naar me. 'In de keukenla.'

Natuurlijk – na dat incident met Owen heb ik het daar te-ruggelegd en er daarna nooit meer naar gekeken. Craig heeft me bij zijn afscheid nog aangeraden om vooral te blijven oefe-nen met schieten. Dat geeft kracht, zei hij.

'Je moet het beter opbergen, maar dan wel op een plek waar je er makkelijk bij kunt.'

Ik trek mijn wenkbrauwen op.

Hij zucht. 'Voor als je het nog eens nodig hebt.'

'Ik heb het niet meer nodig,' zeg ik.

'O.'

Ik pak het pistooltje uit zijn handen. Opnieuw verbaas ik me erover hoe nietig het aanvoelt, als een trendy accessoire: Donkere zonnebril erbij en klaar is Bonnie. 'Kun jij met zo'n handwapen omgaan?' In mijn hart trilt iets.

Hij kijkt me lang aan. Bij de hoeken van zijn mond zitten kleine vouwtjes, die dieper worden als hij glimlacht. Nu glim-lacht hij niet. Ten slotte zegt hij: 'Natuurlijk.'

Ik doe een stap achteruit, in de richting van de keukendeur. 'Laat eens zien.' Zonder op zijn reactie te wachten, loop ik met het pistooltje de tuin in.

Hij neemt de uitdaging aan, ik hoor zijn voetstappen achter me op het stoepje.

De tuin rondom het huis begint uit te lopen. Alles wat dood leek, krijgt een lichtgroene glans. Aan de kale takken van de vlier verschijnen voorzichtige groene frutseltjes, een merel zit zich in de esdoorn te verheugen. De bollen die ik in de herfst heb geplant, komen met kleine, groene puntjes boven de grond uit. Wat kan het schelen of het eigenlijk nog veel te vroeg is, dit is zo prachtig.

Ik wil de engel de lente overhandigen, maar hij pakt het pistooltje van me over en richt in één beweging met kaarsrecht uitgestrekte arm, alsof hij iemand nawijst.

Ik adem uit en hoor een scherp geluid. Niet hard, niet oorverdovend, niet schrikaanjagend, maar scherp. De merel valt met een plof van zijn tak op de grond, tussen de halfvergane bladeren.

Ik adem in.

Het valt me op wat een bijzondere grijsblauwe kleur de lucht heeft. Als staal.

'Ben jij nou helemaal gek geworden! Klootzak!' Mijn stem scheurt de hemel in tweeën.

Hij komt vlak naast me staan. Zijn warme adem streelt mijn oor. 'Dit is toch wat je wilde? Daar vroeg je toch om?'

Ik heb mijn ogen dichtgedaan, voel hoe hij bij me vandaan loopt. Als ik mijn ogen weer open heb, hurkt hij bij de esdoorn, waar de dode merel ligt. Hij raapt iets op en komt overeind. Ik zie dat hij de vogel in zijn handen heeft, dat hij het kopje streelt met zijn wijsvinger.

Te laat.

Zijn ogen zijn groener dan ooit. Hij is kwaad.

Ik ook.

Dan heft hij met een abrupt gebaar zijn beide armen en gooit de vogel omhoog, alsof die nog kan vliegen en als een postduif ten hemel kan stijgen, met een boodschap voor de Almachtige.

Ik kijk mee naar boven, en zie iets dat er niet kan zijn. Een gefladder, een levendigheid die op eigen vleugels wegwiekt.

De dode merel valt niet naar beneden. Op de grond ligt geen neergestort vogellijkje.

Mijn woede beneemt me de adem. Als ik weer kan spreken zeg ik: 'De FBI is hier geweest. Ik ben meegenomen voor verhoor. Ze zeggen dat je een terrorist bent.'

De engel drukt het pistooltje in mijn hand. 'Wees er voorzichtig mee.'

Predictor is de verkeerde naam, dacht Kathelijne. *To predict* betekent voorspellen, en wat voorspeld wordt is nog helemaal niet zeker. Neem nou het weer, die voorspellingen zijn zo vaak fout.

Maar een baby is geen regenbui. En dit verkleurde staafje voorspelde niets, het gaf een gebeurtenis aan waar geen twijfel op van toepassing was.

Kathelijne legde haar hand op haar buik.

'Je bent zo mager,' had Carina pas nog gezegd. 'Je moet verdomme wel blijven eten. Als je niet sterk bent, verandert er nooit iets.' Soms was het alsof Carina de oudste was.

Kathelijne draaide het staafje tussen haar vingers. Veranderingen komen nooit vanzelf, deus ex machina, uit de lucht gevallen. Dat is iets voor boeken. In het echte leven moet je altijd zelf een stap zetten. En nog een. En nog een. Zoals je in sommige dromen loopt, wadend door zware lucht, zonder van je plaats te komen.

Deze voorspelling zou haar voeten lichter maken.

De hele dag blijf ik in de keuken, bijna bewegingloos. Af en toe drink ik een glas water, ga naar de wc. Verder zit ik in dezelfde houding op de ongemakkelijke keukenstoel tot mijn rug pijn doet en staar naar de tuin die onder mijn ogen steeds groener en lichter wordt. Het pistooltje ligt op het aanrecht, weggeschoven tussen een bus oploskoffie en een pot honing.

Toen de engel weg was, ben ik nog een keer de tuin in gelopen en ben bij de esdoorn op de grond geknield. Met mijn handen heb ik de aarde omgewoeld, op zoek naar een teken. Een veertje, een graf. Niets. Ik ben nog een tijdje op handen en knieën blijven zitten, tot de vochtige kou het bloed in mijn aderen verkilde. Ik dacht aan het verhaal over Siberië dat ik de engel had verteld, over de kou die woorden in ijskristallen veranderde.

En nu, op mijn stoel bij het raam, kan ik mezelf er niet toe brengen om mijn blik van de tuin af te wenden. Misschien stel ik op deze manier het afscheid uit. De laatste plek waar de engel heeft gestaan. Dicht bij mijn huis, waar zijn voeten een afdruk hebben gemaakt op de vochtige aarde.

Natuurlijk had ik kunnen weten dat het niet goed zou aflopen als ik de engel uitdaagde. Ik heb het toch gedaan.

Zo woedend. Het is dezelfde emotie als die waarmee ik mijn leven in Nederland heb uitgegumd.

Een nieuw begin – onzin.

Datgene wat in je zit, neem je altijd met je mee.

Het licht is aan het verdwijnen – met achterwaartse passen sluipt het weg, tot er alleen nog een blauw waas in de tuin hangt. De struiken en bomen lijken onstoffelijk: schaduwen, zwevend zonder wortels. Een vogel schrikt en maakt een parelend geluidje. Daarna is alles volkomen stil.

Ik sluit mijn ogen even. Als ik ze weer open, staat de engel buiten bij de keukendeur. Er valt een schaduw over zijn gezicht.

Ik doe de deur open.

'Ik ben kwaad op je. Ik mis je,' zegt de engel.

'Kom.' Mijn hand op zijn arm. Ik trek hem naar binnen.

Hij blijft bij de deur staan. Ik ga op de verste keukenstoel zitten.

Het regent: op zijn jas liggen duizenden kleine ronde druppels. Met een ongeduldig gebaar veegt hij het haar uit zijn ogen.

'Wanneer houd je op mij op de proef te stellen?' zegt hij. 'Jij wilt harde bewijzen – zien is geloven. Heb je weleens overwogen dat je misschien wel ziet, maar dat je niet gelóóft wat je ziet? Dat je simpelweg niet gelooft en dat je nooit zult geloven, wat ik ook doe, ook al zouden er opeens twee witte vleugels uit mijn schouders groeien en zou ik klapwiekend opstijgen om boven dit huis een rondje te vliegen en dan ten hemel te varen?'

De woede spat in een regen van elektrische vonken van hem af. Hij heeft zijn handen gebald en zijn kaakspieren staan strak als gespannen kabels. Opeens kan ik me voorstellen dat hij uit zou halen met zijn vuist.

Dit zijn wij: ik ineengedoken op een stoel, de engel trillend van frustratie en pijn vier passen bij mij vandaan.

O, ye faithless.

Ik sta op, loop vier passen, leg mijn handen om zijn hoofd en zeg: 'Het spijt me, het spijt me. Het spijt me.' Ik voel hem beven. Engelen huilen niet. Hij zegt niets, slaat zijn armen zo stijf om me heen dat het pijn doet. Zijn achterhoofd, zijn nek, zijn wangen, zijn schouders, zijn rug, zijn armen, zijn heupen, zijn billen, zijn benen – ik benoem hem met mijn vingers en verbaas me dat de woorden zo eenvoudig zijn.

Hij trilt en houdt me vast. Ik kijk hem aan – hij huilt.

'Ik geloof je,' zeg ik.

Deel III

De aanhechting van vleugels tussen de schouders

Ik open mijn ogen. Het fluisterende licht van de heel vroege ochtend valt op het bed. Vrede.

Het volgende moment hap ik naar adem, ik schiet overeind.

Engel ligt op zijn zij naar me te kijken, zijn hoofd steunend op zijn linkerhand. 'Sssh,' zegt hij. Zijn vrije hand legt hij op mijn voorhoofd. Koele vingers tegen mijn gloeiende huid. Hij schuift dichter naar me toe en kust mijn oogleden.

De acute paniek rolt zich op in een hoekje, als een slang.

Ik duw me dichter tegen engel aan, hoor mezelf zuchten. Ergens achteraf waarschuwt een opgeheven vinger die maar niet wil verdwijnen – hoe hard ik er ook niet aan denk.

'We kunnen hier niet blijven,' zeg ik, terwijl ik me losmaak uit zijn armen. De FBI, de chaos, een visum dat straks misschien niet meer geldig is, de regels die zijn gebroken.

'Hmm,' zegt hij. En kust mijn schouder.

'Echt. We moeten weg, samen.' Er schiet me iets te binnen. Ik knijp mijn ogen stijf dicht. 'Tenzij jij volgens de regels niet bij me mag zijn.'

'Ik wil niets meer te maken hebben met die regels.'

'*Take care*.' Dorothee staat ons op de veranda na te zwaaien.

Ze heeft niets gevraagd, zei met een blik op engel alleen

maar: 'Fijn voor je', en gaf me het adres van de tweedehands-autohandelaar waar ze ooit haar eigen auto heeft gekocht.

Ik heb niets uitgelegd, niet omdat ik niet wilde, maar omdat ik dat niet kon. Er is een lijn die van deze plek naar een volgende punt leidt, er is een stramien waarbinnen we ons bevinden, dat weet ik. Maar ik kan het niet zien. Ik dwaal in het duister en schijn met een zwakke zaklantaarn voor me uit. Het schijnsel reikt niet verder dan de volgende stap die mijn voeten moeten zetten.

De volgende stap: we gaan met de Greyhound bus naar Detroit.

Ik heb een weekendtas bij me met kleren en toiletspullen. Mijn satijnen jurk met de omhelzende handschoenen en de rode wijnvlek heb ik thuisgelaten, het damespistooltje zit tussen het ondergoed. Op het laatste moment heb ik de sneeuwbol met de dolfijnen en de brieven van Carina in mijn tas gestopt. Al het andere is niet belangrijk. Mijn boeken, mijn mooie schoenen, de brieven van mijn ex-geliefde.

Engel heeft geen bagage, hij bezit alleen de kleren die hij draagt.

Ik betaal de kaartjes contant. Als je je creditcard gebruikt, kunnen ze je traceren, dat weet ik uit de film.

Het is best mogelijk dat ik de achtervolgers verzin en dat we in het luchtledige vluchten. Dan ben ik belachelijk – voor mijzelf. Engel zal het niet veel uitmaken, vermoed ik.

In de bus zit ik bij het raampje. De elektriciteitspalen langs de snelweg staan als zwarte uitroeptekens in het kale landschap. Mijn hand ligt in de hand van engel. Ik durf haast niet te ademen, totdat hij met zijn duim langzame cirkels draait over mijn huid.

Ik zou hem willen vragen wat het betekent dat Bas me al twee maanden geen haatbrief meer heeft gestuurd. Of hij mij is vergeten. Of heeft vergeven.

De grote stad is leeg en onherbergzaam, er waait een koude wind. We rijden over de ene na de andere avenue met rijen dichtgetimmerde of half gesloopte winkels. Stukken plastic fladderen over straat. Af en toe haast iemand zich met opgezette kraag langs de verlaten panden. Vergane glorie, uitgerangeerd, spookstad.

Bij het busstation stappen we uit, samen met een hoogzwanger meisje van een jaar of zestien. Ik ben plotseling bang dat Dave Carowski aan de overkant op ons zal staan te wachten, maar er is alleen een bedelaar, een man met nooit gewassen en nooit geknipt haar die ons woordeloos aankijkt. Ik leg een dollar in zijn handpalm.

We lopen langs torenhoge gebouwen en door een woonwijk met bouwvallige huizen. De autohandelaar heeft zijn nering aan de rand van het centrum, naast een braakliggend terrein.

Uit de putten van de stadsverwarming komen grote wolken witte stoom, wat de indruk wekt van een ondergrondse vuurzee die de stad langzaam doet smelten. Het uithangbord van een verlaten kapperszaak klappert in de wind. Af en toe rijden sleeën van auto's langs vol jongens met zonnebrillen, de bonkende muziek op hun stereo zo hard dat de hele straat ermee gevuld is. Ik moet aan gehoorapparaten denken.

Wij zijn hier de enige twee voetgangers. Ik steek mijn arm door die van engel en versnel mijn pas. 'Kom, laten we opschieten.'

Hij glimlacht, zoals steeds wekt hij de indruk dat hij volkomen op zijn gemak is.

'Kijk,' wijst hij.

Op een muur met ijzeren anti-inbraaktanden langs de bovenrand staat met enorme, hanenpoterige letters 'Love, love, love, love, love' – de urgentie spat eraf.

'Vast een overgebleven boodschap uit de jaren zestig,' zeg ik. 'In de loop van de tijd bij elke schoonmaakactie over het hoofd gezien.' Er is niets veranderd – toch ben ik opgelucht.

De persoon die de muur heeft beschilderd was een naïeveling. Of hij heeft zomaar wat gedaan, zonder diepere bedoeling. Of hij was een visionair. 'Love, love, love, love, love' – uiteindelijk is dat wat nodig is. Dat wat nodig is om moed uit zijn donkere, veilige hol te trekken, het felle daglicht in, als wapen tegen angst en haat en lelijkheid.

De autohandelaar heeft moeite om afscheid te nemen van de feestdagen: zijn hele terrein hangt vol met aan- en uitflitsende kerstverlichting. Het is midden op de dag, maar het lijkt al veel later. De knipperende lampjes werpen een bizar rood schijnsel op de auto's die in lange rijen op een modderig veld geparkeerd staan. Grote borden met reclameteksten – *Buy now, Pay later! The best your money can buy!*– rammelen tegen de hekken waar ze met ijzerdraad aan vastgemaakt zijn. In de verte staat een caravan, ook versierd met lichtjes.

Een stevige man komt op ons af. '*Welcome, friends*!' roept hij.

'Ik zoek een auto,' zeg ik. Dit is Amerika – als je vervoer nodig hebt, schaf je gewoon een auto aan.

De verkoper heeft een vriendelijk gezicht en een rond postuur, hij zou de Kerstman zelf kunnen zijn. De wind trekt aan ons. Hij veegt een lok dun, blond haar uit zijn ogen en spreidt zijn armen alsof hij me wil omhelzen. Het ontbreekt er nog maar aan dat hij '*ho, ho, ho*' begint te bulderen.

'*Lady*, wat voor auto je ook zoekt, ik heb hem hier staan.'

Voor ik iets kan zeggen, valt engel in: 'We willen een auto die betrouwbaar is, en niet te duur.'

Op de een of andere manier klinken die paar woorden kalm en vol gezag, de autohandelaar reageert er direct op. Hij lijkt minder rond en minder Kerstmanachtig. 'Loop maar mee,' zegt hij. 'Ik heb wel iets voor jullie.'

Hij wijst naar een lange, donkerblauwe wagen, maar engel schudt zijn hoofd zonder de auto echt bekeken te hebben. 'Deze niet,' zegt hij.

De verkoper geeft hem een vreemde blik en loopt verder naar een oude Chrysler in metallic babyblauw.

Engel keurt ook deze auto af. 'Waarom niet?' fluister ik.

'Hier kom je nog geen twintig mijl ver mee,' fluistert hij terug.

Pas bij de vijfde auto is engel tevreden. Het is een felgroene Ford met comfortabele stoelen en een brede achterbank. Geen tweedehands, maar eerder een derdehands, wie weet zelfs een vierdehands auto, en blijkbaar betrouwbaar genoeg.

De autohandelaar vraagt negenhonderd dollar, waar engel zonder veel moeite zeshonderdvijftig van weet te maken.

Ik betaal en vul de formulieren in.

'Ik kan niet rijden,' zegt engel.

De verkoper komt zijn caravan uit om ons na te kijken. Hij heeft een verbaasde uitdrukking op zijn gezicht.

'Waarnaartoe?' vraagt engel.

Daar heb ik al over nagedacht. 'We gaan naar de Sleeping Bear Dunes.' Ik geef gas.

Ooit heb ik een artikel gelezen over het natuurgebied bij de Great Lakes, hoe leeg het er is, en hoe mooi. Bovendien vind ik de naam prachtig – in de armen van een slapende beer zullen we veilig zijn voor wie ons ook maar achtervolgt.

Mijlenlang zijn we op weg naar een plek die niet lijkt te be-staan. De Sleeping Bear Dunes worden nergens aangegeven, en ik rijd grotendeels op gevoel naar het noorden.

'Heb vertrouwen,' zegt engel. 'We gaan in de goede rich-ting.'

De koplampen schijnen op een verkeersbord, in de scheme-ring licht de naam van het natuurgebied op. Mijn rug en schou-ders ontspannen zich.

'Laten we even stoppen, je bent moe.' Hij wijst naar een reclamebord dat een *roadside café* aankondigt.

Aan het begin van de middag hebben we bij een Wal-Mart kleren voor engel gekocht – 'geen sokken, mijn voeten zijn altijd warm' – en verder heb ik aan één stuk door geconcentreerd ach-ter het stuur gezeten. Normaal gesproken rijd ik zelden. Maar dit is geen normale situatie, vertel ik mezelf keer op keer.

We hebben onderweg maar weinig gesproken. Ik hield mijn blik strak op de weg en controleerde regelmatig het achteruitkijkspiegeltje. In mijn hoofd cirkelde een vage notie van gevaar.

Engel legt zijn hand op mijn pols. 'Kom,' zegt hij. 'Daar gaan we rusten.'

Het roadside café maakt reclame voor zichzelf met rode neonverlichting op het dak. 'The Olde Boathouse', hoewel het gebouw in het halfdonker niets weg heeft van een botenhuis. Het is een langwerpige, plaatijzeren barak met vrolijk verlichte ramen, waarachter ik mensen en muziek vermoed.

'Goed.' Ik zet de auto op het terrein naast de barak, waar al twee pick-uptrucks staan.

Mensen en muziek, dat klopt. Aan de bar zitten drie zwijgzame mannen naar een tv te kijken die op een gevaarlijk naar voren hellend platformpje aan de muur is bevestigd, naast een plank met flessen sterkedrank. Er staat een sportprogramma aan, Elvis galmt 'Are you lonesome tonight' dwars door het commentaar heen.

Ik doe een stap achteruit. Engel legt zijn hand tegen mijn rug en geeft me een klein duwtje. Hij leidt me naar een tafeltje in een nis, waar we onder een verkleurde poster van de Zwitserse bergen tegenover elkaar gaan zitten. Ik moet denken aan de rampzalige blind date met Burt. Toen hadden we in net zo'n nis gezeten, aan net zo'n tafeltje met een rood formica blad. Ik glimlach.

Engel kijkt me aan. Zijn ogen zijn lichtgroen.

'Wat?' vraag ik.

Hij schudt zijn hoofd.

'Wat?'

'Ik weet niet.'

Op dat moment komt de serveerster naar ons toe. Hoewel ze hoogstens een jaar of twintig is, heeft ze een ouwelijke, bittere trek op haar gezicht, alsof de zorgen haar tot de lippen zijn gestegen.

Ze draagt een wit t-shirt met de opdruk 'The Olde Boathouse' en een superstrakke spijkerbroek. '*How can I help you?*' vraagt ze aan engel. Mij negeert ze totaal.

Ik kuch. 'Twee koffie en een omelet met kaas,' zeg ik. 'Krijg ik daar ook brood bij?' Ze knikt en slentert terug naar de bar.

'Heb je spijt?' vraag ik.

Hij kijkt me aan.

Die open blik van hem.

'Nee.'

Er valt een groot gevoel van urgentie over ons heen, alsof er met een zwaai een zwaar vissersnet wordt uitgeworpen. De tijd is zo kort. Ik sta op en ga aan de andere kant van de tafel zitten, tegen hem aan, mijn hoofd op zijn schouder. Hij slaat zijn arm om me heen.

'Hier rechtsaf,' zegt engel. Hij houdt een grof getekende kaart van de route naar onze tijdelijke woning in zijn hand.

De smalle weg is pikdonker, ik zie nergens een afslag. 'Hoe weet je dat we hier naar rechts moeten?' Ik zet de auto langs de kant.

Toen ik een tweede kop koffie vroeg, werd die niet door het zorgelijke meisje, maar door de eigenaar gebracht. Hij had in deze maanden niet vaak vreemdelingen in zijn zaak, en wilde een praatje maken.

Toen hij hoorde dat we nog geen onderdak hadden voor de nacht en voor langere tijd een vakantiehuisje zochten, vertelde hij over de cottage die hij verhuurde. Primitief, zonder elektriciteit, maar met stromend water en een fornuis op gasflessen, gelegen op een rustige, mooie plek aan de rand van het meer. 'Niet geschikt voor mensen die *the jitters* krijgen van eenzaamheid,' zei hij.

Precies wat we zochten. Ik betaalde twee weken vooruit, waarna we de sleutel en een kaartje met de routebeschrijving kregen.

'Dit is de weg,' zegt engel. Ik knip het lampje aan, en hij laat me op de kaart zien waar we zijn. 'Kijk maar.' Hij wijst door het raampje naar een onzichtbare zijweg, enkele meters verderop.

Ik start de auto.

Engel gidst me naar een ongeasfalteerd pad dat naar de voet van een lage heuvel loopt. Daar stoppen we. Waar het duister zich verdicht, boven op de heuvel, staat een huis, of een schuur. Het is ijzig koud, zelfs in de auto. Ik heb het gevoel dat de wereld is opgehouden, dat we ergens een afslag hebben genomen naar een ruimte buiten alle kaders. Licht, donker, tijd, klimaat – voor alles gelden hier andere wetten.

We blijven zwijgend in de auto zitten, terwijl de afkoelende motor af en toe een hard tikkend geluid maakt. Zodra we zijn uitgestapt is er geen weg terug, denk ik.

Engel haalt diep adem, alsof hij zich klaarmaakt om in de koude zee te duiken, en gooit het portier open. Al voordat ik ook ben uitgestapt, loopt hij met lange passen de heuvel op. In het donker lijkt zijn silhouet met een bordenwisser op een schoolbord te worden uitgeveegd.

Ik sta naast de auto en kijk naar de lucht. Sterren schitteren waar de dichte wolken even iets dunner worden. Ik hoor mijn eigen ademhaling, de enige aanwijzing dat ik er nog ben. Het is onmogelijk te bepalen waar het meer is. Een ijzige wind steekt op en brengt uit het noorden de geur van water met zich mee. Hij suist langs gras, droge struiken en zand. Ik lik over mijn lippen in de verwachting zout te proeven, maar deze wind is zoet.

Engel komt weer naar beneden gerend – ik hoor hem nog voor ik hem zie. Hij legt zijn hand op mijn schouder, ik voel dat hij glimlacht.

'Kom,' zegt hij. 'Het huis is daarboven. Neem de zaklantaarn mee.'

Toen we bij de Wal-Mart waren, had ik in een opwelling een grote zaklantaarn en wat kaarsen gekocht, misschien omdat ik had moeten denken aan de kampeervakanties die ik vroeger met mijn eerste vriendje had ondernomen. Gewoon, weg met de auto, en maar zien waar je uitkwam.

Ik pak de zaklantaarn van de achterbank en volg engel. Als er al een pad is, dan is dat niet hier. Mijn voeten vinden maar moeilijk houvast in het rulle zand. Ik steek mijn handen uit, voel scherp gras langs mijn vingers. Het is zo koud, het moet wel vriezen.

Pas boven knip ik de zaklantaarn aan. Engel staat voor een laag houten gebouwtje met een puntdak, bij een deur met een metalen klopper. Hij haalt de sleutel uit zijn jaszak en draait het slot open.

Niet bang zijn, zeg ik tegen mezelf en volg hem naar binnen. Ik moet me inhouden om niet als een klein meisje de punten van zijn jas vast te grijpen.

Zijn gestalte tekent zich grijs af in de door de zaklantaarn verlichte ruimte. Het is een kleine kamer met een tafel in het midden en twee lage stoelen onder stofhoezen in een hoek. Ik zie een open haard en planken waar niets op staat. Er hangt een muffe, afgesloten geur – hier is al heel lang niemand binnen geweest.

We lopen verder naar wat blijkbaar de keuken is, heel klein, in een soort nis achter de huiskamer. De wc is buiten, een hok naast de keukendeur, ijskoud en tochtig. Ik ril.

Een krakende trap naar boven. Het licht uit de zaklantaarn beweegt bij elke stap op en neer, alsof we op volle zee aan het varen zijn. Op de overloop staat engel stil. Ik blijf achter hem staan en sla mijn armen om zijn middel, duw mijn voorhoofd tegen de ruwe wollen stof van zijn jas. 'Dit is een goed huis,' zegt hij zonder zich om te draaien, op een toon alsof hij een wild beest temt. Een hond, of een geschrokken hert: braaf, braaf – met uitgestoken hand kalm naar het van spanning trillende dier.

Het huis geeft zich gewonnen – ik voel duidelijk hoe iets dat eerst strak stond, nu losser wordt, ontspant.

Engel opent de deur tegenover de trap, de enige deur hier. Een slaapkamer onder een schuin dak, met een houten bed en tegen de muur een ladekast. Witte muren, een raam zonder gordijnen. Meer niet.

'Perfect.'

'Ja.'

We gaan weer naar beneden om onze spullen uit de auto te halen – mijn reistas en een paar plastic tassen met de aankopen van eerder die dag. De zaklantaarn is niet meer nodig. Het huis is een baken, een vuurtoren met een signaal dat alleen voor ons zichtbaar is.

Ook binnen is het donker niet meer zo dicht. Ik loop door de kamers, trek boven de lakens van het bed en vind daaronder dikke dekbedden, dekens en katoenen beddengoed. Een beetje muf, maar de geur van zeeppoeder vertelt me dat alles schoon is. Beneden kraakt de houten vloer waar engel heen en weer loopt. Ik zet twee kaarsen op een schoteltje op de ladekast en steek ze aan. In mijn tas zoek ik naar de sneeuwbol met de dolfijnen. Die krijgt een plek naast de kaarsen. Het tocht een beetje, de vlammetjes maken bewegende lichtvlekken op de muur.

Als ik mijn trui over mijn hoofd trek, krijg ik een kleine elektrische schok.

Eindelijk. Alles is anders.

Ik leg mijn hoofd op de borst van engel en luister hoe zijn hart eerst wild galopperend voortrent, en hoe het daarna geleidelijk kalmeert en het bloed bedaard door zijn lichaam stuurt.

Hart, bloed, aderen – ik weet hoe dat er binnen in een lichaam uitziet, ik heb vroeger goed opgelet bij de biologielessen.

Ik richt me half op en leun op mijn elleboog. Hij zegt niets, trekt me met zijn blik dichter naar zich toe.

Ik ken je niet, denk ik en duw me tegen hem aan, van mijn schouders tot aan mijn heupen, tot er geen centimeter ruimte meer tussen ons is.

'Ga weg,' zeg ik. Hij is té dichtbij, ik ben het niet gewend om zo lang, zo intens bekeken te worden. Zijn blik langs mijn lippen, mijn oogleden.

Ik wil een doek over mijn hoofd trekken, verdwijnen in deze eerste ochtend.

'Ga weg,' zeg ik nog een keer, en wil niet dat hij weggaat. Ik sluit mijn ogen.

Dat is nóg gevaarlijker, nu kan ik niet meer zien wat hij ziet: hoe bang ik ben. Hoe weinig waard om lief te hebben.

Dus doe ik mijn ogen weer open en nog steeds is daar zijn blik. Groene ogen – donkergroen, bijna bruin langs de randen en fel, lichtgroen naar de pupillen toe. 'Wat zie je?' vraag ik, net alsof ik wereldwijs en blasé ben.

Daar ziet hij moeiteloos doorheen, hij glimlacht alleen maar.

'Kus me dan tenminste,' zeg ik en ik klink onzekerder dan ik wil. Mond tegen mond is er geen zicht meer, alleen maar gevoel.

Hij kust me niet, blijft me aankijken. 'Je bent mooi,' zegt hij.

'Nee! Ik ben niet mooi, ik ben lelijk.' Zo gaat het toch altijd. Eerst het kussen, dan het schelden. Als ik het zelf zeg, is het minder erg dan dat straks uit zijn mond te horen. 'Je weet niet half hoe lelijk.'

De zon breekt door en schijnt op de ladekast en de muur. Vanuit ons bed kan ik zien hoe de wolken in dichte formaties langs de hemel snellen. Het is koud, ik trek het dekbed hoger over mijn schouders.

'Je bent mooi,' zegt hij nog een keer.

Zijn blik is niet boos, eerder mild.

Ik kan niet geloven dat alles nu echt anders is.

Nu zien we pas goed hoe afgezonderd deze plek is. Het huis staat in een leeg, golvend duinlandschap, nergens een spoor van andere gebouwen. Aan de achterkant is het meer, verrassend dichtbij. Het lijkt zo groot als een zee – met ongewisse overkant – voortdurend in beweging onder de sterke wind. Als de zon even tevoorschijn komt, glinstert het water met ontelbaar veel zilveren vlekjes.

Achter het huis ontdekken we een kleine schuur, een scheefgezakt geval van slordig tegen elkaar getimmerde planken. De deur klemt, en als we hem eenmaal open hebben, vinden we een enorme stapel kurkdroog brandhout, bedekt met een laagje spinnenwebben en zand. Genoeg voor een lang, koud voorjaar – dat geeft me een veilig gevoel.

In het gras voor het schuurtje ligt een roeiboot, ooit felblauw geverfd, maar nu verweerd en afgebladderd. 'Daar kunnen we niet mee varen,' zegt engel, terwijl hij op de grond knielt en de boot op zijn kant draait. Er zit een enorm gat in de bodem.

Ik leg mijn hand op zijn schouder. Ik denk aan ons bed, aan zijn wimpers tegen mijn wang. Aan wat hij vanochtend zei. Als hij mij afstotelijk vond, zou hij niet hier zijn. 'Ik geloof je,' zeg ik.

Engel kijkt vanuit zijn knielende positie naar me op. Ik zie dat hij precies weet waar ik het over heb. 'Goed,' zegt hij en komt overeind.

Binnen gooi ik het raam in de huiskamer open, zodat de koude, frisse lucht erin kan en trek de hoezen van de stoelen. Met een oude doek veeg ik het stof van de tafel en van de planken aan de muur. Engel heeft een bezem gevonden, waarmee hij het overal aanwezige zand begint weg te vegen. Dat lijkt me onbegonnen werk zo midden in de duinen, maar ik houd mijn mond.

In de keuken staan een paar ouderwetse petroleumlampen en er is inderdaad een op een gasfles aangesloten fornuis. Na enig gepruts heb ik in de gaten hoe het ding werkt, en kan ik in een gebutste ketel water opzetten voor koffie.

De wind waait nu zo hard, dat het gasvlammetje uit dreigt te gaan. Engel doet het raam in de huiskamer weer dicht, stapelt in de haard houtblokken en takken tot een toren en heeft die binnen enkele minuten aan het vuur branden, zo gemakkelijk alsof hij bij de padvinders in de leer is geweest.

Bij het haardvuur zitten we tegenover elkaar. Nu moeten we aan elkaar en aan het huis gaan wennen, dat is onze voornaamste taak voor de komende periode.

Ik neem een slok van mijn oploskoffie en verlang naar een echte espresso. 'Zijn we op de vlucht?' vraag ik. 'Ik kan maar niet besluiten wat er aan de hand is, waarom we hier zijn.'

Hij zou kunnen zeggen dat het mijn idee was om hiernaartoe te komen, maar dat doet hij niet. 'Ik ben niet op de vlucht,' zegt hij. 'Ik kan niet vluchten, ik word altijd gezien.'

'Word je gestraft omdat je de regels hebt gebroken?'

'Ik weet het niet. Ik heb nog nooit zelf meegemaakt dat een engel zich niet hield aan wat is voorgeschreven. Ik weet ook niet of ze me hier zullen laten blijven.' Engel kijkt naar zijn handen. Een gloeiend stuk hout breekt met een droog knappend geluid in tweeën. 'Ik weet eigenlijk niet eens of ik iets doe wat niet mag. Soms denk ik dat ik precies doe wat nodig is. Dat ik mijn opdracht vervul – het vreemde daarvan is dat ik tegelijkertijd mijn eigen verlangen volg. Dat hoort niet.'

Ik neem een hap van een stuk oud brood dat ik nog heb meegenomen van thuis. Morgen moet ik boodschappen doen.

Het knapperen van het vuur en het gekrijs van meeuwen boven het meer benadrukken de stilte. De ochtend vervloeit in de middag. Ik heb geen idee hoe laat het is.

Engel staat op. 'Ik wil een stuk langs het water lopen. Ga je mee?' Hij strekt zijn hand uit om me overeind te trekken.

's Avonds sta ik rillend in de keuken bij de gootsteen, bijgelicht door een van de petroleumlampen. Het is hier duidelijk nog geen lente, de Sleeping Bear Dunes liggen een stuk noordelijker dan de stad die we achter ons hebben gelaten.

Met tegenzin heb ik mijn trui uitgetrokken en mijn blouse opengeknoopt – het vooruitzicht me met koud water te moeten wassen is niet erg aanlokkelijk.

'Laat mij je helpen.' Engel staat in de deuropening. Snel vult hij een grote pan met water en zet die op het fornuis. Dan knoopt hij mijn blouse weer dicht en leidt me terug naar de warmte van de huiskamer.

Als het water op temperatuur is, zet hij de pan op de eettafel en kleedt mij vervolgens uit, zodat ik bloot voor het vuur zit.

Met een stuk zeep en een dunne doek begint hij me te wassen, heel voorzichtig en secuur – onder zijn geconcentreerde aanraking gloeit mijn lichaam, elk stukje ervan, niets wordt overgeslagen. Terwijl hij mijn buik inzeept, kijk ik naar zijn kruintje. Als hij mijn voeten wast, is mijn blik op zijn neergeslagen oogleden.

Ik herinner me een tekst die ik ooit heb gelezen: 'From someone lost to someone found'.

Tot slot droogt hij me af met een ruwe handdoek en trekt me een van zijn eigen truien aan, zo over mijn blote lijf. Ik heb me nog nooit zo schoon gevoeld.

'Ik zou je naar boven willen dragen,' zegt hij en lacht zachtjes. 'Maar de trap is te smal. Je zult zelf moeten lopen.'

'Bekijk je me steeds terwijl ik slaap?' vraag ik.

Engel slaapt nooit. Hij heeft een oneindige voorraad energie, als een bankrekening die niet leeg raakt en waarvan hij al zijn bezigheden kan bekostigen.

Deze nacht heb ik geprobeerd wakker te blijven. Bij de gedachte aan zijn waakzame blik op mijn slapende gezicht voel ik me open en bloot, een onverdedigd fort. Toch ben ik in slaap gevallen – en nog voor ik mijn ogen 's ochtends opsloeg wist ik dat hij naar me lag te kijken.

'Nee, ik kijk niet voortdurend. Af en toe kijk ik hoe je slaapt, hoe je ademt. Hoe je bent.' Hij ligt op zijn zij vlak naast me, zonder me aan te raken. 'Is dat verkeerd?'

'Nee,' zeg ik voorzichtig. 'Nee, ik geloof niet dat het verkeerd is. Het is onwennig.'

'Kwetsbaar,' vult hij aan.

'Ja.'

'Ik zou je nooit kwaad doen,' zegt hij met nadruk.

Ik verbeeld me dat wij hier altijd zo samen zullen zijn, dat dit nooit verandert.

'Het maakt me gelukkig om naar je te kijken.'

Ik zucht, rol op mijn rug en zwijg.

Ook nu kijkt hij naar mij, terwijl ik hier zo lig, met mijn ogen dicht. Ik ontspan me en voel alleen tederheid, geen oordeel.

Ik ken mezelf niet meer. Hele dagen breng ik door met wat ik vroeger 'nietsdoen' noemde. Ik zit aan de rand van het meer, ingepakt in dikke truien en sjaals, loop door de duinen mijn adem achterna, kijk naar het haardvuur, lig in bed met engel, luister naar de sneeuw en naar de regen, voel me veilig in dit huis dat omvat wordt door de duinen, door de armen van een slapende beer. Dit is genoeg.

Zelfs met het karige dieet waar ik deze dagen op leef, voelt mijn lichaam vervuld. Ik heb lang naar een woord gezocht en heb ten slotte 'vanzelfsprekend' bedacht – simpel en niet spectaculair, precies passend.

De plaatselijke supermarkt verkoopt alles wat een mens ooit nodig kan hebben, van voorverpakte kaneelbroodjes en blikken petroleum tot vogelvoer en wollen wintermutsen. Engel is niet bij me – we hebben niets afgesproken, maar de rolverdeling is duidelijk. Ik ben verantwoordelijk voor de boodschappen en de wasserette en hij past op het huis.

In mijn winkelwagentje ligt het hoogstnoodzakelijke: twee lichtbruine broden in plastic, een stuk kaas, kersenjam, een zak havermout, een kilo appels, drie blikken groentesoep, lucifers en een pak witte huishoudkaarsen. In andere omstandigheden had ik waarschijnlijk ook een voorraad lekkere dingen meegenomen: chocolade, chips, wijn. Ik heb verbazingwekkend weinig moeite om die zaken te laten liggen.

Als ik bij de kassa sta te wachten tot een enorm dikke vrouw in een gewatteerd bloemetjesjack haar boodschappen heeft afgerekend, valt mijn blik op een rek met daarin een lokaal reclameblad en de *Chicago Tribune*. Zonder na te denken steek ik mijn hand uit om de krant te pakken. Ik lees een dreigende kop: '*Bombs on Iraq*', en trek mijn hand weer terug.

Ik wil helemaal niet weten hoe het met de rest van de wereld gaat. Ik wil geen nieuws lezen, geen humaninterestverhalen, geen boekrecensies. Ik wil zelfs geen boeken lezen.

Er is niets dat ik mis.

Thuis zet ik de bruine papieren zak met boodschappen op de tafel en ga direct weer naar buiten. Ik loop naar de rand van het meer. Geen boot, geen huis, geen mens. Alleen grijs, bijna bewegingloos water en grijze lucht. Ik snap waarom dit voor de indianen de plek was waar de beer slaapt. Een schuilplaats die geen jager ooit zal vinden. Ik adem de eeuwigheid in. Dit landschap is altijd zo geweest en zal altijd zo blijven, ook al vernietigt de mensheid zichzelf, ook al stijgt de zeespiegel.

Stukken wolk scheuren zonder aanleiding los, daar is geen mens voor nodig. Daarachter wacht een stukje verfrommeld blauw. Zacht strijklicht maakt het parelmoer in het gras en in het water zichtbaar. In de verte zie ik een gedaante – hij komt over de zandheuvels naar mij toe rennen. Ik wacht tot hij vlak bij me is en laat me dan in zijn armen vallen. 'Laat me alsjeblieft nooit in de steek.'

Engel streelt me over mijn haar. 'Ik heb gezwommen,' zegt hij. Ik kan het ijskoude water nog op zijn huid voelen.

Toen we onderweg kleren voor engel kochten, treuzelde hij bij de sportafdeling en koos ten slotte een paar wit met blauwe atletiekschoenen. Ik had aangenomen dat hij ze als alternatief schoeisel wilde gebruiken. Op de eerste middag in de Sleeping Bear Dunes trok hij de schoenen aan en verdween naar buiten.

Toen hij na ruim een uur weer terugkwam, pakte hij me stevig vast. 'Ik kan rennen.' Alsof hij daaraan had getwijfeld.

Nu is het een vast ritueel dat engel 's ochtends en soms ook 's middags in de duinen gaat hardlopen. De eerste keren was ik bang dat hij gewoon door zou blijven rennen, dat hij verliefd zou raken op de snelheid en de wind langs zijn lichaam en dat hij niet meer aan mij zou denken.

Maar hij komt altijd terug – met een warme huid en stralende ogen, nooit bezweet.

Op de een of andere manier is dat hardlopen iets dat zich onttrekt aan woorden, we spreken er nauwelijks over.

Dagen gaan over in nachten, nachten worden dagen – het leven hier heeft zo'n kalme hartslag.

'Kan ik zwanger van je raken?'

'Nee, natuurlijk niet,' zegt engel.

'Echt niet?'

Hij aarzelt. 'Nee, ik denk het niet. Of eigenlijk weet ik het niet. Dit komt nooit voor, of als het wel voorkomt, dan wordt het stilgehouden.'

Dit: liefde, seks, alles.

Dat dit nog nooit eerder is gebeurd, in de hele geschiedenis van engelen en mensen niet, dat wij samen de uitzondering vormen. En dat in uitzonderlijke situaties de uitkomst nooit vaststaat. Dat wij dus best het begin kunnen zijn van iets nieuws, dat een happy end mogelijk is, dat er zelfs een kind kan komen, het beste van twee werelden, een engelenbaby. Dat denk ik.

Hij heeft hetzelfde visioen als ik: wij tweeën als outlaws, een twee-eenheid buiten de sociale orde. In onze eigen wereld, waarop de laaghangende doem van de dood geen vat heeft. Bonnie en Clyde. Of nee, Tristan en Isolde. Of nee, Assepoester en haar prins. Het lukt me niet om een passende analogie te vinden. Wij zijn uniek.

Dan zegt hij met een zucht: 'Maar onwaarschijnlijk is het wel.'

En ik weet weer dat dit niet kan duren. Gods oog laat ons niet ongezien, de maatschappij registreert elke afwijking.

We zitten op een stapel dekens en kussens voor de open haard. Engel wrijft met zijn duim over de binnenkant van mijn arm – de plekken die ik steeds openkrabde zijn nu glad. Ik trek hem dichter tegen me aan, zijn heup tegen de mijne, zijn hoofd tegen mijn schouder.

Later gaat hij naar buiten om een stuk te rennen, ook al is het koud en aardedonker. Ik eet een kom soep en wacht, eerst bij de haard en als het vuur uit is, in bed.

Het is al bijna ochtend als engel naast me onder het dekbed

schuift. Hij duwt zijn hoofd tegen mijn borsten en mompelt iets over tranen en over de liefde.

Het seizoen aarzelt tussen winter en lente. Een paar keer heb ik met een trui aan in de zon gezeten, terwijl het 's nachts nog vaak sneeuwt. 's Ochtends worden we dan wakker in een wereld die in de vroegte nog leger en onwerkelijker is dan anders, maar die met het klimmen van de temperatuur haar afstandelijke uiterlijk weer langzaam aflegt.

Als ik mijn hand in het water houd, is dat zo scherp als glas – het meer lijkt nog nooit door zon te zijn aangeraakt. Engel is niet onder de indruk van de lage temperatuur, hij houdt ervan om na het rennen een stuk te zwemmen.

'Ik voel geen kou,' verzekert hij me ook deze keer en springt naakt het meer in. In mijn dikste fleece trui, met een warme sjaal om mijn schouders en handschoenen aan mijn handen, kijk ik toe. Af en toe trapt hij een omgekeerde waterval van zilveren druppels omhoog en spring ik lachend-gillend opzij.

Als hij uit het water komt, rent hij niet naar handdoek en haardvuur. Hij blijft zelfs nog even staan terwijl de druppels in stroompjes over zijn rug en borst naar beneden rollen, totdat ik het niet meer aan kan zien en hem naar binnen duw.

Die ongevoeligheid voor kou is een van zijn eigenaardigheden, het feit dat hij nooit eet en dat hij nooit naar het wc-hokje naast de keuken gaat, zijn de andere.

Niet menselijk, of in ieder geval heel eigenaardig.

Toch ben ik nog steeds niet overtuigd.

Soms vraag ik me – verstrooid – af hoe zijn jeugd was, of hij broers en zussen heeft. Of bedenk ik vrienden voor hem, een opleiding, werk.

Het is mogelijk.

Het is mogelijk dat hij mij misleidt. Engel is overdag vaak alleen in de duinen. Als hij een stuk gaat rennen, kan hij best ergens iets te eten vandaan halen en dat ongezien naar binnen proppen. En hij hoeft natuurlijk helemaal geen gebruik te maken van de bedompte, kille wc bij ons huis. De natuur is een veel prettiger en schonere badkamer.

Ik kijk naar hem, hoe hij buiten op een omgekeerde kist een ingewikkeld vlechtwerk van helmgras zit te maken. De hemel boven het meer versplintert als een verkeersvliegtuig laag overvliegt. De lucht dondert in zijn kielzog. Een vlucht meeuwen schreeuwt geschrokken.

Als engel een man is, volgt daaruit een logische consequentie. Ik denk aan de FBI en, zonder dat ik snap wat het verband is, komt het verhaal over Siberië bij me op. Over ijskoude dagen op de steppe waar woorden als twinkelende ijskristallen op de grond vallen zodra ze zijn uitgesproken.

Als engel geen engel is, maar een man, bestaat de mogelijkheid dat hij op de vlucht is – niet voor de regels, maar voor de FBI. Een crimineel, wie weet een terrorist.

De rust boven het meer is terug, de lucht trilt niet eens na. De meeuwen strijken een voor een weer neer, vouwen hun vleugels stevig langs hun zij, dobberen als witte papieren scheepjes op het water.

Ik sta op van mijn beschutte plekje in de luwte van een zandheuvel.

Het maakt niets uit. Stel, stél dat het waar is – hier, op deze plek, gelden heel andere wetten. In dit huisje aan het meer zijn wij geen van beiden wie we altijd waren.

Hier zijn we Kay en engel, meer niet.

De weinige kleren die ik bij me heb, liggen in het kastje in de slaapkamer. Elke keer als ik ondergoed of een trui wil pakken, zie ik daar ook het stapeltje brieven van Carina. Sinds ik hier ben, heb ik ze niet meer herlezen. Het is al genoeg om haar handschrift op de enveloppen te zien.

'Wanneer kom je nou eens terug?' Die vraag van haar heb ik nog steeds niet beantwoord.

In de supermarkt heb ik een molen met een restje verkleurde ansichtkaarten zien staan. Ik rijd er speciaal naartoe.

Zittend op het muurtje naast de winkel schrijf ik 'Lieve Carina' en blijf dan een tijd voor me uit zitten staren.

'Dank je wel. Voor je brieven. En voor alles. Ik ben gelukkig, maak je geen zorgen.'

Dat moet genoeg zijn. Ik sluit af met een kus, en zet er na enig nadenken het adres onder van het huis dat ik met Dorothee deel.

'Ik weet niet of ik het kan,' zegt engel.

Het is avond, we zitten op opgevouwen dekens voor het vuur in de open haard. De lamp die achter ons op tafel staat, is al een tijdje geleden uit gegaan. We hebben geen van beiden de moeite genomen om op te staan en de petroleum bij te vullen. Mijn blote voeten liggen op de schoot van engel, hij warmt ze met zijn handen.

Een droge tak zakt knetterend in elkaar, wat een kleine vonkenregen veroorzaakt. Een gloeiend kooltje schiet over de rand en valt op de vloer. Langzaam dooft het uit. We verroeren ons niet.

'Wat bedoel je?' vraag ik.

Engel, die zo lenig is als een yogi, zit al de hele avond in lotushouding. Het gouden schijnsel van de vlammen valt op zijn gezicht, terwijl de rest van zijn lichaam in het donker blijft. Hij zou een figuur in een schilderij van Rembrandt kunnen zijn, een studie in duister en licht.

Hij kijkt me aan. 'Eindigheid,' zegt hij dan. 'Dat er een einde komt aan dit. Aan ons.'

Ik wil mijn voeten terugtrekken.

Maar hij legt zijn ene hand over de wreef van mijn voeten en ondersteunt met zijn andere hand mijn hielen. Ik zie nu pas dat er nog een spoortje rode nagellak op mijn nagels zit – van lang geleden, nog voordat ik engel kende.

'Nee,' zegt hij snel. 'Niet nu. Dat bedoel ik niet, nu is er geen sprake van een einde.' Hij zwijgt even. 'Maar ooit zal dat toch komen. Dat weet jij ook. Er zijn zoveel eindes mogelijk.'

'Dood,' zeg ik.

'Ja. Jij sterft. En ik niet. Of ik sterf, als ik geen engel meer ben.'

'Of jij gaat weg,' zeg ik.

Zijn blik is op mijn voeten gericht. 'Voor mij is dat niet te begrijpen. Eindigheid, sterfelijkheid. Ik weet niet hoe ik daarmee om moet gaan. Tot nu toe heb ik alleen maar eeuwigheid gekend. Dit maakt me bang.'

Een plotselinge hagelbui beneemt me bijna het zicht op de weg. Voorzichtig zet ik de auto op de parkeerplaats van The Olde Boathouse. De hagelstenen slaan als kleine kiezels tegen de voorruit en het dak van de auto. Ik word bekogeld.

Een tijdje blijf ik stilzitten totdat de hagel lijkt af te nemen. Dan trek ik de capuchon van mijn jack over mijn hoofd en ren naar het restaurant. Zelfs zo vroeg in de ochtend is alle feestverlichting al aan. Ik ben de enige klant.

Johnny, de baas van het Boathouse, is achter in de zaak aan het schoonmaken. Met zijn rug naar me toe stuurt hij een knalrode stofzuiger over de kale houten planken.

'Hé, Johnny,' roep ik over het zeurende geluid heen. 'Ben je al open?'

Hij draait zich abrupt om met een soepele beweging vanuit zijn heupen, de stofzuigerslang met zich mee zwaaiend. Als hij een geweer had gehad, was dat nu op mij gericht.

Ik steek mijn handen op. 'Onschuldig!'

Hij lacht zijn grote gele tanden bloot, trapt de stofzuiger uit en laat de slang op de grond vallen. '*You scared me*. Natuurlijk ben ik open.' Hij loopt al naar de bar. 'Wat kan ik voor je doen?'

'Nou, ik zou wel een lekkere warme kop koffie willen en iets te eten. En ik kom weer huur betalen.'

Johnny pakt de glazen kan met pikzwarte koffie die dag en nacht op een warmhoudplaatje klaarstaat en schenkt een flinke beker vol. 'Heb je er nog geen genoeg van? Jullie treffen het niet erg met het weer.'

Ik trek mijn jas uit en ga op een barkruk zitten. 'Nee, het is juist heerlijk. Dat huis van jou is *glorious*. We genieten van de rust en de natuur.' Ik hoor mezelf praten – hoe ik zomaar op 'we' overga. In Nederland sprak ik nooit over 'wij', alleen maar over 'ik'.

Pas op.

'Ja, het is een fijn huis. 'n Goeie plek voor een pasgetrouwd stel – je hoeft niet bang te zijn voor pottenkijkers,' grinnikt hij. In Johnny's gezicht zijn de fijne en de diepe rimpels een catalogus van periodes van pijn, verdriet en geluk. Hij overhandigt me de menukaart, met een opsomming van eiergerechten en hamburgers. 'Waarom is die kerel van je niet meegekomen, is hij soms mensenschuw?'

Ik glimlach. 'Doe maar een spiegelei met kaas.' Na dagenlang havermout, brood en opgewarmde soep, is dat een enorme culinaire uitspatting. Ik heb een plezierig, schuldig gevoel. Een herinnering: hoe ik vroeger spijbelde en dan een goedkope kop koffie bij McDonald's ging drinken. Niemand die wist waar ik was.

Johnny zet de tv boven de bar aan en verdwijnt in het aangrenzende keukentje.

Ik drink met grote slokken van mijn bittere koffie. In dit restaurant, dat hoogstens een kwartier van ons huis ligt, is de wereld verbazingwekkend anders. Koffie, eten, tv, een kletspraatje. Ik adem diep in.

Op de tv is een nieuwsitem over Mexicanen die illegaal de grens naar Amerika over gaan en daarbij zijn gearresteerd. Verfomfaaide mensen worden in de woestijn in een busje geduwd dat hen weer naar hun eigen land zal brengen.

Johnny komt terug met een spiegelei op twee witte boterhammen. Terwijl hij het bord voor me neerzet, kondigt de nieuwslezer een reportage aan over de oorlog in Irak.

'Hoe is het eigenlijk met de oorlog?' vraag ik. Ik weet niet

waarom ik dat vraag, ik wil het helemaal niet over het wereld-
nieuws hebben.

'Dame, zelfs al leef je in een *hole in the ground*, dan kan
het je nog niet ontgaan hoe het met de oorlog staat. We vallen
de terroristen aan en die weten niet hoe snel ze weg moeten
komen. Tv, radio, kranten – iedereen heeft het erover.' Johnny
strijkt zijn grijze haar naar achteren en recht zijn rug.

'Heb je in het leger gezeten, Johnny?' vraag ik.

'*Sure*. Ik ben er trots op dat ik in 'Nam tegen de commies heb
gevochten. Denk er nog elke dag aan. Die tijd heeft mijn hele
leven betekenis gegeven –' De rest van zijn woorden slikt hij in.

Ik denk aan Craig, die in zijn wapenwinkel juist zijn best
deed om Vietnam zo goed mogelijk te vergeten. Nu is hij in het
reservaat. Stel je voor dat je na jaren ergens terugkomt waar
alles nog precies is zoals het was, alsof al dat leven in de tussentijd niets waard is geweest, weggeveegd met een achteloos
gebaar. Als alles nog is zoals het was, is het toch niet weggе-
veegd? – is dat dan een last of een troost?

Johnny leunt met zijn ellebogen op de bar en spreekt me
vertrouwelijk toe. 'Vóór nine eleven wisten we niet wat ons
bedreigde – maar nu weten we dat wel. Als we nu niet handelen –' hier zwijgt hij even, zodat ik zelf in kan vullen wat dat
'handelen' betekent: oorlog, interneringskampen, de atoom-
bom desnoods – 'dan is het einde van alles nabij.'

Ik neem een hap en slik mijn verontwaardiging weg. Wie
ben ik om te zeggen dat die angst onterecht is. Alles is mogelijk.

Als ik de deur uit loop, roept Johnny me na: 'Binnenkort is
het gedaan met de rust. Zodra het beter weer wordt, komen de
dagjesmensen. Dan zijn de wittebroodsweken voorbij.'

Het huis is donker en koud, alsof hier niemand woont. Ik loop
door de kamer naar de keuken en weer terug, maar slaag er
niet in om de ruimte van mijn aanwezigheid te overtuigen. Het
is hier zo leeg als in een bibliotheek na sluitingstijd.

Hij is weg. Ik ben kwaad op mezelf om die gedachte.

Boven ga ik op het bed zitten, leg mijn wang op het kussen waar die nacht zijn hoofd nog heeft gerust, kom weer overeind.

Er waait een kille wind, ik voel pas goed hoe koud het is als ik aan het water sta. Ik ben vergeten een jas aan te trekken. Geen vogels, alleen het geluid van de noordenwind door gras en over zand. Al die stilte benauwt me, ik krijg zin om te schreeuwen. Zijn naam – harder dan het krijsen van de meeuwen, dwars over het water heen, als een steen die ik zo ver mogelijk wegwerp, tegen de wind in.

Stel je voor – mijn adem stokt. Stel je voor dat ik gek ben, dat ik hallucineer. Dat er helemaal geen engel is, dat ik mezelf in de waan houd van een grote liefde. Dat ik hier in mijn eentje in dit godverlaten gebied zit. Het is alsof het landschap doormidden wordt gescheurd, een grote, onregelmatige, gerafelde scheur, waardoorheen ik een glimp opvang van de wereld áchter het meer en de lucht en de duinen.

Ik blijf hier staan, ik verzet geen voet. Het kan me niet schelen of ik bevries, of ik longontsteking en blaasontsteking tegelijk krijg – precies op het moment dat ik die gedachte heb, zie ik hem vlak bij me. Zijn lange, vertrouwde, magere gestalte.

Ik ren hem tegemoet en spring in zijn armen. Hij kust me alsof we elkaar in geen weken hebben gezien. Pas als we allebei naar adem snakken, laat hij me weer los. Ik leg mijn handen om zijn hoofd. 'Ik hou van je,' zou ik willen schreeuwen, maar in plaats daarvan zeg ik: 'Je bent van mij.'

'Nee,' fluistert hij. Ik streel zijn slapen en zijn haar, dat nu bijna tot op zijn schouders valt. Misschien kan ik er vanavond een stukje van af knippen.

'Nee,' herhaalt hij. 'Ik ben van God.'

Een spookachtig roepen – ik schiet overeind. Engel pakt me bij mijn schouders en legt me weer neer. Hij trekt het dekbed hoger over ons heen.

'Een uil. Niets om bang voor te zijn.'

Ik wenk de slaap terug. Engel waakt over mij.

Dan voel ik zijn vingertoppen over mijn gezicht – mijn wenkbrauwen, mijn slapen, mijn wangen, het puntje van mijn neus – strelend, benoemend. Zijn handen langs mijn hals, mijn borsten, mijn schouders, mijn armen.

'Wat doe je?' vraag ik vanuit de verte.

Buiten suist een menigte sterren langs de hemel.

Engel maakt met zijn vingers een ring om mijn pols. 'Ik wil me je herinneren,' zegt hij.

Eerst komen de ganzen. Het is aan het einde van de middag, het donkerblauw van de nacht kruipt omhoog vanaf de horizon en de subtiele tinten van het landschap verbleken langzaam tot grijs. Ik moet denken aan een aquarel waar de schilder te veel water voor heeft gebruikt.

Het blauwe uur. Een moment tot aan de rand volgeschonken met melancholie.

Ik hoor ze voordat ik ze zie – het vreemde lokkende geluid komt steeds dichterbij en dan zijn daar de grijze ganzen in een strakke V-vlucht boven het meer, de nekken smachtend ver uitgestrekt alsof ze op die manier eerder op hun bestemming zijn. Ik sta met mijn hoofd achterover om de vogels zolang mogelijk te kunnen volgen. 'Kijk dan!'

Engel komt naast me staan en samen kijken we de vogels na tot ze in de verte verdwijnen.

'Die gaan naar het westen,' zeg ik, 'daar is het lente.'

'Hier is het ook lente, de struiken beginnen uit te lopen,' zegt hij.

'Er is een verhaal over ganzen en een jongetje dat met ze mee trekt. Als kind vond ik dat altijd zo prachtig – en zo ontzettend droevig, als hij op het einde te groot is om nog met de ganzen mee te vliegen zodat ze zonder hem moeten vertrekken.'

Ik heb in geen jaren meer aan dat verhaal gedacht, maar nu vult dezelfde bittere smaak van verlies mijn mond als toen ik als klein meisje voor het eerst las over Nils Holgersson die afscheid moet nemen van zijn ganzen.

'Ik ken het verhaal niet,' zegt engel. 'Vertel het me.'

Engel heeft gelijk – het is lente. Het sneeuwt 's nachts niet meer en de temperatuur is overdag soms zo mild dat ik in mijn t-shirt buiten kan zitten. Overal verschijnen lichtgroene puntjes aan de struiken.

Op een dag vaart een bootje door ons uitzicht. Het is te ver weg om te zien wie erin zit, maar als ik de pruttelende motor hoor, moet ik – ridicuul – aan Dave Carowski denken.

Als mensen van de FBI naar ons op zoek waren, hadden ze ons allang gevonden. Toch begint er voor het eerst in weken weer iets onrustigs te prikken tegen de dunne huid van mijn onderarmen. Alleen als engel zijn vingers met kracht tegen die plekken aan drukt, verdwijnt de jeuk.

's Ochtends vroeg en 's avonds net voor het donker wordt, kwetteren honderden opgewonden vogeltjes allemaal een eigen liedje.

Dan zien we de eerste wandelaars: een man en een vrouw in identieke rode sportjacks, allebei met een blauw rugzakje, de vrouw draagt een witte muts met kwast. Met stevige pas komen ze langs de oever aanlopen en hoewel ik engel bij zijn arm wil grijpen om hem mee naar binnen te sleuren, blijf ik toch staan. Engel zwaait naar de wandelaars, die vrolijk terugzwaaien.

Er is niets aan de hand.

De zon wordt warmer en trekt het leven, dat de hele winter stilletjes in het donker heeft zitten dommelen, weer naar buiten, naar het licht. Zo gaat het altijd, al zo lang dat niemand zich het begin nog kan herinneren – van leven naar dood en van dood naar leven, van donker naar licht en van licht naar donker, altijd weer opnieuw, volgens in hardsteen gegraveerde regels.

Een droom van verdriet – kale pijn in armen die niets vasthouden. Huilend word ik wakker.

Ik voel tastend naast me. Mijn hand vindt geen warm lichaam, zijn plek in ons bed is leeg. Ik hoor iemand naar adem snakken, het duurt een moment voordat ik besef dat ik dat zelf ben.

De slaapkamer is midden in deze nacht lichter dan ik dacht, de maan schijnt recht door het raam naar binnen. Engel leunt tegen de vensterbank en kijkt naar buiten, hij lijkt niet te merken dat ik wakker ben. Zijn silhouet is in het maanlicht zo scherp als het lemmet van een mes. Een vreemdeling in een witte nacht – ruw veeg ik de tranen uit mijn ogen. Ik wil mezelf pijn doen, maar kan niet bedenken hoe.

Engel draait zich om en is weer wie hij was, mijn engel. 'Niet huilen,' zegt hij, maar hij komt niet naar me toe.

Twee grote passen van de rand van het bed naar het raam, meer niet. Ik zet mijn voeten op de grond en sla een deken om mijn blote lijf.

Als ik naast hem sta, trekt hij me tegen zich aan en ik vouw de deken om ons heen. Een troep ganzen vliegt onzichtbaar, maar niet onhoorbaar voorbij.

'Het is tijd,' zegt hij. Uitleggen hoeft niet, ik weet precies wat hij bedoelt. Dit moment is al wekenlang voorbereid.

Terwijl ik nog zoek naar iets om te zeggen, begint het in mij te brullen. Niet het brullen van een machteloos kind, maar het brullen van een vulkaan of een vuurzee. Engel laat me los, ik doe een stap naar achteren, grijp zijn hand, de deken valt op de grond.

Ik word geplet onder een tornado van razernij – zijn hand in mijn hand, die hand die me zo vaak heeft gestreeld – ik trek zijn handpalm naar me toe en bijt, al mijn tanden, mijn voortanden, mijn snijtanden, mijn kiezen, ik bijt, bijt, bijt, bijt, er kraakt iets, ik bijt, ik scheur, vlees langs mijn tanden, razend, bloed, pijn.

Ik houd op.

Engel zegt niets, trekt zijn hand niet terug.

Mijn tandafdrukken staan in zijn vlees, rode plekken op zijn olijfkleurige huid. 'Geen bloed?' vraag ik.

Zijn gezicht is kalm, geen glimp van afkeer. Een wonder.

'Geen bloed,' zegt hij ten slotte.

'O, god.' Ik tol op mijn benen, hij ondersteunt me, slaat de deken weer om me heen, zet me op de rand van het bed. Ik sla mijn handen voor mijn ogen. Ik wil verdwijnen, ik wil uitgewist zijn. 'Vergeef me.'

Engel komt naast me zitten. 'Goed. Als jij míj vergeeft.'

'Het is geen ruilspelletje!' haal ik uit.

Hij lacht, als ik hem aankijk moet ik ook lachen, hard. Dat is de hysterie. Dan zijn we weer stil. Ik denk aan woorden die veranderen in ijskristallen, dolfijnen die zwemmen in de sneeuw, en een pistool dat ingezet is voor de liefde.

Engel ademt scherp in. 'We proberen het goede te doen. Dat moet genoeg zijn.'

'En de liefde dan?' vraag ik. 'Er is toch meer dan alleen het goede? De liefde is alles.'

Engel schuift wat verder naar achteren, zodat hij tegen de muur kan leunen. Dan trekt hij mij tegen zich aan, mijn rug tegen zijn buik, zijn benen langs de mijne. Zijn warme voeten boven op mijn koude voeten. Het dekbed en de deken over ons heen.

'Ja,' zegt hij na een lange stilte. 'De liefde is alles.' Zijn handen trillen.

Engel veegt het zand uit de huiskamer en de keuken en legt een nette stapel houtblokken naast de open haard.

De laatste keer.

Ik vind de stofhoezen en trek ze over de stoelen. Daarna neem ik de tafel af met een doekje en stop de restjes levensmiddelen – een aangebroken pot honing, een doosje goedkope thee, een pot oploskoffie en een half brood, een restje boter – in een plastic tas. De laatste droge havermout strooide ik uit in het duingras, voor de vogels. Twee blikken groentesoep laat ik in de kast staan, ik kan geen soep meer zien.

De allerlaatste keer. Samen halen we ons bed af, vouwen het

beddengoed op en leggen de afdeklakens over het matras en de kussens, alles precies zoals we het hebben aangetroffen.

Engel brengt onze tassen met kleren naar de auto terwijl ik rondloop in de kale ruimte. Wat vreemd, hoe het huis zich nog vóór ons vertrek al van ons afsluit, hoe het als een teleurgesteld kind met zijn rug naar ons toe gaat staan. Mijn voetstappen op de houten planken – hoe zou het hier zijn in de zomer, als het zand onder je blote voeten knarst?

Bij The Olde Boathouse blijft engel in de auto zitten terwijl ik de sleutel terugbreng. Johnny is er niet, het chagrijnige meisje van onze eerste dag zwaait me met een slap handje na. '*Take care*,' zegt ze.

De banden die me aan deze plek bonden, voelden zo stevig.

Knip – en ik ben los.

Ik start de auto niet direct. 'Nog even,' zeg ik.

Engel kijkt naar me, net zolang tot ik ook hem aankijk. Ik zie hem met een niet-vanzelfsprekende blik, zoals soms onverwachts gebeurt bij iemand die je zo vertrouwd is dat je hem nauwelijks nog echt waarneemt.

Zijn huid is bijna helemaal glad – bij zijn ooghoeken heeft hij een paar lachrimpels en op zijn voorhoofd en rond zijn mond wat vage lijntjes. Hij draagt de dikke, donkerblauwe schipperstrui die we samen bij de Wal-Mart hebben gekocht. Ik weet dat daaronder zijn lichaam slank, bijna mager is, met gespierde armen en sterke schouders als van een zwemmer. Vliegen is topsport.

Daar zit hij, naast me in de auto. Als ik hem als onbekende op straat zou passeren, zou ik over mijn schouder omkijken. Een aantrekkelijke man – eind dertig, begin veertig.

Mijn geliefde, die God weet hoeveel honderden jaren oud is en die tegelijkertijd in de bloei van zijn leven verkeert. Als ik ouder word, mijn vruchtbaarheid verlies, als geen antirimpel-crème nog soelaas biedt, als mijn skelet krimpt, als ik steeds moeilijker loop, denk, adem, zal hij nog vol leven zijn. Als ik dood ben, zal hij er nóg zijn, energiek en krachtig.

'Waarom?' vraag ik ten slotte.

'Ik weet het niet,' zegt engel. En dan: 'Het kan gewoon niet.'

Ik wil hem kussen, maar doe het niet.

'En nu?'

'Laten we maar gaan rijden,' zegt hij.

We praten niet veel, net als op de heenreis. Op de rustige stukken stuur ik met één hand, mijn andere hand open in mijn schoot. Ik simuleer een ontspannenheid die ik niet voel. Het is alsof ik zelf niet aanwezig ben, alsof er in mijn plaats iemand anders in de auto zit.

De weg lijkt eindeloos, vlakke velden met piepjonge aanplant strekken zich links en rechts uit. De monotonie wordt af en toe onderbroken door een roodgeverfde houten schuur.

Het benzinemetertje staat gevaarlijk laag, zie ik opeens. 'We moeten tanken.'

Engel knikt.

Na een paar mijl wijst hij op een bord dat een tankstation aankondigt. Tegelijk neemt hij mijn werkloze hand in de zijne. Snel trek ik me los. Ik wil zowel bijten als strelen.

Het tankstation is enorm, een glimmend rood complex met een restaurant en een supermarkt. Het geheel lijkt gespierd en afgetraind in de startblokken te staan, wachtend op de hordes zomerse toeristen. Nu zijn wij de enige klanten. Het gebouw ligt midden in de kale velden, een Amerikaanse vlag wappert met een klapperend geluid in de wind.

Terwijl ik de tank vol laat lopen, zit engel op de passagiersstoel stil voor zich uit te staren. Met elk uur raakt hij verder buiten mijn bereik. Er staat een glazen wand tussen ons in – ik bekijk hem alsof hij in een etalage zit. Ook al zou ik het willen, ik kan hem niet meer aanraken.

Als je het nu niet weet, weet je het nooit. De benzinelucht prikt in mijn ogen.

Ik loop naar de kassa. Ik moet mijn nagels hard in de muis van mijn hand zetten om niet achterom te kijken.

Met het 'Have a nice day' van de caissière nog in mijn oren, kom ik terug bij de auto. De passagiersstoel is leeg. Natuurlijk. Maar dat gaat zomaar niet. Ik zoek in de winkel, in het restaurant, bij de wc's, en nog eens in de winkel. Ik ren om het tankstation heen. Ten slotte rijd ik de auto naar een plek aan de zijkant van het gebouw, en wacht. Stel dat hij toch nog terugkomt, dat hij alleen maar even een rondje is gaan lopen. Dat hij spijt heeft gekregen. Dat hij mij mist.

Ik wacht een uur, twee uur, drie uur op de stoep naast de auto.

Het is mijn schuld – als ik niet opnieuw kwaad was geworden, als ik zijn hand niet had weggeduwd, daarstraks in de auto. Als ik hem vannacht niet hysterisch had aangevallen, als ik me beter had gedragen, dan zou hij nu nog hier zijn. Dan zouden we nu naar een stil plekje rijden en daar zou ik mijn hoofd op zijn schouder leggen, hij zou zijn armen om me heen slaan, ik zou zijn geur ruiken, zijn hartslag voelen.

Maar zelfs als engel langer was gebleven, was dat niet meer dan een uitstel geweest. Alles op aarde is eindig, en deze relatie al helemaal.

De zon breekt met volle overtuiging door de wolken heen. Mijn huid voelt klam.

Ik open de achterbak. Daar staat de plastic tas met zijn kleren naast mijn weekendtas. Ik steek mijn hand tussen zijn spullen en vind zijn hardloopschoenen – alles is er nog, lijkt het. Wat had ik anders verwacht? Zijn grijze trui ligt bovenop. Als ik die tegen mijn neus houd, ruik ik gemaaid gras en zon.

Nu niet. Abrupt duw ik de tas opzij.

In mijn eigen tas zoek ik naar mijn dunne katoenen sweater, en stuit op het pistooltje, gewikkeld in een slipje. Ik laat het van mijn ene naar mijn andere hand rollen – het staal en de greep voelen vertrouwd. In de weken in de Sleeping Bear Dunes is het wapen volledig uit mijn geheugen verdwenen.

Engel ben ik kwijt – nu het pistooltje nog.

De middag vordert, het licht wordt steeds vermoeider. Op de elektriciteitsdraden langs de weg zitten rijen vogels te wachten op een vertreksein. Ik ben niet voor de avond thuis – maar wat maakt dat uit. Licht of donker bepaalt niet de veiligheid of onveiligheid van een situatie. Veiligheid heeft te maken met vertrouwen, met je voeten op de grond.

Ik zet de auto op een kleine parkeerplaats bij een duinheuvel. Een informatiebord meldt dat dit het startpunt is van een pad dat door beschermd natuurgebied naar de oever van het meer voert.

Het zand is rul, mijn voeten glijden steeds een stukje naar achteren. Het valt me tegen hoe hoog de heuvel is. De spieren in mijn bovenbenen trillen. Nu pas besef ik dat ik de hele dag nog niets heb gegeten. De honger schiet als een bliksemflits dwars door mijn lichaam: het zweet breekt me uit, ik word duizelig.

Dat kan ik niet toestaan. Ik ga zitten, trek mijn schoenen en sokken uit, stop ze in mijn tas en zet mijn blote voeten in het koude, vochtige zand. Kou verdrijft honger.

Snel loop ik de laatste meters naar de top, neem niet de tijd om daar te pauzeren, ren gelijk aan de andere kant naar beneden.

Daar is het meer. De overkant is niet te zien, waardoor je kunt vermoeden dat dit de zee is. Ik denk aan de Noordzee.

Ik denk aan wat ik niet heb gezegd.

Ik hou van je.

En waarom niet.

Ik geloof in het goede – dat betekent niet dat ik daar zelf naar handel.

Een baby die nog niet eens een baby was. Zoiets kleins, met ogen die nog niets zagen. Iets dat nauwelijks levenskracht had en al helemaal geen macht. Een baby had ik nodig om de deur van mijn huis achter me dicht te trekken en in het vliegtuig te stappen.

Zelf had ik niet de moed.

Toen ik eenmaal wist dat ik zwanger was, was er een lelijke gedachte naar boven gekomen. Ik drukte er direct een zwaar deksel bovenop, maar ik had die gedachte toch gedacht.

Ik kijk naar het meer, dat zo kalm is als een slapend kind.

Met het predictorstaafje in mijn hand, bedacht ik hoe ik deze baby, die nog een frutseltje was, geen mens, kon gebruiken. Ik zou Bas niets vertellen. Als hij kwaad zou worden, zoals hij voortdurend kwaad werd over zomaar iets, geen bijzondere reden, zou hij me slaan of schoppen, zoals hij altijd deed.

De baby, die nog niet meer was dan een cel, zou het niet overleven.

Dán zou ik het hem zeggen.

Een niet af te kopen schuld.

Dat moest hij dan maar zien te verdragen, spijt zou hem niet helpen.

En ik zou woedend zijn – zo razend dat alle angst werd weggevaagd. Dan zou ik kunnen vertrekken.

De baby, die nog niets was in de wereld, was mijn moed.

Zo is het gegaan.

Het meer stuurt kleine golfjes naar de oever, mijn voeten en enkels zijn rood en gevoelloos.

Een gebrek aan moed is een karakterfout. Of een zonde. Dat heb ik lang geloofd.

Engel, op onze eerste avond in de Sleeping Bear Dunes, in het huisje aan het water. Hoe hij tegen me zei dat ik mooi was.

Ik heb vaak gedacht dat hij alles van mij wist.

Ik zucht en merk dat ik mijn adem heb ingehouden.

'Als je het nu niet weet, weet je het nooit.' Die zin achtervolgt me al zo lang en nu besef ik pas dat het geen waarschuwing is, maar een belofte. *I must be saved* – dát heb ik toen gedroomd. Vlak voordat ik engel in het koffiehuis zag staan en hij met mij meeging.

De zee die geen zee is strekt zich breed voor me uit alsof alles weer mogelijk is. Een meer heeft een heel andere sfeer dan een zee. Ik kijk over het water, zo ver ik kan. Hier ontbreekt de eindeloosheid, het meedogenloze voortstromen, het rücksichtslose samendwingen van oceanen.

Een meer kan het zich veroorloven om mild te zijn. Het heeft genoeg aan zichzelf.

Het licht boven het wateroppervlak wordt geleidelijk zo zacht en mat als poeder. Een paar watervogels vliegen met een schrille kreet van de oever op.

Ik haal het pistooltje uit mijn rugzak. Nog één keer voel ik hoe licht het is, bewonder ik de elegante vorm.

Moed.

Ik sta op en met een zwaai gooi ik het wapen in het meer. Een kleine plons, een rimpeling – weg.

Het water is ijskoud tegen mijn voeten.

Ik doe een paar stappen achteruit en laat me weer op het zand vallen. Vanochtend was engel nog bij me. Zijn warme adem langs mijn huid, zijn lippen op mijn gezicht, zijn handen langs mijn rug. *Blijf bij me, blijf in me – ga niet weg.*

Moed.

Ik haal diep adem en schreeuw zo hard ik kan over het water.

'Ik hou van je!'

Mijn eigen stem echoot naar me terug.

Een brede band met wolken komt uit de verte aandrijven, misschien gaat het regenen.

Snel loop ik het duin weer op, snel, snel, zodat ik weer warm word. Het gaat moeizaam, en ik heb alleen aandacht voor mijn voeten in het stroeve zand en mijn benen die zo hard moeten werken.

Hijgend kom ik aan bij de top. Alles is stil. De heldere tinten en strakke lijnen zijn al uit de dag weggetrokken, maar het licht is nog niet helemaal verdwenen.

Mijn auto staat beneden, ver weg in een hoek van de parkeerplaats. Hij wacht in zijn eigen vierkante vak, keurig binnen de witte lijnen. Eromheen is een lege vlakte van asfalt, gedeeltelijk bedekt met stuifzand. Links en rechts van mij zijn nog meer duinen en voor me – voorbij de parkeerplaats – een dicht dennenbos. Geen spoor van bebouwing. Geen mensen. Geen dieren.

In plotselinge paniek kijk ik om me heen.

Het is alsof ik mezelf van grote hoogte waarneem: ik sta boven op een kale berg zand, met achter me een zee die geen zee is, en voor me een parkeerplaats midden in een leeg natuurgebied. Op een plek waar ik nooit eerder ben geweest. In een land dat niet het mijne is. Niemand die weet waar ik ben. Niemand die weet wie ik ben.

Als een astronaut die is losgeraakt van de capsule begin ik aan een vrije val door de ruimte. Ik val en ik val en –

Een hand grijpt me bij mijn schouders en trekt me terug naar de duintop. Een warme, vertrouwde hand.

Naar adem happend voel ik het zand onder mijn voeten. Ik ruik gras en zon. De groene vlek in de diepte verandert weer in de Ford die we samen in Detroit hebben gekocht.

In de auto trek ik mijn schoenen weer aan. Het is zo schemerig dat ik de duinen haast niet meer kan onderscheiden. Ik ben niet bang.

Alles wat er ooit is geweest en wat er nog steeds is

Op een regenachtige zaterdagmiddag wordt er aangebeld.

Ik heb haast, wil me nog douchen en verkleden voor ik de deur uit ga. Voor mijn baan als gastvrouw in het restaurant waar Dorothee vroeger werkte, moet ik er verzorgd uitzien.

Als ik de voordeur opentrek, zie ik Dave Carowski. Hij draagt hetzelfde leren jack als toen hij mij maanden geleden verhoorde. En hij kan glimlachen, net als gewone mensen.

'Hé,' zegt hij, zo nonchalant alsof we elkaar de dag daarvoor nog gezien hebben. 'Ik heb nieuws voor je. Mag ik even binnenkomen?'

Ik knik, en hij stapt over de dozen in de gang naar mijn huiskamer. Het hele huis staat vol met de spullen van Dorothee. Over een week vertrekt ze naar San Francisco om daar een kookschool te openen en haar kookboek te promoten. Ik heb een yard sale voorgesteld, maar daar wil ze niet van horen. 'Mijn leven zit in die spullen,' zegt ze. Alles moet mee naar de West Coast, nog geen oud T-shirtje mag achterblijven.

Dave wacht niet in de kamer, loopt direct naar de keuken alsof hij thuis is.

'Hé,' zeg ik tegen zijn rug. 'Je komt toch geen huiszoeking doen?'

'Mooi,' zegt hij en wijst op de weelderige tuin. 'Nee, ik kom geen huiszoeking doen.'

We staan tegenover elkaar, onhandig.

'Wat dan?' vraag ik.

'Die man,' zegt hij, 'naar wie ik je toen heb gevraagd. Die man die hier in de buurt rondhing en die we verdachten.' Hij schraapt zijn keel. 'We hebben niemand gevonden. Je hoeft je geen zorgen meer te maken. Dat wilde ik je even laten weten.'

'O,' zeg ik. Dit is onverwacht. 'Dank je. Dat is fijn.'

'Ja. Dus die zaak is nu afgesloten, tenminste wat betreft jouw rol daarin.'

'O,' zeg ik opnieuw.

'Kay,' zegt Dave.

Ik corrigeer hem. 'Kat. Dat is mijn nieuwe naam.'

Als hij verbaasd is, laat hij dat niet merken. 'Oké. Kat. Ik wil je nog iets vragen.' Hij lijkt verlegen, voor zover een FBI-agent ooit verlegen kan zijn. 'Heb je zin om een keer samen te gaan eten?'

Ik ben zo verbluft dat ik moet lachen. 'Uit eten? Waarom? Ik ben een verdachte, dat is toch zeker tegen de regels?'

Buiten klinkt het geluid van een helikopter die rondjes vliegt boven de stad.

Hij glimlacht. 'Fuck de regels. En bovendien – je bent geen verdachte meer. Eigenlijk heb ik je nooit echt als verdacht beschouwd, vooral niet toen je me vertelde over die engel van je. Die is gestoord, dacht ik.' Hij schraapt zijn keel. 'Die dame van de neighborhood watch, die met dat donkere haar –'

'Gina Rissini.'

'Ja, die. Dat mens heeft je verlinkt. Ze belde me om te zeggen dat je met een man naar het noorden was vertrokken.'

'En je bent me niet achterna gekomen?'

'Mmm. Nee. We wisten toen al dat we op het verkeerde spoor zaten met jou,' zegt Dave.

Hij kijkt me aan met een blik die ik niet goed kan interpreteren. 'Die man met wie je op reis bent geweest –'

'Ja?'

'Hebben jullie een relatie?'

'Ja,' zeg ik snel. 'Een sóórt relatie – maar we claimen elkaar niet.' Ik pak de sneeuwbol met de dolfijnen van het aanrecht. Het is fijn om iets in mijn handen te hebben.

'Wat denk je: heb je zin in een etentje?' vraagt hij opnieuw.

Ik schud de bol en de dolfijnen zwemmen door de sneeuw. 'Oké,' zeg ik. 'Dat lijkt me leuk. Er is één ding.'

'Wat?' Dave kijkt me aan alsof hij verwacht dat ik een bekentenis ga doen.

'Ik denk erover om binnenkort voor een poosje terug te gaan naar Nederland.'

'O.' Hij overweegt wat ik heb gezegd. 'Dat geeft niet, of tenminste, we zien wel.'

Alles is eindig, elk klein en groot ding in het leven heeft zijn eigen afgemeten tijd. 'Goed,' zeg ik, 'we zien wel.'

Noot van de schrijver

Ooit las ik over woorden die in ijskristallen veranderen in de Siberische kou. Helaas is de bron hiervan niet meer te achterhalen, maar ik ben de bedenker dankbaar voor dit mooie beeld.

'From someone lost to someone found' is een tekst die in 2004 door kunstenaar Douglas Gordon in een installatie is gebruikt in het Van Abbe Museum, Eindhoven.

Veel dank aan Hanca Leppink en Lidewijde Paris voor hun steun en ondersteuning.